América del Sur

Mar Caribe
OCÉANO ATLÁNTICO
Barranquilla
Cartagena
Maracaibo
Caracas
Barquisimeto
Río Orinoco
VENEZUELA
Georgetown
Paramaribo
GUYANA
Salto Ángel
Cayenne
SURINAM
GUAYANA FRANCESA (Francia)
Medellín
Manizales
Bogotá
Cali
COLOMBIA
CORDILLERA DE LOS ANDES
Quito
ECUADOR
Ecuador
Guayaquil
Cuenca
Islas Galápagos (Ec.)
Río Amazonas
Manaus
Belém
Iquitos
Fortaleza
Río Madeira
Cajamarca
Trujillo
PERÚ
Río Branco
BRASIL
Recife
Lima
Machu Picchu
Ayacucho
Cuzco
BOLIVIA
Lago Titicaca
Salvador
Arequipa
La Paz
Brasília
Santa Cruz
Cochabamba
Arica
Sucre
Potosí
Iquique
Desierto de Atacama
Belo Horizonte
PARAGUAY
Río de Janeiro
São Paulo
Santos
Antofagasta
Salta
Asunción
Salto Iguazú
Trópico de Capricornio
CHILE
San Miguel de Tucumán
ARGENTINA
CORDILLERA DE LOS ANDES
Río Paraná
Río Uruguay
Coquimbo
Pôrto Alegre
Córdoba
Rivera
Rosario
Valparaíso
Santiago
Mendoza
URUGUAY
Buenos Aires
La Plata
Montevideo
OCÉANO ATLÁNTICO
Río de la Plata
Concepción
Bahía Blanca
Puerto Montt
OCÉANO PACÍFICO
Estrecho de Magallanes
Islas Malvinas (Br.)
Punta Arenas
TIERRA DEL FUEGO
Cabo de Hornos

OCÉANO PACÍFICO
I. Pinta
I. Fernandina
I. Marchena
I. San Salvador
Santa Cruz
I. Santa Cruz
I. Isabela
Puerto Ayora
Puerto Villamil
I. San Cristóbal
Puerto Baquerizo Moreno
ISLAS GALÁPAGOS (ECUADOR)

OCÉANO PACÍFICO
Cabo Norte
Volcán Katiki
Hanga Roa
Cabo Cumming
Mataveri
ISLA de PASCUA (CHILE)

PEARSON ALWAYS LEARNING

¡Anda! Curso Intermedio

Volume II

Custom Edition for Indiana University

Taken from:
¡Anda! Curso Intermedio
by Audrey L. Heining-Boynton, Jean W. Leloup, and Glynis S. Cowell

Taken from:

¡Anda! Curso Intermedio
by Audrey L. Heining-Boynton, Jean W. Leloup, and Glynis S. Cowell

Published by Prentice Hall
Upper Saddle River, New Jersey 07458

This special edition published in cooperation with Pearson Learning Solutions.

Pearson Learning Solutions, 501 Boylston Street, Suite 900, Boston, MA 02116
A Pearson Education Company
www.pearsoned.com

Printed in the United States of America

1 2 3 4 5 6 7 8 9 10 XXXX 16 15 14 13 12 11

000200010271281136

TS

ISBN 10: 1-256-48743-0
ISBN 13: 978-1-256-48743-2

BRIEF CONTENTS

FIRST

	Capítulo Preliminar A Para empezar	Capítulo 1 Así somos	Capítulo 2 El tiempo libre
Vocabulary sections		1 El aspecto físico y la personalidad 3 Algunos estados 5 La familia	1 Algunos deportes 3 Algunos pasatiempos
Review grammar	Selected elementary topics, see page 3.	• Direct and indirect object pronouns, personal *a*, and reflexive pronouns • **Preterit** (regular and irregular verbs)	• Formal *(Ud./Uds.)* and informal *(tú)* **commands** • **Present subjunctive** (regular, irregular, and stem-changing verbs)
Grammar sections		2 Verbs similar to ***gustar*** 4 **Present perfect indicative**	2 *Nosotros/as* **commands** 4 The subjunctive in **noun clauses:** expressing hopes, desires, and requests
Culture	**Notas culturales:** El español: lengua de millones **Perfiles:** ¿Quién habla español? **Notas culturales:** La influencia del español en los Estados Unidos	**Notas culturales:** ¿Hay un latino típico? **Perfiles:** Familias hispanas **Vistazo cultural:** Los hispanos en los Estados Unidos	**Notas culturales:** La Vuelta al Táchira **Perfiles:** Campeones famosos del mundo hispano **Vistazo cultural:** Deportes y pasatiempos en la cultura mexicana
Escucha		**Estrategia:** Anticipating and predicting content to assist in guessing meaning	**Estrategia:** Listening for the gist
¡Conversemos!		**Estrategias comunicativas:** Greetings and farewells	**Estrategias comunicativas:** Expressing pardon, requesting clarification, and checking comprehension
Escribe		**Estrategia:** Process writing (Part 1): Organizing ideas (*Product:* personal profile)	**Estrategia:** Process writing (Part 2): Linking words (*Product*: blog commentary)
Laberinto peligroso		**Lectura:** *¿Periodistas en peligro?* **Estrategia:** Pre-reading techniques: Schemata, cognates, predicting, and guessing **Video:** *¿Puede ser?*	**Lectura:** *Búsquedas* **Estrategia:** Scanning and skimming; reading for the gist **Video:** *¿Qué te ocurre, Celia?*

SEMESTER

Capítulo 3 Hogar, dulce hogar	Capítulo 4 ¡Celebremos!	Capítulo 5 Viajando por aquí y por allá	Capítulo 6 ¡Sí, lo sé!
1 Los materiales de la casa y sus alrededores 3 Dentro del hogar: la sala, la cocina y el dormitorio	1 Las celebraciones y los eventos de la vida 3 La comida y la cocina 4 Más comida	1 Los viajes 2 Viajando por coche 4 Las vacaciones 5 La tecnología y la informática 7 Las acciones relacionadas con la tecnología	**Reviewing strategies**
• **Preterit** (stem-changing verbs) • **Imperfect**	• The **preterit** and the **imperfect** • *Hacer* with time expressions	• *Por* and *para* • The **preterit** and the **imperfect** (cont.)	Recycling of **Capítulo Preliminar A** to **Capítulo 5**
2 Uses of definite and indefinite articles 4 Subjunctive in **noun clauses:** expressing feelings, emotions, and doubts 5 *Estar* + past participle as an adjective to express result	2 **Past perfect (pluperfect)** 5 **Present perfect subjunctive**	3 Relative pronouns: *que* and *quien* 6 Subjunctive in **adjective clauses:** indefinite and nonexistent antecedents	
Notas culturales: El mejoramiento de la casa **Perfiles:** La importancia de la casa y de su construcción **Vistazo cultural:** Las casas en España	**Notas culturales:** El Día de los Muertos **Perfiles:** Grandes cocineros del mundo hispano **Vistazo cultural:** Tradiciones de Guatemala, Honduras y El Salvador	**Notas culturales:** El fin del mundo y los glaciares en cinco días **Perfiles:** Viajando hacia el futuro **Vistazo cultural:** Un viaje por mundos diferentes en Nicaragua, Costa Rica y Panamá	**Cultura**
Estrategia: Listening for the main ideas	**Estrategia:** Listening for details	**Estrategia:** Listening for specific information	
Estrategias comunicativas: Extending, accepting, and declining invitations	**Estrategias comunicativas:** Asking for and giving directions	**Estrategias comunicativas:** Asking for input and expressing emotions	
Estrategia: Process writing (Part 3): Supporting details (*Product:* ideal house description)	**Estrategia:** Process writing (Part 4): Sequencing events (*Product:* magazine article on celebrations)	**Estrategia:** Peer editing (*Product:* peer-edited writing sample)	
Lectura: *Planes importantes* **Estrategia:** Establishing a purpose for reading; determining the main idea **Video:** *Una nota misteriosa*	**Lectura:** *Colaboradores, competidores y sospechosos* **Estrategia:** Identifying details and supporting elements **Video:** *¿Mágica o malvada?*	**Lectura:** *Cómplices, crónicas, mapas y ladrones* **Estrategia:** Using a dictionary **Video:** *¿Somos sospechosos?*	Recap of Episodios 1–5

SECOND

	Capítulo Preliminar B Introducciones y repasos	Capítulo 7 Bienvenidos a mi mundo	Capítulo 8 La vida profesional
Vocabulary sections	**Capítulo Preliminar A** **Capítulo 1** **Capítulo 2** **Capítulo 3** **Capítulo 4** **Capítulo 5**	1 Algunas tiendas y algunos lugares en la ciudad 3 Algunos artículos en las tiendas	1 Algunas profesiones 3 Más profesiones 5 Una entrevista 7 El mundo de los negocios
Review grammar		• *Ser* and *estar* (a second look) • **Present progressive**	• Adjectives used as nouns • Demonstrative adjectives
Grammar sections		2 The subjunctive in **adverbial clauses:** expressing time, place, manner, and purpose 4 **Progressive** tenses: the imperfect: *andar*, *continuar*, *seguir*, *ir*, and *venir*	2 **Future** 4 **Conditional** 6 **Future perfect** 8 **Conditional perfect**
Culture		**Notas culturales:** La ropa como símbolo cultural **Perfiles:** Algunos diseñadores y creadores **Vistazo cultural:** Algunos lugares y productos en las ciudades de Chile y Paraguay	**Notas culturales:** La etiqueta del negocio latino **Perfiles:** El trabajo y los negocios **Vistazo cultural:** Algunos negocios y profesiones en Argentina y Uruguay
Escucha		**Estrategia:** Determining setting and purpose	**Estrategia:** Repeating/paraphrasing what you hear
¡Conversemos!		**Estrategias comunicativas:** Conversing on the phone and expressing agreement (Part 1)	**Estrategias comunicativas:** Expressing good wishes, regret, comfort, or sympathy
Escribe		**Estrategia:** Using a dictionary (*Product:* op-ed)	**Estrategia:** Greetings and closings in letters (*Product:* cover letter/letter of introduction [for a job interview])
Laberinto peligroso		**Lectura:** *¿Casualidades o conexiones?* **Estrategia:** Identifying elements of texts: Tone and voice **Video:** *¡Trazando rutas y conexiones!*	**Lectura:** *Complicaciones en el caso* **Estrategia:** Checking comprehension and determining/adjusting reading rate **Video:** *¿Estoy arrestado?*

SEMESTER

Capítulo 9 ¿Es arte?	Capítulo 10 Un planeta para todos	Capítulo 11 Hay que cuidarnos	Capítulo 12 Y por fin, ¡lo sé!
1 El arte visual 3 La artesanía 4 La música y el teatro 6 El cine y la televisión	1 El medio ambiente 4 Algunos animales 6 Algunos términos geográficos	1 La cara y el cuerpo humano 4 La atención médica 6 Algunos síntomas, condiciones y enfermedades	**Reviewing strategies**
• Comparisons (of equality and inequality) • The superlative	• Prepositions and prepositional pronouns • The infinitive after prepositions	• **Reflexive** verbs • Affirmative and negative expressions	Recycling of **Capítulo 7** to **Capítulo 11**
2 A review of the **Subjunctive:** The subjunctive in noun, adjective, and adverbial clauses 5 *If* clauses in the present (Part 1)	2 The **past subjunctive** 3 The **past perfect (pluperfect) subjunctive** 5 *If* clauses in the past (Part 2) 7 The sequence of verb tenses	2 The impersonal *se* 3 Reciprocal *nos* and *se* 5 *Se* for unplanned occurrences 7 The passive voice	
Notas culturales: El Museo del Oro en Bogotá, Colombia **Perfiles:** El arte como expresión personal **Vistazo cultural:** El arte de Perú, Bolivia y Ecuador	**Notas culturales:** *Amigos del Medio Ambiente* **Perfiles:** Algunas personas con una conciencia ambiental **Vistazo cultural:** La naturaleza y la geografía de Colombia y Venezuela	**Notas culturales:** La medicina tradicional o alternativa **Perfiles:** Algunas personas innovadoras en el campo de la medicina **Vistazo cultural:** La medicina y la salud en Cuba, Puerto Rico y la República Dominicana	**Cultura**
Estrategia: Making inferences from what you hear	**Estrategia:** Listening in different contexts	**Estrategia:** Commenting on what you heard	
Estrategias comunicativas: Clarifying and using circumlocution	**Estrategias comunicativas:** Expressing agreement (Part 2), disagreement, or surprise	**Estrategias comunicativas:** Pausing, suggesting an alternative, and expressing disbelief	
Estrategia: Introductions and conclusions in writing (*Product:* short story)	**Estrategia:** More on linking sentences (*Product:* essay persuading local community to participate in an environmental project)	**Estrategia:** Determining audience and purpose (*Product:* video script)	
Lectura: *Sola y preocupada* **Estrategia:** Making inferences: Reading between the lines **Video:** *Desaparecidos*	**Lectura:** *En peligro de extinción* **Estrategia:** Identifying characteristics of different text types **Video:** *¡Alto! ¡Tire el arma!*	**Lectura:** *¿Caso cerrado?* **Estrategia:** Assessing a passage, responding, and giving an opinion **Video:** *Atando cabos*	Recap of Episodios 7–11

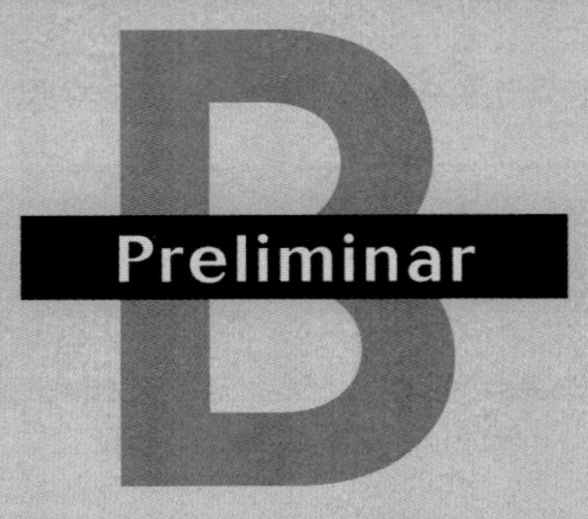

Preliminar B

Introducciones y repasos

OBJETIVOS

Comunicación

- To describe yourself, your family, and others in detail
- To narrate past events
- To indicate something *has* or *had* happened
- To express feelings, opinions, and reactions
- To share information about sports and pastimes
- To make suggestions for group action using *Let's*
- To make recommendations and suggestions and to express volition
- To describe houses and their surroundings
- To express doubt, emotions, and sentiments
- To relate information about celebrating life events
- To elaborate on foods and food preparation
- To discuss travel, means of transportation, and technology
- To connect sentences and clauses
- To describe something that is uncertain or unknown

Laberinto peligroso

- To describe what has happened thus far to the protagonists Celia, Javier, and Cisco
- To hypothesize about what you think will happen next

This chapter is a review of vocabulary and grammatical concepts that you are already familiar with in Spanish.

Some of you are continuing with ***¡Anda! Curso intermedio.*** Others may be coming from a different program. As you begin the second half of ***¡Anda! Curso intermedio,*** it is important for you to feel confident about what you already know about the Spanish language while you continue to acquire knowledge and proficiency. This chapter will help you to determine what you already know and to focus on what you personally need to improve upon.

If you are new to ***¡Anda! Curso intermedio,*** you will want not only to review the grammar already introduced but also familiarize yourself with the active vocabulary used in the textbook. ***¡Anda! Curso intermedio*** recycles vocabulary and grammar frequently to help you learn more effectively, and this chapter will review what we consider to be the basics of the preceding chapters.

For all students, this chapter also reviews what has occurred to date in the thrilling episodic adventure, **Laberinto peligroso.** Students who haven't seen the previous episodes will also have

an opportunity to do so. The episodes in the text and the video build upon each other, just like a *telenovela* and, starting in **Capítulo 7,** will continue from where the episode in **Capítulo 5** left off. **Capítulo 6** is a recycling chapter and no new episodes for **Laberinto peligroso** were introduced.

Before you begin this chapter, you may wish to review the studying and learning strategies on pages 220–221 in **Capítulo 6.** These strategies are applicable to your other subjects as well. So on your mark, get set, let's review!

Comunicación

Capítulo Preliminar A *and* Repaso *Grammar Boxes:* Capítulos 1–5

B-1

1. Para empezar y Repaso. **Capítulo Preliminar A** and the two **Repaso** grammar boxes in each of **Capítulos 1–5** served as an organized review of beginning Spanish grammar concepts via the following topics. Consult the pages listed if you need to review these topics before proceeding.

gender of nouns, p. 4
singular and plural nouns, p. 5
definite (**el, la, los, las**) and indefinite (**un/a, unos/as**) articles, p. 6
adjectives (formation, possessive, and pronouns), pp. 7, 11
present indicative of regular, irregular, and stem-changing verbs, pp. 13, 14, 18
reflexive constructions, p. 21
ser and **estar,** p. 24
gustar, p. 27
direct (**me, te, lo, la, nos, os, los, las**) and indirect (**me, te, le/se, nos, os, les/se**) object pronouns, p. 34
the **preterit,** pp. 44, 107
formal (**Ud./Uds.**) and informal (**tú**) commands, p. 70
the present **subjunctive,** p. 82
the **imperfect,** p. 118
the **preterit** and the **imperfect,** pp. 143, 196
hacer with time expressions, p. 153
por and **para,** p. 181

Capítulo 1

B-2 to B-3

2. El aspecto físico y la personalidad. Repasa el vocabulario **El aspecto físico y la personalidad** de la página 32 y haz la siguiente actividad.

B-1 ¿Cómo describirlos?

Describe a algunas personas que conozcas o a algunas de las personas que aparecen en las fotos, enfocándote en (*focusing on*) su aspecto físico y su personalidad. Si usas las fotos, imagina la personalidad de esas personas. Utiliza por lo menos **ocho** oraciones. Túrnense.

Estrategia

In **B-1**, you are directed to say at least eight sentences. See how many more than eight you can do in the time allotted. Always try to do more than the minimum suggested.

Estrategia

Whenever you do an activity, such as **B-1**, always try to go beyond the images you see. For example, talk about not only the obvious physical characteristics and possible personality traits, but also imagine and describe their families. Perhaps you can pretend that you and your partner are siblings, and that one of the photos is of your family.

MODELO *Mi amiga Carol es simpática, inteligente y amable. Es alta, rubia, tiene los ojos verdes y es muy delgada. Tiene pestañas muy largas y unas cejas...*

B-4 to B-5

3. Algunos verbos como *gustar*. Repasa los verbos como **gustar** de la página 38. ¿Qué otros verbos son como **gustar**? Ahora, haz la siguiente actividad.

Estrategia

You will notice that nearly all activities in *¡Anda!* are pair activities. You will be encouraged or required to change partners frequently, perhaps even daily. The purpose is for you to be able to practice Spanish with a wide array of speakers. Working with different classmates will help you to improve your spoken Spanish more quickly.

B-2 Y mis amigos...

Túrnense para crear y terminar las siguientes oraciones con algunos verbos como **gustar.**

MODELO Las características que más (interesarme) en una persona son...
Las características que más me interesan en una persona son la inteligencia y la simpatía.

1. Las características que menos (interesarme) en una persona son...
2. A mi mejor amigo/a no (interesarle)...
3. (Fascinarme)...
4. A los estudiantes (encantarnos)...
5. (Caerme) bien las personas que...

B-6 to B-7

4. Algunos estados. Repasa **Algunos estados** en la página 43 y haz la siguiente actividad.

Estrategia

Remember that you can find reviewing techniques in *Capítulo 6* that you may use. Also remember *MySpanishLab*™ is available for your use.

B-3 Te toca a ti

Inventen cómo eran las personalidades de las personas que aparecen en estas obras de arte. Utilicen por lo menos **ocho** oraciones.

El caballero de la mano en el pecho, El Greco, entre los años 1577 y 1584

Las meninas, Velázquez, 1656

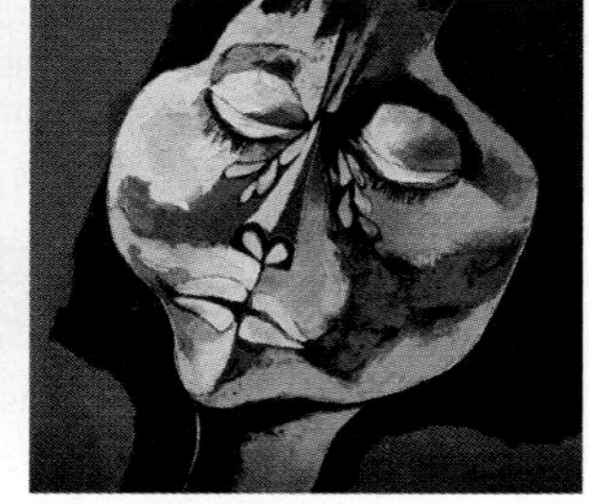

Niña llorando, Guayasamín, 1994

MODELO *El señor que tenía barba probablemente era amable pero tímido…*

B-8 to B-9

5. El presente perfecto de indicativo. Repasa **El presente perfecto de indicativo** en la página 46. Explícale a un/a compañero/a cómo formarlo y luego haz la siguiente actividad.

B-4 Así soy yo

Si te describieras, ¿qué dirías? (*what would you say*) ¿Qué has hecho en tu vida? ¿A cuántas escuelas has asistido? ¿En cuántas ciudades has vivido? ¿Qué te ha interesado? ¿Qué te ha fascinado? ¿Qué tipos de personas te han caído bien/mal? Descríbete en por lo menos **ocho** oraciones usando **el presente perfecto de indicativo.** Después, comparte la descripción con cinco compañeros.

MODELO *Siempre he sido una persona muy generosa con mi tiempo y mi dinero. No me han caído bien las personas flojas…*

Estrategia

When reading, you will at times come across a word that you have not formally learned. It is important that you do not become frustrated but rather look for clues to the word's meaning. Maybe it looks like another word you have already learned; perhaps you can guess its meaning from the context of the sentence or paragraph. One example is *describieras* in the directions for **B-4.** Although you have not yet learned the tense for *describieras*, what is the infinitive for this verb? What do you suppose it means?

B-10 to B-11

6. La familia. Repasa el vocabulario de **La familia** en la página 50 y haz las siguientes actividades.

B-5 A ver si encuentras...

Estrategia

If necessary, review the formation of the preterit on p. 44 before beginning **B-5.**

Es hora de entrevistar a tus compañeros. Completa los siguientes pasos.

Paso 1 Crea preguntas en **el pretérito** según el modelo.

MODELO E1: conocer a tus bisabuelos
E2: *¿Conociste a tus bisabuelos?*

Paso 2 Busca a algún/alguna compañero/a que responda afirmativamente.

MODELO E1: *¿Conociste a tus bisabuelos?*
E2: *No, no conocí a mis bisabuelos.*
E1: *¿Conociste a tus bisabuelos?*
E3: *Sí, conocí a mis bisabuelos.*
E1: *Bueno, firma aquí, por favor.*
E3: Ray

conocer a tus bisabuelos Ray	nacer un/a sobrino/a u otro miembro de la familia este año	ir de vacaciones con los parientes durante la niñez
conocer a algunos gemelos en la universidad	recibir una herencia monetaria de los bisabuelos	divertirse durante la adolescencia
aprender algo importante de unos ancianos cuando era niño/a	divorciarse unos amigos el año pasado	casarse hace unos años

Estrategia

If necessary, make a list of all of the question words to assist you with **B-6.**

B-6 Pregúntale

Usa las siguientes palabras para formar por lo menos **ocho** preguntas. Luego, házselas a tus compañeros/as.

los gemelos
el hermanastro/la hermanastra
el hijastro/la hijastra
el hijo único/la hija única
la madrina/el padrino
el marido/la mujer
el nieto/la nieta
la nuera/el yerno
la pareja
el suegro/la suegra

	E1	E2	E3
1. *¿Conoces a algunos gemelos?*			
2.			
3.			
4.			
5.			
6.			
7.			
8.			

MODELO E1: *Tengo una pregunta para ti. ¿Conoces a algunos gemelos?*
E2: *No, no conozco a ningunos gemelos. Ahora una pregunta para ti: ¿Cómo se llama el marido de Jennifer López?...*

Capítulo 2

B-12

7. Algunos deportes. Repasa el vocabulario de **Algunos deportes** en la página 68 del **Capítulo 2.** Luego haz las siguientes actividades.

Estrategia

¡Anda! has provided you with reviewing and recycling references to help guide your continuous review of previously learned material. Make sure to consult the indicated pages if you need to refresh your memory about this or any future recycled topics.

B 7 ¿En qué orden lo hicieron?

La familia Hernández fue de vacaciones por seis días. Hicieron algo diferente todos los días. Pon los dibujos en el orden que quieras y explícale a tu compañero/a qué hicieron. Tu compañero/a tiene que decirte el orden. Túrnense.

Estrategia

¡Anda! encourages you to be creative when practicing and using Spanish. Being creative now in your Spanish class will help you become a more confident speaker when you use Spanish in your everyday life. One way to be creative with Spanish is to devise mini-stories about photos or drawings that you see. Being creative also includes giving individuals in drawings names and characteristics.

Estrategia

Getting to know your classmates helps you build confidence. It is much easier to interact with someone you know.

B-8 ¿Verdadero o falso?

Escribe **cinco** oraciones que tú, miembros de tu familia o personas que conoces **han hecho** o **no han hecho** en el mundo deportivo. **Cuatro** de las cinco oraciones deben ser **falsas** y **una** debe ser **verdadera.** En grupos de cuatro, tus compañeros/as tienen que adivinar cuál de las oraciones es verdadera. Túrnense.

MODELO E1: *Mis padres han hecho surf en Hawaii. Mi mejor amigo ha ganado un premio en boliche,...*

E2: *A ver. La oración falsa es Mi mejor amigo ha ganado un premio... ¿Qué opinas,* E3*?*

E3: *En mi opinión, la oración falsa es...*

B-13 to B-14

8. Los mandatos de *nosotros/as*. Repasa **Los mandatos de *nosotros/as*** en la página 74. ¿Cómo se forman? Ahora, haz la siguiente actividad.

Estrategia

In **B-9**, use direct object pronouns *(me, te, lo, la, nos, os, los, las)* where appropriate. Note the *modelo*.

B-9 Hagamos lo siguiente...

Mirando el dibujo como inspiración, hazle invitaciones a tu compañero/a, usando **mandatos de *nosotros/as*.** Tu compañero/a debe aceptar o negar las invitaciones. Túrnense.

MODELO E1: *¡Hagamos surf!*

E2: *Gracias, pero no lo hagamos este fin de semana porque va a hacer mal tiempo.*

B-15 to B-16

9. Algunos pasatiempos y el subjuntivo. Repasa **Algunos pasatiempos** y **El subjuntivo** en las páginas 81 y 82. ¿Cómo se forma **el subjuntivo?** Explícaselo a un/a compañero/a de clase. ¿Cuáles son algunos de sus usos? Ahora, haz las siguientes actividades.

B-10 Nuestros pasatiempos

Juntos hagan un diagrama de Venn, categorizando los siguientes pasatiempos de acuerdo a los que se pueden hacer en casa, los que se hacen al aire libre y los que se pueden hacer en ambos lugares en el círculo del centro.

coleccionar sellos	jugar a las damas
decorar la casa	pescar
hacer trabajo de carpintería	tejer
leer cuentos cortos	comentar en un blog
trabajar en el jardín	correr
coser	pintar
hacer artesanía	tirar un platillo volador
ir de camping	montar a caballo

Estrategia

Another tip to help you remember vocabulary is to use images in association with the words. You could create visual flash cards with pictures instead of English translations. Also, try to associate these activities with times when you have done them or seen someone else do them. When you put your vocabulary in a personal context, it becomes more meaningful to you and you will retain it better.

MODELO

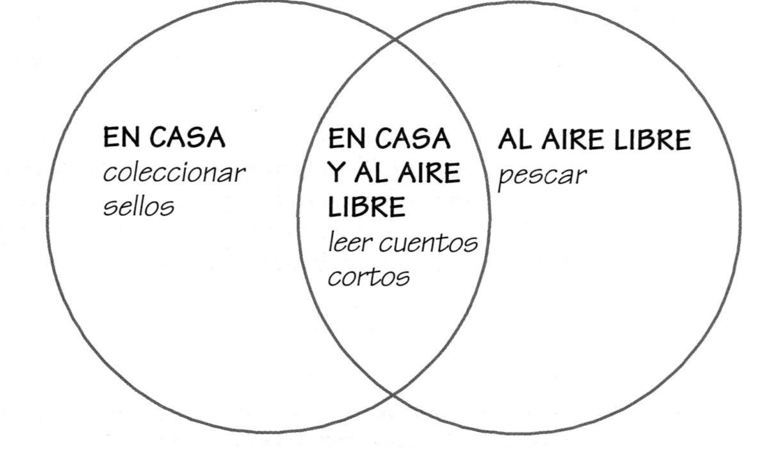

B-11 ¿Probable o poco probable?

¿Para quién es probable...?

Paso 1 Entrevista a los compañeros de clase para saber para quién es probable y para quién es poco probable cada una de las siguientes acciones. Escribe el nombre de la persona y la letra **P** para "probable" y **PP** para "poco probable".

MODELO bucear

TÚ: *Leo, ¿es probable que bucees esta noche?*

E1: *No, es poco probable que bucee. Comento en un blog todas las noches...*

ES PROBABLE O POCO PROBABLE QUE...		
pescar Leo PP	coleccionar sellos ________	tomar clases de artes marciales ________
coser ________	bucear ________	hacer jogging ________
leer cuentos cortos ________	decorar un cuarto ________	jugar al ajedrez ________

Paso 2 Comunica los resultados a la clase usando el siguiente vocabulario.

Vocabulario útil

el cien por ciento de los estudiantes	**casi todos los...**	**más de la mitad de los...**
todos los...	**la mitad (*half*) de los...**	**pocos estudiantes...**
	casi la mitad de los...	**sólo un estudiante...**

LOS RESULTADOS

TÚ: *El noventa y cinco por ciento de la clase dice que es poco probable que buceen esta noche...*

B-17 to B-18

10. El subjuntivo para expresar pedidos, mandatos y deseos. Repasa las páginas 86 y 87 donde se explica **El subjuntivo para expresar pedidos, mandatos y deseos.** ¿Cuáles son algunos verbos o algunas expresiones para expresar pedidos, mandatos y deseos? Escribe una lista con algunos de los verbos y expresiones para tenerlos como referencia. Ahora, haz las siguientes actividades.

B-12 Más mentiras

Escribe **cinco** oraciones sobre ti mismo/a (*yourself*) usando el vocabulario de **Algunos pasatiempos** y **El subjuntivo. Una** de las oraciones debe ser **verdadera** y **cuatro** deben ser **falsas.** Tu compañero/a tiene que adivinar cuáles son falsas y cuál es verdadera. Túrnense.

MODELO E1: *Yo tejo todos los días.*

E2: *Creo que es falso. No creo que tejas todos los días... / Creo que es verdad. Es posible que tejas todos los días.*

B-13 Tus consejos

Fíjate

Note the use of the word *sino* in the *modelo* for **B-13**. It is used when you have a negative clause preceding another clause, e.g., *no juegues*.

Siempre tenemos deseos y consejos para los demás.

Paso 1 Expresa tus deseos para las siguientes personas. Termina cada oración con el vocabulario apropiado y verbos diferentes para cada una.

MODELO A TU MEJOR AMIGO/A: Es importante que...
Es importante que no juegues tantos videojuegos sino que hagas algo al aire libre como trabajar en el jardín.

A TU MEJOR AMIGO/A	A TU PROFESOR/A	A TUS PADRES O FAMILIARES	A TI MISMO/A
1. Es importante que...	1. Espero que...	1. Les recomiendo que...	1. Es preferible que yo...
2. Te aconsejo que...	2. Nosotros deseamos que...	2. Siempre les exijo que...	2. Es necesario que...
3. Espero que...	3. Los estudiantes ruegan que...	3. Sugiero que...	3. No es importante que...
4. Prefiero que...	4. Propongo que...	4. Quiero que...	4. Mis amigos no me recomiendan que...

Paso 2 Compara tus recomendaciones con las de un/a compañero/a.

B-14 Les recomiendo que...

Hagan sus comentarios y sugerencias para cada situación. Usen por lo menos **cuatro** oraciones diferentes para cada una. Túrnense.

1. Una amiga recién divorciada quiere casarse con un hombre a quien conoció hace menos de un mes.
2. Tus cuñados viven de una manera muy desorganizada.
3. Tus vecinos tienen siete nietos que vienen a visitarlos por ocho días.
4. Tienes tres amigos. Recomiéndales algunos deportes y pasatiempos según sus personalidades: Dolores es extrovertida y amable. Eduardo es callado y bien educado. Manolo es flojo y terco.

B-15 A conocerte mejor

Siéntense en un círculo. Su profesor/a les va a dar las instrucciones. ¡Diviértanse!

Capítulo 3

B-19 to B-20

11. Los materiales de la casa y sus alrededores. Repasa el vocabulario de **Los materiales de la casa y sus alrededores** en la página 106 y haz las siguientes actividades.

B-16 ¿Cómo es la casa de tus sueños?

Completa los siguientes pasos.

Paso 1 Describe la casa de tus sueños (*dream house*). Debes hablar de los materiales de la casa, los alrededores y el interior de la casa.

MODELO *La casa de mis sueños no es muy grande. Es una casa de madera pintada de amarillo. Tiene un patio de ladrillos detrás donde siempre podemos tener fiestas. Está en el campo y el jardín es muy bonito…*

Paso 2 Repite por lo menos **tres** cosas que tu compañero/a te dijo para ver cuántos detalles recuerdas.

Estrategia

Being an active listener, e.g., being able to repeat what you heard someone say, is an important speaking and life skill.

B-17 ¿Cuál prefieres?

Mira las fotos de las tres casas. Imagina cómo son adentro. Escoge tu favorita y descríbesela a tu compañero/a.

La casa de Frida Kahlo

La casa Vicens de Gaudí

La casa de Antonio Banderas

B·18 Preguntas y más preguntas

Es hora de hacerles preguntas a tus compañeros/as. Completa los siguientes pasos.

Paso 1 Escribe una lista de **ocho** preguntas que se puedan hacer incorporando **el pretérito** y las siguientes palabras.

ALGUNOS SUSTANTIVOS

los azulejos la cerca el césped el estanque

ALGUNOS VERBOS

construir componer cortar gastar guardar reparar

Paso 2 Circula por la sala de clase haciéndoles las preguntas que creaste a diferentes compañeros/as.

MODELO E1: *¿Cortaste el césped en casa de tus padres el verano pasado?*
E2: *No. Mis padres no tienen jardín. Viven en un apartamento. ¿Y tú?*
E1: *Sí, lo corté muchas veces…*

B-21

12. Usos de los artículos definidos e indefinidos. Repasa **Usos de los artículos definidos e indefinidos** en la página 110. Escribe una lista de cuándo se usan. Luego, haz la siguiente actividad.

B·19 Un poco de todo

Túrnense para formar y contestar las siguientes preguntas. Pongan atención a **los artículos.**

1. En ______ construcción de ______ casa, ¿cuál es ______ diferencia entre ______ responsabilidades del arquitecto y ______ del contratista?
2. ¿Cuáles son ______ materiales que se usaron en ______ construcción de tu casa o en ______ casa de tus padres? ¿La construyó ______ compañía o ______ amigos?
3. ¿Cuáles son ______ consideraciones al escoger materiales de construcción para ______ casa o ______ apartamento?
4. ¿Es importante que ______ diseñadores tengan ______ título universitario o cuenta más ______ experiencia?
5. ¿Cuáles son algunos de ______ posibles problemas que ______ negocio de construcción de casas pueda tener?

B-22 to B-23

13. Dentro del hogar: la sala, la cocina y el dormitorio. Repasa el vocabulario **Dentro del hogar: la sala, la cocina y el dormitorio** en la página 117 y haz las siguientes actividades.

B-20 Veo, veo...

Mira el dibujo y descríbele qué ves a tu compañero/a. Túrnense.

MODELO E1: *Veo una cosa en la cocina donde puedes lavar los platos.*

E2: *¿El fregadero?*

E1: *¡Sí! ¿Qué ves?*

E2: *Veo...*

Fíjate

Remember that a number of words related to the home are cognates. What do the following words mean? *el balcón, el patio, el salón, la terraza, el vestíbulo*

B-21 La casa de mi niñez

Dibuja un plano sencillo (*simple*) de la casa de tu niñez o de la de un/a amigo/a. Completa los siguientes pasos.

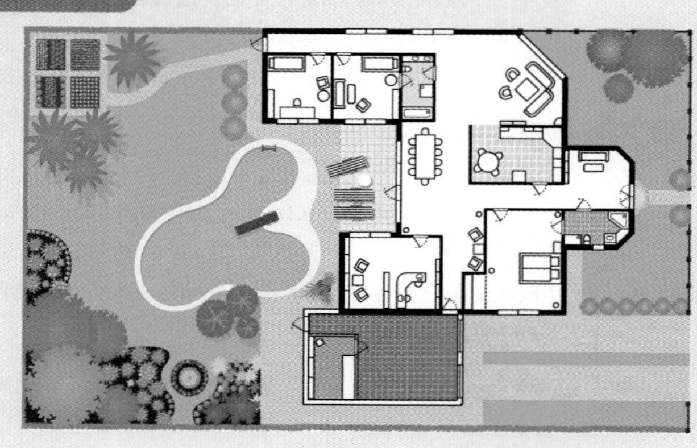

Paso 1 Incluye los cuartos y detalles sobre el exterior; por ejemplo, la cerca, el jardín, la piscina, etc.

Paso 2 Descríbele la casa a un/a compañero/a, usando por lo menos **ocho** oraciones en **el imperfecto.** Tu compañero/a va a dibujar lo que dices.

MODELO *La casa de mi niñez tenía una cocina pequeña con unos mostradores rojos…*

Paso 3 Comparen los dos dibujos para ver si la describieron e interpretaron bien. Túrnense.

B-22 ¿Y tu vida?

Estrategia

If you need help remembering how to form the imperfect and why and when it is used, consult page 118.

Piensen en su niñez.

Paso 1 Háganles las siguientes preguntas a **varios/as** compañeros/as. Usen **el imperfecto.** Apunten sus respuestas en cada cuadro.

MODELO E1: *¿Qué tipo de comida guardaba tu familia en el refrigerador y en la despensa?*
E2: *Mi familia guardaba refrescos, leche, frutas, verduras y condimentos en el refrigerador. En la despensa…*

1. ¿Qué tipo de comida (*guardar*) tu familia en el refrigerador y en la despensa? E1: ____________ E2: ____________	2. ¿Cuántas almohadas (*necesitar / tú*) para dormir? E1: ____________ E2: ____________	3. ¿De qué colores (*ser*) tus sábanas, fundas y toallas? E1: ____________ E2: ____________	4. ¿(*Usar / ustedes*) cortinas o persianas? E1: ____________ E2: ____________
5. ¿(*Tener / tú*) tocadores o nada más que armarios? E1: ____________ E2: ____________	6. ¿Te (*permitir*) tus padres cocinar o usar una sartén? E1: ____________ E2: ____________	7. ¿Cuántas familias (*vivir*) en tu barrio o en tu cuadra? E1: ____________ E2: ____________	8. ¿Te (*caer*) bien los vecinos? E1: ____________ E2: ____________

Paso 2 Comuníquenles los resultados a sus compañeros de clase.

MODELO *El cien por ciento de mis compañeros guardaba leche en el refrigerador...*

Fíjate

What follows are some useful expressions:

por ciento percent (e.g., *sesenta por ciento*)
un cuarto one quarter
tres cuartos three quarters
la mitad half

B-23 Una imagen vale...

Imagínense que tienen que describirle a alguien lo que pasaba (**el imperfecto**) en estas casas y sus alrededores. Túrnense para crear **ocho** oraciones cada uno.

MODELO *Había una piscina y el niño nadaba. La casa no se calentaba con la chimenea porque hacía calor y buen tiempo…*

B-24 El mundo es un pañuelo

¿Cuánto sabes de tus compañeros y de sus pasados? Entrevístalos para encontrar a los que estén de acuerdo con las siguientes descripciones.

Paso 1 Usa **el imperfecto** para crear las preguntas.

MODELO *¿Tenía piscina tu casa?*

Paso 2 Pregúntaselas a los compañeros de clase. Si alguien contesta que **sí,** tiene que firmar su nombre en el espacio apropiado.

MODELO E1: *¿Tenía piscina tu casa?*
E2: *Sí, mi casa tenía piscina.*
E1: *Firma aquí, por favor.*

tu casa / tener jardín ____________	tu casa / ser de madera ____________	tu casa / tener piscina ____________
tener / aire acondicionado en tu dormitorio ____________	usar / la batidora ____________	haber / azujelos en el baño ____________
mudarse / cada año ____________	renovar / tu dormitorio cada verano ____________	tu casa / tener escaleras ____________

B-25 ¡La lotería!

¡Tu esposo/a y tú acaban de ganar un millón de dólares! Túrnense para describir sus planes para la renovación y la decoración de su casa antigua, usando por lo menos **ocho** oraciones.

MODELO E1: *Primero, quiero renovar las alacenas de la cocina. Sugiero pintarlas.*
E2: *Buena idea. Me gusta. Sugiero que renovemos los mostradores.*
E1: *No quiero renovarlos. Quiero comprar unos nuevos.*

B-24 to B-25

14. El subjuntivo para expresar sentimientos, emociones y dudas. Repasa **El subjuntivo para expresar sentimientos, emociones y dudas** en la página 121. Escribe una lista de los verbos y las expresiones que expresan sentimientos, emociones y dudas. ¿Qué verbos y expresiones **no** usan el subjuntivo, sino el indicativo? ¿Por qué? Ahora, haz las siguientes actividades.

B-26 Mis quehaceres

Siempre hay cosas que hacer y tu compañero/a te va a ayudar. Túrnense para expresar sus sentimientos con **me alegro, me gusta, me encanta,** etc.

MODELO E1: pintar la sala

E2: *Me alegro de que pintes la sala.*

1. comprar velas para el comedor...
2. organizar el sótano...
3. lavar las sábanas, las fundas y las almohadas...
4. limpiar el mostrador...
5. regar las flores...
6. sacar la mala hierba...

Estrategia

Make an attempt to work with a different partner in every class. This enables you to help and learn from a variety of your peers, an important and highly effective learning technique. Equally important is the fact that working in small groups, rather than as a large class, gives you more opportunities and time to practice Spanish, as well as to realize how similar you and your fellow classmates really are as you get to know each other better.

B-27 Optimista o pesimista

Hay optimistas y pesimistas en este mundo. ¡Hoy es tu día para jugar a ser el/la pesimista! Túrnense para responder de manera pesimista.

MODELO Creo que la jarra que me regaló mi madrina es de Picasso.

No creo que aquella jarra sea de Picasso.

1. Mi suegro cree que su aire acondicionado funciona muy bien.
2. Estoy segura de que Ingrid Hoffman cocina bien y nunca quema la comida.
3. Creo que el sótano de mis tíos necesita ser renovado.
4. Creo que te voy a regalar un florero para la Navidad.

B•28 Lo siento, pero lo dudo

Tu compañero/a te va a decir las siguientes oraciones y tú no estás de acuerdo. Responde con **Dudo que..., No creo que...**, etc.

MODELO E1: *Ferran Adrià quema la comida todos los días en su restaurante.*
E2: *Dudo que Adrià queme la comida todos los días...*

1. Mi hermano construye piscinas durante el verano.
2. Tengo una casa sin espejos.
3. Mis bisabuelos tienen un cuadro de José Clemente Orozco.
4. Mi vecino corta el césped todos los días.
5. Limpio el sótano todos los fines de semana.

B•29 Mis opiniones

Acabas de comprar una casa vieja que necesita muchas reparaciones. Da por lo menos **cinco** ideas que expresen duda, sentimientos o emociones sobre el proyecto. Túrnense.

MODELO *No sé por dónde empezar. Quizás renueve la cocina. Es una lástima que no conozca un buen contratista. Temo que la renovación sea cara...*

B-26

15. *Estar* + el participio pasado. Repasa ***Estar* + el participio pasado** en la página 125 y haz las siguientes actividades.

B•30 Por favor

Siempre hay algo que hacer.

Paso 1 Túrnense para responder de manera positiva a los siguientes mandatos de sus madres.

MODELO E1: *Por favor, rieguen las flores.*
E2: *Ya están regadas.*

Por favor,...

1. laven las toallas.
2. enciende la chimenea.
3. reparen las persianas rotas.
4. cubre la almohada con una funda limpia.
5. laven las cacerolas en el fregadero.
6. organicen los comestibles en la despensa.
7. pon el café en la cafetera.
8. guarda la batidora en la alacena.

Paso 2 Ahora cambia las respuestas al **imperfecto.**

MODELO Ya están regadas.
Ya estaban regadas.

B•31 ¿Eres competitivo/a?

Túrnense para hacer el papel de una persona que siempre quiere hacer las cosas mejor que los demás.

MODELO No tengo tiempo para renovar mi cocina.
Mi cocina está bien renovada.

1. No tengo tiempo para regar las flores.
2. Necesito guardar mis toallas limpias.
3. Tengo que organizar la despensa.
4. Necesito reparar las persianas rotas.
5. Nunca cierro las ventanas cuando llueve.

B•32 ¡Ya soy responsable!

Imagínense que es la primera vez que viven solos y sus hermanos mayores están muy preocupados.

Paso 1 Inventen una conversación entre ustedes y sus hermanos mayores. ¿Cuáles son las preguntas de los hermanos y cuáles son sus respuestas? Usen **el participio pasado.**

MODELO E1: *¿Pagaron las facturas de este mes?*
E2: *Sí, todas las facturas están pagadas.*

Paso 2 Preséntenles la conversación a su profesor/a y a sus compañeros de clase.

• Capítulo 4 •

B-27 to B-28

16. Las celebraciones y los eventos de la vida. Repasa **Las celebraciones y los eventos de la vida** en la página 142. Luego, haz la siguiente actividad.

B•33 Adivina

Piensa en una palabra o expresión del vocabulario de **Las celebraciones y los eventos de la vida.** Tu compañero/a tiene que hacerte preguntas a las que respondes **sí** o **no** para que tu compañero/a adivine la palabra o expresión. Túrnense.

MODELO E1: (la palabra que escogiste es *el Día de las Brujas*)
E2: *¿Es una celebración?*
E1: *Sí.*
E2: *¿Tiene lugar en la primavera?*
E1: *No.*
E2: …

B-29 to B-30

17. El pasado perfecto (pluscuamperfecto). Repasa **El pasado perfecto (pluscuamperfecto)** en la página 147. ¿Cómo se forma? ¿A qué tiempo en inglés se corresponde? Ahora, haz las siguientes actividades.

B-34 ¿Qué había pasado?

Describe lo que **había pasado** antes de sacar cada una de las siguientes fotos.

MODELO *Los novios ya se habían casado cuando llegamos a la iglesia.*

B-35 Antes de graduarme

¿Qué cosas interesantes habías hecho antes de graduarte de la escuela secundaria? En grupos de seis a ocho estudiantes, túrnense para compartir algunas de las cosas que habían hecho. Tienen que recordar y repetir lo que todas las demás personas dicen.

MODELO E1: *Soy Joe. Antes de graduarme, había trabajado como carpintero.*

E2: *Soy Julie. Antes de graduarme, había visitado cinco estados de los Estados Unidos y Joe había trabajado como carpintero.*

E3: *Soy Jorge. Antes de graduarme, había estudiado un verano en España, Julie había visitado cinco estados de los Estados Unidos y Joe había trabajado como carpintero.*

B-31 to B-32

18. La comida y la cocina y Más comida. Repasa el vocabulario en la página 152 de **La comida y la cocina** y también el vocabulario de **Más comida** en la página 157. Luego, haz las siguientes actividades.

B 36 ¿Qué tipo de comida es?

Paso 1 Organicen las diferentes comidas del vocabulario según las siguientes categorías.

MODELO VERDURAS: *el pepino, la zanahoria…*

CARNES/AVES	PESCADO/ MARISCOS	FRUTAS	VERDURAS	POSTRES

Paso 2 Ahora, añadan otras comidas a las categorías.

B 37 Firma aquí

Circula por la clase hasta encontrar a un estudiante que pueda contestar afirmativamente tu pregunta.

MODELO trabajar como camarero/a / hace un mes

E1: *¿Hace un mes que trabajas como camarera?*

E2: *Sí, hace un mes y medio que trabajo como camarera.*

E1: *Pues, firma aquí, por favor.*

Sally ____________

1. gustarle comer postres / hace muchos años ____________	2. trabajar como camarero/a / hace un mes Sally ____________	3. ver un programa de cocina / hace una semana ____________
4. comer una comida balanceada con verduras, legumbres y frutas / hace una semana ____________	5. preparar carne a la parrilla / hace tres semanas ____________	6. comer palomitas de maíz en el cine / hace una semana ____________

B 38 ¿Cuáles son tus comidas favoritas?

Completa los siguientes pasos.

Paso 1 Haz una lista bajo cada categoría de tus comidas favoritas y de cómo las prefieres: crudas, hervidas, asadas, a la parrilla o fritas.

CRUDO/A (*RAW*)	HERVIDO/A (*BOILED*)	ASADO/A (*GRILLED*)	A LA PARRILLA (*GRILLED; BARBECUED*)	FRITO/A (*FRIED*)
zanahorias				camarones

Paso 2 Compara tu lista con las de otros compañeros.

MODELO E1: *¿Cuáles de las comidas prefieres fritas?*

E2: *Prefiero comer los camarones fritos.*

E1: *Yo prefiero comerlos asados.*

B-33

19. El presente perfecto de subjuntivo. Repasa **El presente perfecto de subjuntivo** en la página 161. ¿Cómo se forma? Escribe unas oraciones en español usando **el presente perfecto de subjuntivo** y di lo que significan en inglés. Ahora, haz las siguientes actividades.

B-39 No te creo

Tienes una amiga que casi nunca dice la verdad. Responde a sus comentarios. Túrnense.

no creo | dudo | es imposible | es improbable | no es cierto

Estrategia

Look at the *modelo* in **B-39.** What past tense is *cené?* If you need to review the preterit, go to pages 44 and 107.

MODELO E1: *Cené con Luis Miguel.*

E2: *Dudo que hayas cenado con él.*

1. ¡Me comprometí! Mi novio es Rafael Nadal y me ha dicho que me ama.
2. Cuando estuve en Casa Botín, vi a Leticia Ortiz, la futura reina de España.
3. Acabo de escribir un libro de cocina y una casa editorial muy famosa lo quiere publicar.
4. Me invitaron a cocinar en el programa *Simply delicioso*.
5. Mis hermanastras abrieron un restaurante nuevo en Cancún. Está justo en la playa.

B-40 ¿Plantada?

Esta noche, Gloria tiene una cita con una persona que no conoce. Tiene muchas dudas y se arrepiente de (*regrets*) haber aceptado salir con él. Además, dijo que iba a recogerla a las seis y ya son las siete. Terminen sus pensamientos usando siempre **el presente perfecto de subjuntivo** y otras palabras apropiadas. Sean creativos.

MODELO Ojalá que él (no perderse)...

Ojalá que él no se haya perdido al venir a recogerme.

1. Espero que (comprarme flores)...
2. Dudo que (traerme chocolates)...
3. Ojalá que (no llegar a la dirección incorrecta)
4. Mi amiga insiste en que (salir con otra mujer)

B-41 Ideas, por favor

Den su opinión y sus consejos en las siguientes situaciones. Después, compártanlos con otros compañeros de clase.

MODELO E1: *Siempre he querido bajar de peso y he empezado a comer y beber cosas más saludables como manzanas, lechuga y agua.*

E2: *¡Excelente! Es importante que hayas empezado a comer cosas saludables como frutas y verduras. También es bueno que hayas empezado a beber mucha agua porque llena el estómago.*

1. Quiero preparar una cena elegante para el aniversario de mis padres y empecé con los planes hace dos meses.
2. Vivo en un apartamento muy pequeño y sólo tengo una estufa sin horno. Tampoco tengo espacio para un horno de microondas. Decidí mudarme.
3. No sé cocinar y voy a tomar unas clases.
4. Después de pensarlo por sólo dos días, mi hermana decidió ser vegetariana y no le gustan las verduras. ¿Qué opinas?

• Capítulo 5 •

B-34

20. Los viajes. Repasa el vocabulario de **Los viajes** en la página 180 y haz las siguientes actividades.

B-42 ¡Juguemos!

Usando el vocabulario de **Los viajes,** jueguen al ahorcado (*Hangman*).

MODELO (escogiste la palabra *el paisaje*)

E1: __ __ __ __ __ __ __ __ __

E2: *¿Hay una* a?

E1: *Sí. Hay dos.* __ *A* __ __ *A* __ __

Estrategia

When studying vocabulary, it is good to write the words. Making a list helps you better remember vocabulary and lets you practice their spelling. Study the words from your written list by looking at the English word as a prompt and saying the Spanish word. Check off the words you know well and then concentrate on those you do not know yet.

B-43 ¡Ganamos!

Han ganado un viaje en un crucero en un concurso. Escriban una lista de todos los preparativos que tienen que hacer antes de hacer el viaje, usando el vocabulario de **Los viajes.**

B-35

21. Viajando por coche. Repasa el vocabulario de **Viajando por coche** en la página 185 y haz las siguientes actividades.

B-44 Dibujemos

Escuchen mientras su profesor/a les da las instrucciones para esta actividad.

B-45 ¿Qué pasa?

Describan el dibujo usando el vocabulario de **Viajando por coche.**

B-36

22. Los pronombres relativos *que* y *quien*. Repasa **Los pronombres relativos *que* y *quien*** en la página 187. Haz una lista con los usos de **que** y **quien.** Luego, haz las siguientes actividades.

B-46 El cuento de Luz

Luz le escribe un e-mail a su amiga Rosario para contarle acerca de sus vacaciones. Descubre qué les pasó a ella y su familia, llenando los espacios en blanco con **que** o **quien/es.** Túrnense.

Hola Rosario:
Mando adjunto algunas fotos (1) ________ saqué durante las vacaciones. Hicimos un crucero (2) ________ costó bastante. Conocimos cinco puertos en cinco días. El guía, (3) ________ se llamaba Gregorio, nos hizo un itinerario muy interesante. Sin embargo, los otros viajeros con (4) ________ viajamos eran muy diferentes que nosotros. Nosotros queríamos ver todos los monumentos (5) ________ pudiéramos ver y ellos sólo querían tomar el sol. Decidimos alquilar un coche en Puerto San Miguel para conocer el paisaje. Después de dos horas manejando, nos dimos cuenta que nos habíamos perdido. Le preguntamos a un hombre indígena (6) ________ estaba en el campo. El señor, (7) ________ era muy amable, nos dijo que ¡estábamos sólo a cinco minutos del puerto! ¡Qué susto! Pero vimos mucho paisaje.
Besos,
Luz

B-47 ¿Quién puede ser?

Túrnense para dar pistas (*clues*) sobre una persona que aparece en las siguientes fotos hasta que tu compañero/a pueda decir quién es. Enfóquense en el uso de **que** y **quien.**

MODELO *Estoy pensando en una persona que lleva lentes.*
Estoy pensando en una persona a quien le gustan mucho las ciencias.

B-37 to B-38

23. Las vacaciones. Repasa el vocabulario de **Las vacaciones** en la página 190 y haz la siguiente actividad.

B-48 Entrevista

Circula por la sala de clase haciendo y contestando las siguientes preguntas.

Paso 1 Debes hablar con por lo menos **cinco** personas diferentes para solicitar sus respuestas.

Paso 2 Comunica los resultados a la clase.

1. Cuando / viajar / ¿normalmente / quedarse / en hoteles de lujo o en hoteles más económicos? ¿Por qué? E1: ____________ E2: ____________	2. Típicamente ¿en qué / ser / diferente / los hoteles de lujo y los hoteles más económicos? E1: ____________ E2: ____________	3. ¿Te / gustar / tomar el sol / o / preferir / quedarse / bajo una sombrilla / cuando / estar / en la playa? ¿Por qué? E1: ____________ E2: ____________
4. ¿Siempre / llevar / lentes de sol? ¿Qué marca *(brand)* / preferir? ¿Cuánto / te / costar? ¿Dónde / las / comprar? ¿Por qué / te / gustar? E1: ____________ E2: ____________	5. ¿Coleccionar / sellos o tarjetas postales? ¿Conocer / a alguien que / los / coleccionar? E1: ____________ E2: ____________	6. ¿De dónde / haber recibido / tarjetas postales? ¿A quiénes / las / haber mandado? E1: ____________ E2: ____________

Estrategia

Answer in complete sentences when working with your partner. Even though it may seem mechanical at times, using complete sentences leads to increased comfort in speaking Spanish.

B-39

24. La tecnología y la informática. Repasa el vocabulario de **La tecnología y la informática** en la página 195 y haz la siguiente actividad.

B-49 La tecnología en mi vida

Juntos hagan un diagrama de Venn sobre la tecnología que usan en su trabajo o en la universidad, la que usan en su tiempo libre y la que usan en ambas situaciones. Compartan su información con otros estudiantes.

MODELO

TECNOLOGÍA QUE USO EN MI TRABAJO/ UNIVERSIDAD
el fax

TECNOLOGÍA QUE USO EN MI TRABAJO/ UNIVERSIDAD Y EN MI TIEMPO LIBRE
la computadora

TECNOLOGÍA QUE USO EN MI TIEMPO LIBRE
la cámara digital

B-40 to B-41

25. El subjuntivo con antecedentes indefinidos o que no existen. Repasa la gramática **El subjuntivo con antecedentes indefinidos o que no existen** en la página 199. Explica qué quiere decir este concepto gramatical. Da algunos ejemplos de oraciones con este uso del subjuntivo. Luego, haz las siguientes actividades.

Estrategia

As you work with your partner, always push yourself to be as creative as possible. By varying your answers, you practice and review more of the structures, which in turn helps you become a strong speaker of Spanish.

B-50 ¿Existe?

Amalia y Susana son compañeras de cuarto y hablan sobre una variedad de temas. Formulen sus oraciones o preguntas y túrnense para contestarlas.

Estrategia

Remember that to determine whether you should use the subjunctive or the indicative, ask the question: Does the person, place, or thing/concept exist at that moment for the speaker? If it does, then use the indicative; if not, the subjunctive is needed.

MODELO Busco una computadora que (*reconocer*) mi voz.

AMALIA: *Busco una computadora que reconozca mi voz.*

SUSANA: *Yo también busco una computadora que reconozca mi voz y que me llame por teléfono cuando tenga un e-mail importante.*

1. No existen carros que (*ser*) realmente económicos.
2. ¿Hay computadoras que (*escribir*) lo que dice una persona?
3. Busco un teléfono celular que no (*ser*) muy complicado.
4. Necesito una contraseña que nadie (*poder*) copiar.
5. Quiero encontrar una impresora que (*imprimir, copiar y escanear*).
6. ¿Tienes un teléfono que (*mostrar*) películas?

B-51 A repasar

Terminen las siguientes oraciones, primero, considerando que la(s) cosa(s) **no existe(n) todavía** y luego que **sí existe(n).**

MODELO Quiero un teléfono celular que (no existe todavía)...
Quiero un teléfono celular que no sea tan caro.
Quiero el teléfono celular que (existe)...
Quiero el teléfono celular que cuesta veinte dólares —como el que tiene Glynis.

1. Mis padres quieren una computadora que...
2. Mis padres quieren la computadora que...
3. Necesito un teléfono celular que...
4. Necesito el teléfono celular que...
5. Busco una cámara digital que...
6. Compré la cámara digital que...

Estrategia

Concentrate on spelling all words correctly; for example, make sure you put accent marks where they belong with words that take accent marks. If necessary, review the rules regarding accent marks on p. 5.

B-52 La computadora ideal

Hoy en día, una computadora es mucho más que una computadora —es útil pero también puede ser casi como un juguete. ¿Cuáles son las características y usos más importantes para ti? Describe en **tres** o **cuatro** oraciones la computadora perfecta para ti, usando **el subjuntivo con antecedentes indefinidos o que no existen.** Después, comparte la descripción con tus compañeros.

MODELO *Quiero una computadora que tenga teléfono y televisión...*

B-42

26. Las acciones relacionadas con la tecnología. Repasa el vocabulario de **Las acciones relacionadas con la tecnología** en la página 201 y haz las siguientes actividades.

B-53 ¡Tengo la pantalla negra!

Hace dos minutos que acabas de terminar una tesis para tu clase de literatura cuando de repente ¡tu computadora se congela! Llama y pide ayuda informática y describe en **ocho** pasos lo que hiciste. Incluye por lo menos **cinco** de los siguientes verbos. Túrnense.

apagar	borrar	descargar	funcionar	grabar
guardar	imprimir	navegar	prender	quemar

Estrategia

In **B-54**, you need to use commands to interact with Inés. Which type of command will you use with a friend? How do you form the commands? If you need extra help forming commands, go to page 70 for a review.

B-54 ¿Qué debo hacer?

Túrnense para darle consejos a su amiga Inés.

MODELO **INÉS:** Quiero mostrarles las fotos de mis vacaciones en Puerto Rico.
USTEDES: *Descarga las fotos y muéstranoslas.*

1. Tengo demasiados mensajes en mi correo electrónico.
2. Mi Blackberry se congeló.
3. Mi computadora funciona mal y tarda mucho en abrir las ventanas nuevas.
4. No me gusta leer los documentos que me mandan en la pantalla.
5. Este programa de computación no hace lo que necesito.
6. Necesito información sobre los cibercafés de Los Ángeles.

B•55 Nieto/a, ¿qué quiere decir...?

Tus abuelos acaban de comprar su primera computadora y ¡te necesitan! No pueden interpretar las instrucciones. Ayúdalos, dando definiciones para los siguientes términos. Túrnense.

MODELO Nieto/a, ¿qué quiere decir *prender?*
Abuelo, *prender* quiere decir encender la computadora.

NIETO/A, ¿QUÉ QUIERE DECIR...?

1. guardar 2. pegar 3. borrar 4. el mirón 5. el servidor

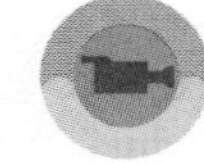

Episodio 6

B-43 to B-44

27. Laberinto peligroso. Lee y luego mira el video que es un resumen de los primeros episodios de **Laberinto peligroso.** Después, haz las siguientes actividades.

B•56 ¿Quién es quién?

En grupos de cuatro, túrnense para describir quién es y cómo es cada personaje, indicando especialmente qué tipo de relación tiene con los demás personajes.

1. Celia

2. Javier

3. Cisco

4. Dr. Huesos

Fíjate

It is important to note that the point of view of the speaker can be critical in choosing between the *preterit* and the *imperfect*. If the speaker views a particular action as *completed*, then the *preterit* is needed. If, for the speaker, the action is *incomplete, in progress, or ongoing*, the *imperfect* is needed.

B•57 ¿Qué pasó?

Escribe un resumen de lo que ha pasado en **Laberinto peligroso.** Escoge una de las siguientes opciones para tu resumen.

1. Describe a cada personaje.
2. Escribe una síntesis de cada capítulo.

B•58 ¿Qué ha ocurrido en cada lugar?

Escribe un resumen de lo que ha pasado en cada uno de los lugares importantes de **Laberinto peligroso.**

1. La universidad
2. El centro comercial
3. La charla sobre una vida saludable
4. El café
5. El apartamento de Celia
6. La biblioteca
7. La comisaría (el lugar donde trabaja la policía)

B-59 ¿Qué piensas de lo que ha pasado hasta ahora?

Usando **el presente perfecto de subjuntivo,** completa cada reacción de forma lógica y con eventos de los primeros episodios de **Laberinto peligroso.** Túrnense.

MODELO No creo que...

No creo que Celia y Cisco hayan robado los mapas.

1. Me sorprende que...
2. Creo que es una lástima que...
3. Me asusta que...
4. Me gusta que...
5. No me gusta que...
6. Dudo que...

B-60 ¿Qué piensas que va a pasar?

Escribe un párrafo sobre lo que piensas que va a pasar en los próximos episodios de **Laberinto peligroso.**

Y por fin, ¿cómo andas?

Having completed this chapter, I now can...

	Feel Confident	Need to Review
Comunicación		
• describe characteristics and personality traits of myself and others.	❑	❑
• use verbs like *gustar*.	❑	❑
• express what *has* or *had happened*.	❑	❑
• suggest things to do using *Let's...*	❑	❑
• express desires and give advice.	❑	❑
• list and discuss different house construction materials, home surroundings, and interior and exterior decorations.	❑	❑
• use definite and indefinite articles to accurately communicate about people, places, and things.	❑	❑
• state the results of actions.	❑	❑
• express doubts, feelings, and emotions.	❑	❑
• identify foods and ways to prepare them.	❑	❑
• discuss travel and means of transportation as well as technology.	❑	❑
• connect sentences and clarify meaning using *que* or *quien*.	❑	❑
• describe something that is uncertain or unknown.	❑	❑
Laberinto peligroso		
• narrate what has happened thus far to the protagonists in **Laberinto peligroso** and hypothesize about what will happen in future episodes.	❑	❑

Estrategia

The *¿Cómo andas?* and *Y por fin, ¿cómo andas?* sections are designed to help you assess your understanding of specific concepts. In *Capítulo Preliminar B,* there is one opportunity for you to reflect on how well you understand the concepts. Beginning with *Capítulo 7,* you will find three opportunities to stop and reflect on what you have learned. These checks help you become accountable for your own learning and determine what you need to review. Also, use the checklists as a way to communicate with your instructor about any concepts you still need to review. Additionally, you might also use your checklists as a way to study with a peer group or peer tutor. If you need to review a particular concept, more practice is available at the *¡Anda!* web site, where you will find online quizzes.

7

¿Qué hay en tu ciudad? Generalmente, en una ciudad hay edificios, iglesias, casas y parques. También hay tiendas donde se venden productos especiales. ¡Exploremos los diferentes lugares de la ciudad!

Bienvenidos a mi mundo

	OBJETIVOS	CONTENIDOS
Comunicación	• To describe stores and other places in a city • To choose between **ser** and **estar** • To express uncertainty in time, place, manner, and purpose • To identify setting and purpose when listening • To identify items sold in stores • To refer to ongoing actions in the present and past • To converse on the phone and express agreement with the speaker • To use a dictionary effectively when writing	
Cultura	• To examine and compare culturally representative apparel • To identify some people whose products are sold in stores • To share information about interesting stores, places, and products found in Chile and Paraguay	
Laberinto peligroso	• To identify elements of texts: tone and voice • To discuss the possible connection and meaning of other missing maps and *cronista* journals • To hypothesize about Cisco's possible arrest	

Galerías Pacífico en Buenos Aires, Argentina

PREGUNTAS

1. ¿En qué se especializan estas tiendas? ¿Hay tiendas similares en tu ciudad?
2. ¿Qué otras tiendas y negocios se encuentran en tu ciudad?
3. ¿Adónde vas para hacer compras? ¿Prefieres ir a una tienda de especialidades o a una tienda que tiene una variedad de productos? ¿Por qué?

Comunicación

- Describing places in the city
- Expressing uncertainty of time, location, manner, and purpose

VOCABULARIO 1 Algunas tiendas y algunos lugares en la ciudad

SAM 7-1 to 7-4

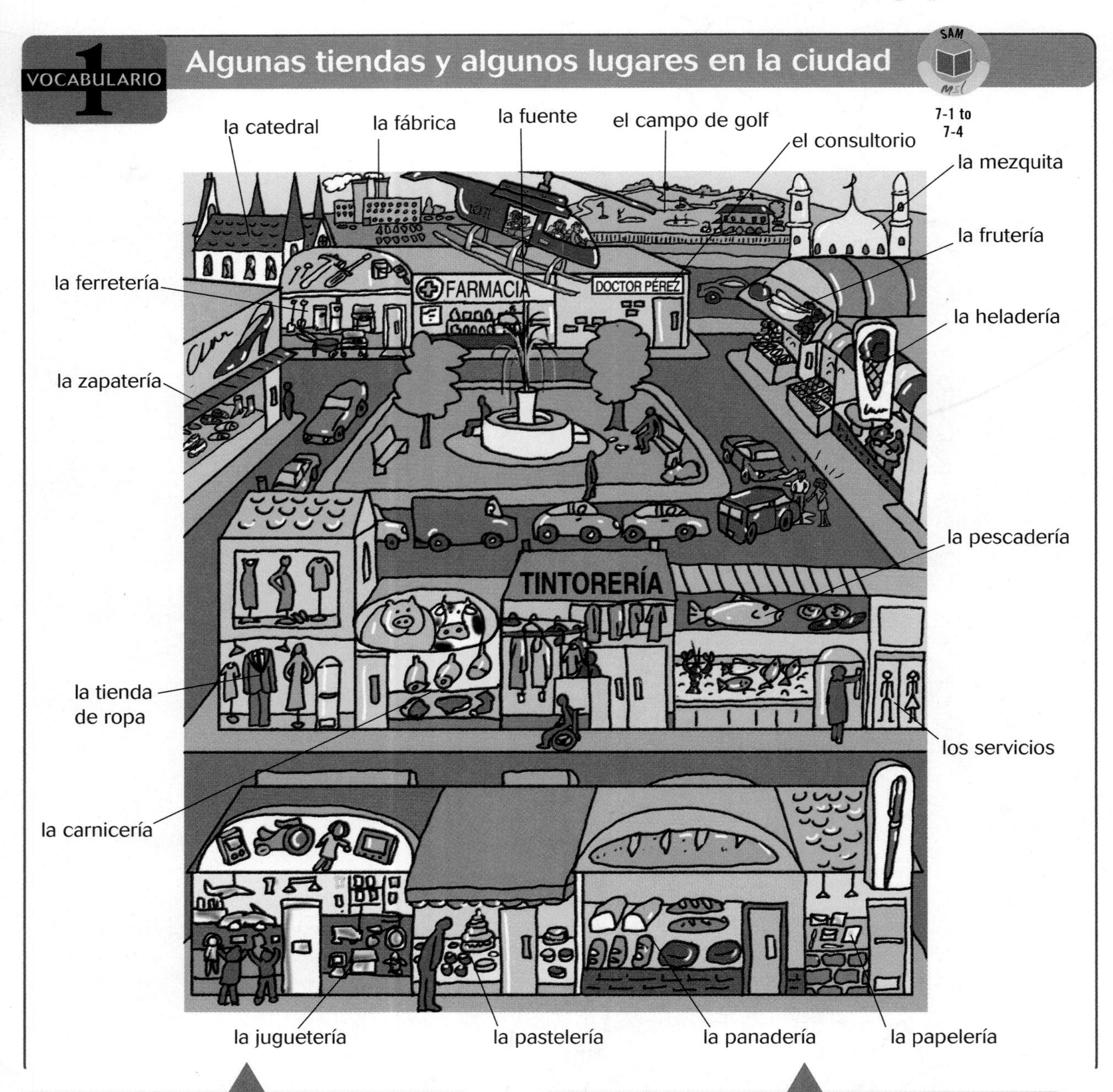

Fíjate

Often the suffix *-ería* is used to indicate where something is made or sold. For example, *flores* are sold in a *florería, carne* in a *carnicería,* and *zapatos* in a *zapatería.*

Estrategia

As you acquire more Spanish in each chapter, try to write definitions in Spanish of your new vocabulary words. Learning new vocabulary will become easier the more you practice. Writing definitions in Spanish will also help you use your new vocabulary in sentences.

Para comprar cosas...	*To buy things...*
el dependiente	*male store clerk*
la dependienta	*female store clerk*
el dinero en efectivo	*cash*
el escaparate	*store window*
la ganga	*bargain*
la liquidación	*clearance sale*
el mostrador	*counter*
la oferta	*offer*
la rebaja	*sale; discount*
la tarjeta de crédito	*credit card*

llevaría los zapatos el cepillo de dientes. y desodorante me gusta estar limpia

Querido diario:

Hace más de un mes que estoy aquí y ya es hora de conocer la ciudad. Es ridículo que no sepa donde están las tiendas de especialidades ni cuáles son los restaurantes buenos. ¡A investigar!

Preguntas

1. ¿Cuánto tiempo hace que Celia está en esta ciudad?
2. Según Celia, ¿qué es ridículo? ¿Por qué?
3. Y tú, ¿cómo llegaste a conocer tu ciudad? ¿Cuál es tu tienda favorita? ¿Dónde está?

SAM 7-5 to 7-6

REPASO

Ser y estar

In Celia's diary, she writes **estoy, es, están,** and **son.** From your earliest Spanish classes, you have been using the Spanish verbs **ser** and **estar,** which mean *to be*, to communicate effectively. The uses of these verbs are reviewed briefly below. For a complete review, refer to **Capítulo 4** of ***¡Anda! Curso elemental*** in Appendix 3.

Estar is used:

- to describe noninherent physical or personality characteristics or to indicate a state.
- to indicate the location of people, places, or things.
- with the present participle **(-ando, -iendo)** to create the **presente progresivo.**

Fíjate

Estar can also indicate a judgment or subjective perception (often translated as *seems, appears, acts,* or *looks*):

Estás muy bonita con ese vestido verde.

You look really pretty in that green dress.

conjugate estar

Fíjate

Estar is also used in common expressions with *de* + noun to mean *to be in, to be on,* or *to be doing.*

estar de buen humor	to be in a good mood
estar de acuerdo	to be in agreement, to agree
estar de moda	to be in style
estar de vacaciones	to be on vacation
estar de viaje	to be on a trip

Ser is used:

- to describe inherent physical and personality characteristics.
- to explain what or who something or someone is.
- to tell time or to indicate when and/or where an event takes place.
- to tell where someone is from and to express nationality.

7-1 ¿Qué, quién o dónde?

Túrnense para crear oraciones de las siguientes palabras, usando siempre **ser** o **estar.**

MODELO dependiente / detrás del mostrador
El dependiente está detrás del mostrador.

1. pastelería / en el centro de la ciudad
2. mi madre / dependienta en una tienda de moda
3. farmacia / la mejor del pueblo
4. tarjeta de crédito / en mi bolso
5. campo de golf / en las afueras / muy grande

7-2 ¿Dónde está?

Túrnense para decidir dónde está cada una de las siguientes personas.

¡Anda! Curso intermedio, Capítulo 2, El subjuntivo para expresar pedidos, mandatos y deseos, pág. 86.

MODELO Mi novio me dice que me compre un vestido muy elegante pero no muy caro para llevar a la boda de su hermano.
Está en una tienda de ropa elegante.

1. Es imprescindible que Tanya prepare una cena deliciosa porque el jefe de su esposo viene a cenar. Al jefe no le gusta la carne.
2. Hoy es el cumpleaños de la hija de Marisol y Luis y es importante que tengan un pastel delicioso para celebrarlo con ella.
3. Pienso tener una fiesta y mis padres me dicen que compre unas invitaciones muy elegantes.
4. Los nietos de Paula vienen de visita y su esposo le sugiere que organice actividades para entretenerlos (*keep them entertained*).
5. El traje de Felipe está muy sucio y su madre desea que se lo ponga mañana para ir a la mezquita.
6. Quiero una tarjeta de crédito nueva que tenga mi foto.

Estrategia

In **7-2,** what tense is *compre* in the *modelo?* What tense is *prepare* in item 1? Also note the following verbs: 2. *tengan,* 3. *compre,* 4. *organice,* 5. *ponga,* 6. *tenga.* Why do you need to use that tense in all of these sentences? If you are uncertain, review page 82 on uses of the *present subjunctive.*

Estrategia

¡Anda! has provided you with recycling references to help guide your continuous review of previously learned material. Make sure to consult the indicated pages if you need to refresh your memory.

7-3 Definiciones

Crea definiciones para **cinco** de las palabras o expresiones del vocabulario nuevo, **Algunas tiendas y algunos lugares en la ciudad.** Después, compártelas con un/a compañero/a.

MODELO E1: *Pago con esto cuando no quiero usar ni cheques, ni tarjeta de crédito, ni tarjeta de débito. ¿Qué es?*
E2: *Es el dinero en efectivo.*

¡Anda! Curso intermedio, Capítulo 4, La comida y la cocina, pág. 152; Más comida, pág. 157.

¡Anda! Curso elemental, Capítulo 7, La comida, Apéndice 2.

7-4 Vamos de compras

Tu compañero/a y tú van de compras. Tienes una lista de las cosas que necesitas comprar, y ahora tienes que decidir a qué lugares tienes que ir para comprarlas. Túrnense.

MODELO E1: *¿Qué necesitamos comprar primero?*
E2: *Necesitamos comprar pan para la cena.*
E1: *¿Dónde está la panadería?*
E2: *Está enfrente de la frutería...*

pan
medicina
zapatos nuevos para la boda de mi prima
galletas
chuletas de cordero
helado para el cumpleaños de mi suegro
cosas para reparar la casa
sandía y toronjas

Fíjate

Some things you might buy in a hardware store are: *un martillo* (a hammer), *unos clavos* (nails), and *unos tornillos* (screws).

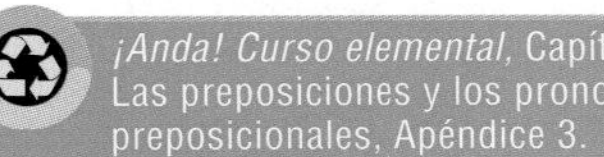

7-5 El mejor de los mejores

En tu opinión, ¿cuáles son los mejores negocios?

Paso 1 Llena el cuadro con tus selecciones personales. Para los números 8, 9 y 10, selecciona tres lugares diferentes.

Paso 2 Entrevista a tres compañeros/as para averiguar cuáles son sus preferencias.

MODELO E1: *¿Cuál es el mejor restaurante?*

E2: *Para mí, el mejor restaurante es El Caribe Grill. ¿Cuál es el mejor para ti?*

EL/LA MEJOR	YO	E1	E2	E3
1. restaurante				
2. tintorería				
3. juguetería				
4. tienda de ropa				
5. heladería				
6. farmacia				
7. campo de golf				
8. ¿?				
9. ¿?				
10. ¿?				

Paso 3 Comparte las selecciones con el/la profesor/a para saber cuáles son los negocios favoritos de la clase.

7-6 Nuestras preferencias

Túrnense para hacerse y contestar las siguientes preguntas.

1. Cuando quieres ir de compras, ¿adónde vas? ¿Cómo pagas generalmente?
2. ¿Cuál es tu tienda favorita? ¿Qué tipo de tienda es? ¿Qué fue la última cosa que compraste allí?
3. ¿Qué tiendas tienen los escaparates más interesantes?
4. ¿Tienes una pastelería favorita? ¿Por qué es tan buena?
5. ¿Cuál es la ferretería más conocida de tu pueblo o ciudad? ¿Por qué es tan conocida? ¿Dónde está?
6. ¿Cuáles de tus prendas (*garments*) llevas a una tintorería?
7. ¿Cuál es uno de los campos de golf más prestigiosos del mundo? ¿En qué estado o país está?

¡Anda! Curso elemental, Capítulo 4, Los lugares; Capítulo 10, Los medios de transporte; Capítulo 11, El medio ambiente, Apéndice 2.

7-7 Mi pueblo ideal

Tienes la gran oportunidad de trabajar en equipo con el famosísimo arquitecto español Rafael Moneo. Van a planear una comunidad nueva, teniendo en cuenta el medio ambiente.

Paso 1 Planea la comunidad del futuro, dibujando dónde se encuentran las tiendas y otros lugares de tu ciudad. Describe los materiales que se van y no se van a utilizar.

Paso 2 Preséntale tus planes a un/a compañero/a de clase en por lo menos **doce** oraciones.

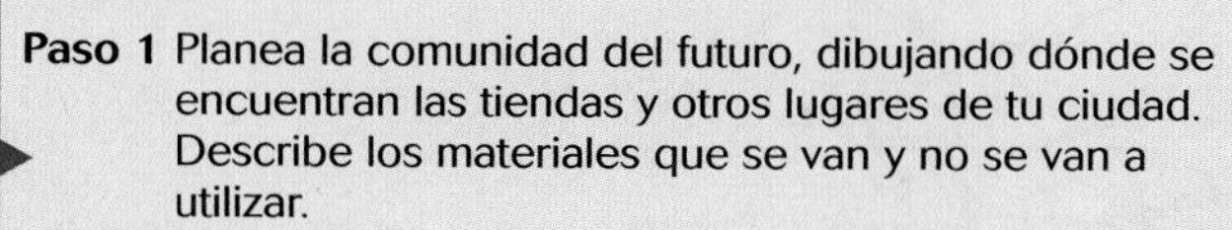

¡Anda! Curso intermedio, Capítulo 3, Los materiales de la casa y sus alrededores, pág. 106.

Rafael Moneo (n. 1937)

GRAMÁTICA 2 El subjuntivo en cláusulas adverbiales (expresando tiempo, manera, lugar e intención)

SAM 7-7 to 7-8 Guide 45, 46, 54

You have been practicing the use of the subjunctive to express wishes, doubts, feelings, and emotions. You have also used the subjunctive to talk about things and people that may or may not exist.

Before learning additional occasions to use the subjunctive, let's review the definition of a *clause*. A clause is a group of words that has a *subject* and a *verb* and is used as a part of a sentence. A clause can be *independent/main* (it expresses a complete thought and makes sense on its own) or *dependent/subordinate* (it is not a complete thought and cannot stand alone, nor does it make sense without another part of the sentence).

Tengo que ir al banco después de que salgamos del cine.

Look at the following sentence:

I want to go to the bank...
(*independent/main clause:* It makes sense by itself)

... after we go to the movies.
(*dependent/subordinate clause:* This is not a complete thought and does not make sense alone without another part of a sentence.)

Dependent clauses begin with a word called a *conjunction*. *Conjunctions* are words that connect two parts of a sentence. Conjunctions in English include *that*, *before*, *after*, etc.

You will now learn a series of words and phrases that may require the subjunctive when expressing time, manner, place, and/or purpose.

Estrategia

You may remember that an *adverb* describes the time, manner, place, or purpose of an action. It usually answers the question *how? when? where?* or *why?*

Tengo que ir al banco después.
I have to go to the bank afterward. (Answering the question *when?*)

1. The **subjunctive** is **always used** after the following phrases (conjunctions):

a menos que	*unless*	**en caso (de) que**	*in case*
antes (de) que	*before*	**para que**	*so that*
con tal (de) que	*provided that*	**sin que**	*without*

Nos veremos en el campo de golf **a menos que** llueva. — *We'll see each other at the golf course unless it rains.*

Te voy a comprar el vestido **con tal (de) que** te lo pongas varias veces. — *I am going to buy you the dress provided that you wear it several times.*

Pasa por la tintorería **en caso (de) que** esté listo mi traje. — *Stop by the dry cleaners in case my suit is ready.*

2. The **indicative** is **always used** after these phrases when they are followed by a **fact:**

ahora que	*now that*	**ya que**	*since, because*
puesto que	*given that*		

David es muy generoso **ahora que** tiene el trabajo de dependiente. — *David is very generous now that he has the job as a store clerk.*

Puesto que va a comprar un carro nuevo, me va a regalar el viejo. — *Given that he is buying a new car, he is giving me the old one.*

Mi hermano siempre me trae pasteles, **ya que** trabaja en una pastelería. — *My brother always brings me cakes, since he works in a bakery.*

3. With the following phrases, **both** the **indicative** and the **subjunctive** can be used:

a pesar de que	*in spite of*	**después (de) que**	*after*
aun cuando	*even when*	**en cuanto**	*as soon as*
aunque	*although; even if*	**hasta que**	*until*
cuando	*when*	**luego que**	*as soon as*
de manera que	*so that*	**mientras (que)**	*while*
de modo que	*so that*	**tan pronto como**	*as soon as*

To determine whether the subjunctive or the indicative is needed, one must ask the following question:

From the point of view of the speaker, has the action already occurred?

- 3.1 If the answer is *yes*, the **indicative** is needed.
- 3.2 If the answer is *no* (e.g., the action has yet to occur), the **subjunctive** must be used.
- 3.3 When the preceding adverbs of time express a **completed** or **habitual** action known to the speaker, it is clear that the action has already taken place, therefore requiring the use of the **indicative.** Compare these examples.

Vamos a ir a la farmacia **tan pronto como** mi hermano salga del consultorio. — *We will go to the pharmacy as soon as my brother leaves the doctor's office.*

- 3.4 From the speaker's point of view, the brother has *not* left the doctor's office yet.

Fuimos a la farmacia **tan pronto como** mi hermano salió del consultorio del médico.	*We went to the pharmacy as soon as my brother left the doctor's office.*

- 3.5 From the speaker's point of view, *yes*, the brother has left the doctor's office already.

Piensa trabajar en esa juguetería **aunque** no le gusten los niños.	*He is thinking about working in that toy store even though he doesn't/may not like children.*
Trabajó seis meses en esa juguetería **aunque** no le gustaban los niños.	*He worked in that toy store for six months although he didn't like children.*

Note: In a sentence with no change of subject, you should use the prepositions **antes de, después de, hasta, para,** and **sin** followed by the *infinitive*.

Necesitamos pasar por el banco **antes de salir** de viaje.	*We need to go to the bank before leaving on the trip.*
Ayer salimos de la tienda **sin** pagar.	*Yesterday we left the store without paying.*

¡Anda! Curso intermedio, Capítulo 2, El subjuntivo, pág. 82.

7-8 Buenas decisiones

Túrnense para escoger la forma correcta de cada verbo para completar las siguientes oraciones. Después, expliquen por qué escogieron esas formas.

1. No quiero ir al consultorio del médico a menos que (tengo, tenga) fiebre.
2. Necesitamos ir a la catedral antes de que el cura (se va, se vaya).
3. Necesitamos pasar por la panadería tan pronto como (salimos, salgamos) de clase.
4. Siempre preferimos hacer compras cuando (hay, haya) buenas ofertas.
5. La dependienta tiene que preparar los escaparates puesto que no (tenemos, tengamos) muchos clientes esta mañana.
6. En cuanto (termina, termine) la tarea, necesito ir a la tintorería para recoger los trajes.

7-9 En nuestra ciudad

Terminen las siguientes oraciones. Necesitan decidir entre el uso del **subjuntivo** o del **indicativo** de los verbos en paréntesis. Túrnense.

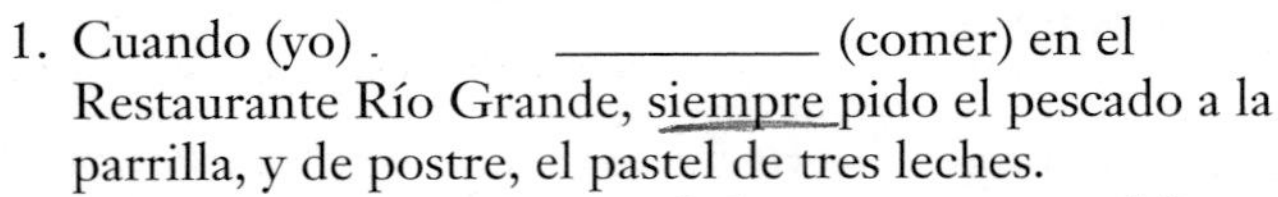

1. Cuando (yo) ______________ (comer) en el Restaurante Río Grande, siempre pido el pescado a la parrilla, y de postre, el pastel de tres leches.
2. Mi esposo y yo pensamos abrir una cuenta en el Banco Central con tal de que nos ______________ (ofrecer) un interés alto.
3. Mis amigos van a jugar al golf en el Campo Sotomayor tan pronto como ______________ (llegar) de vacaciones a la República Dominicana.
4. La tienda favorita de tu padre debe de ser la Ferretería Mundo Nuevo ya que él ______________ (ser) carpintero.
5. No pienso comprar nada allí hasta que ______________ (empezar) la gran liquidación.

7-10 Decisiones...

Si estás en Puerto Vallarta, México, hay que visitar Los Chatos. ¡Es una pastelería increíble! Vamos a experimentarla a través de nuestra imaginación. Crea oraciones usando elementos de las dos columnas. Después, compártelas con un/a compañero/a.

MODELO No puedo hacer un pedido (*place an order*)... a menos que ustedes me (decir) lo que quieren.

No puedo hacer un pedido a menos que ustedes me digan lo que quieren.

1. ______ Sus hijos siempre están contentos...
2. ______ Podemos organizar la cena...
3. ______ Mi mamá va a querer comprar aquel pastel de chocolate...
4. ______ Pienso comprar el pastel de chocolate...
5. ______ Nos encantan los pasteles de tres leches...
6. ______ Van a tener dos pasteles nuevos esta semana...

a. a menos que (costar) más de doscientos pesos.
b. aunque normalmente no los (cambiar) hasta final de mes.
c. ya que (saber) qué vamos a servir de postre.
d. cuando (tener) un pastel de Los Chatos en la fiesta de cumpleaños.
e. a pesar de que no nos (gustar) la leche.
f. tan pronto como ella lo (ver).

Notas culturales

La ropa como símbolo cultural

Cuando vayas a un país diferente, fíjate en la ropa de los escaparates de las tiendas. Muchas veces la ropa refleja la cultura del lugar. Por ejemplo, una prenda (*garment*) típica de los países del Caribe es la *guayabera*. Es una camisa liviana (*lightweight*) de tela fresca como el algodón, que tiene cuatro bolsillos (*pockets*), muchos botones y se lleva fuera de los pantalones. Los hombres la llevan para estar cómodos en el clima caluroso.

En caso de que te encuentres al otro extremo del continente de Suramérica, es posible que veas una prenda asociada con la cultura paraguaya. Es la tela de *aho po'i*, y se usa igual para camisas de hombre que para blusas de mujer. Significa "ropa liviana" y suele ser de algodón con bordados a mano (*hand embroidery*).

En el interior del continente, puedes encontrar unas prendas distintivas de la cultura boliviana: la pollera, una falda con muchas capas (*layers*), la manta y el sombrero tipo Borsalino de las cholas bolivianas. Las cholas llevan esta ropa para que la gente las reconozca como indígenas orgullosas de su herencia y seres dignos de respeto.

Fíjate

The *guayabera* is a comfortable shirt that is elegant in its simplicity. It has several rows of tiny pleats and can have intricate embroidery as well.

Fíjate

The name of this cloth, *aho po'i*, comes from the indigenous language *guaraní*. Along with Spanish, *guaraní* is an official language of Paraguay.

Fíjate

Chola refers to indigenous Bolivian women who have moved to urban areas from the countryside.

Preguntas

1. Describe las prendas mencionadas en la lectura.
2. ¿Cómo reflejan estas prendas su cultura de origen?
3. ¿Qué prendas son típicas de tu cultura? ¿Por qué son representativas de la cultura, en tu opinión? Compara las prendas representativas de tu cultura con las que se mencionan en la lectura.

7•11 Excusas, siempre excusas

A su amigo Pascal le encanta jugar al golf. Sin embargo, no le gusta viajar a ninguna parte — ¡prefiere dormir siempre en su propia cama! Ustedes lo invitan a acompañarlos al campo de golf La Punta Espada Cap Cana en la República Dominicana. Contesten las siguientes preguntas como si fueran (*as if you were*) Pascal. Túrnense.

La Punta Espada Cap Cana

MODELO E1: *¿Vas a ir al Caribe? El campo de golf es fantástico.* (a pesar de que)
E2: *No voy a ir al Caribe a pesar de que el campo de golf sea fantástico.*

1. Es uno de los mejores campos de golf de Latinoamérica. ¿Vienes? (aunque)
2. Hay un hotel magnífico al lado de La Punta Espada Cap Cana. ¿Quieres quedarte allí? (puesto que)
3. Hay unas tiendas muy buenas también. ¿Quieres ir de compras allí? (ya que)
4. Puedes usar mi tarjeta de crédito. No tienes que preocuparte por el dinero. (aun cuando)
5. ¿Cuándo piensas comprar tu boleto de avión? (para/para que)

7•12 Un sábado de maratón

Ustedes trabajan como voluntarios para una organización que ayuda a las familias sin casas. El sábado van a comprar regalos para algunas de las familias. ¿Adónde van a ir? ¿Qué van a comprar? ¿Cuándo lo van a hacer y en qué orden? Hagan una lista de las cosas que van a comprar y adonde tienen que ir para comprarlas. Usen las siguientes conjunciones.

MODELO tan pronto como
Tan pronto como nos despertemos, vamos a salir para el centro para comprar los regalos. Primero vamos a ir a la zapatería…

1. después de que
2. en caso de que
3. cuando
4. para que
5. mientras
6. hasta que

7•13 ¿Qué hago?

Joaquín está perdido en el centro de tu ciudad. Está en la esquina de la Calle del Sol y Camino Real. Túrnense para darle indicaciones (*directions*) para llegar a los diferentes lugares de la ciudad usando las siguientes conjunciones y preposiciones.

ahora que	en caso de que	para	cuando	después de	ya que

MODELO ya que / Banco Central

Ya que estás en el parque, dobla a la izquierda en la Calle Ocho. Sigue derecho. El Banco Central está a la izquierda.

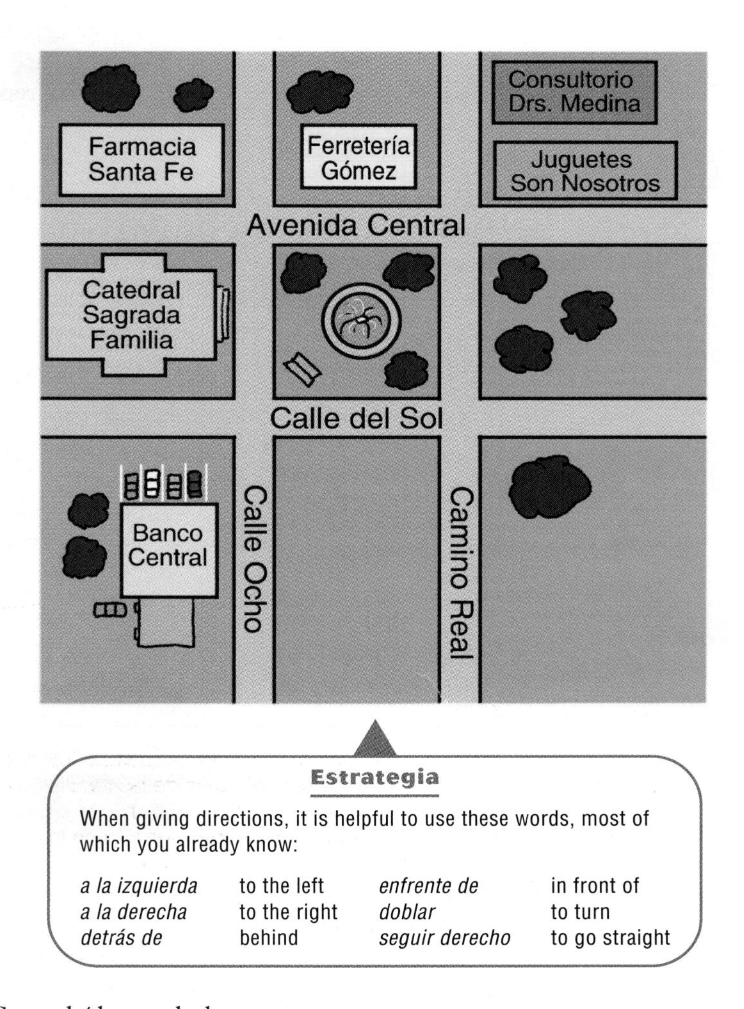

Estrategia

When giving directions, it is helpful to use these words, most of which you already know:

a la izquierda	to the left	*enfrente de*	in front of
a la derecha	to the right	*doblar*	to turn
detrás de	behind	*seguir derecho*	to go straight

1. Banco Central / la catedral
2. la catedral / Farmacia Santa Fe
3. Farmacia Santa Fe / Ferretería Gómez
4. Ferretería Gómez / Juguetes Son Nosotros
5. Juguetes Son Nosotros / Consultorio Doctores Medina

ESCUCHA

7-11 to 7-12

ESTRATEGIA **Determining setting and purpose**

Identifying the setting (place and time) and understanding the purpose of a message will help you anticipate what you will hear, thus facilitating comprehension. For example, determine where and when an event took place. If dates or hours are not identified, listen for verb tenses. Is the verb in the present, past, or future tense? To determine the purpose, ask yourself the following questions: Is the speaker selling something? Is the speaker reporting something? Is the message meant to be serious or humorous?

7•14 Antes de escuchar

Vas a escuchar un reportaje de la televisión. Primero, mira la foto. Describe lo que ves en la foto. ¿Cuál es el lugar? ¿Qué hace la persona? ¿Cuál crees que sea el tema de ese reportaje?

7•15 A escuchar

CD 3 Track 1

Lee toda la información de los siguientes pasos. Después, escucha el reportaje. La primera vez que lo escuches, completa el **Paso 1.** Escúchalo otra vez y completa el **Paso 2.**

Paso 1 ¿Quiénes son estas personas?

1. _____ Paco	a. mujer joven de Costa Rica
2. _____ Francisco	b. reportero en Puerto Rico
3. _____ Olga	c. hombre mayor, dueño
4. _____ Jorge	d. anfitrión (*host*) del programa
5. _____ Yinyo	e. hombre de los EE.UU.

Paso 2 Contesta las siguientes preguntas.

1. ¿Dónde toma lugar este reportaje?
2. ¿Qué es el tema del reportaje?

7-16 Después de escuchar

Inventa un postre o un helado nuevo para la Heladería de Lares y prepara una descripción para anunciarlo en una entrevista con un reportero.

¿Cómo andas?

Having completed the first **Comunicación,** I now can...

	Feel Confident	Need to Review
• describe stores and other places in a city. (p. 274)	❑	❑
• choose between **ser** or **estar** for description. (p. 275)	❑	❑
• express uncertainty in time, place, manner, and purpose. (p. 279)	❑	❑
• examine and compare culturally symbolic clothing. (p. 283)	❑	❑
• determine setting and purpose in a listening passage. (p. 286)	❑	❑

Comunicación

- Describing products in stores
- Stating what is/was going on

VOCABULARIO 3 Algunos artículos en las tiendas

SAM 7-13 to 7-14

Palabras útiles	*Useful words*
apretado/a	*tight*
de buena/mala calidad	*good/poor* (adj.) *quality*
la manga corta/larga	*short/long sleeve*
media manga	*half sleeve*

hecho/a de...	*made of...*
nilón	*nylon*
oro	*gold*
piel	*leather; fur*
plata	*silver*

El parloteo de Cisco

Estoy buscando una nueva panadería. La que frecuentaba va a cerrar la semana que viene. El dependiente me dijo que los propietarios están abriendo otra tienda, pero muy lejos de aquí. ¡Qué lástima!

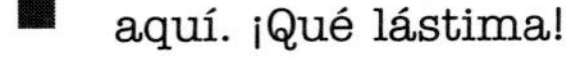

Deja un comentario para Cisco:

REPASO

El presente progresivo

In Cisco's blog, he says **estoy buscando** and **están abriendo.** You may recognize these forms as the **presente progresivo.** If you want to emphasize that an action is occurring at the moment—that it is in progress—you can use this tense instead of the simple present indicative. The following is a brief review of the **presente progresivo.** For a complete review, refer to **Capítulo 5** of ***¡Anda! Curso elemental*** in Appendix 3.

7-15 to 7-16

1. The English *present progressive* is made up of a form of the verb *to be* + *present participle* (*-ing*).

   The form is the same in Spanish: **estar** + *present participle* **(-ando, -iendo).**

31

2. **Direct** and **indirect object pronouns**, as well as **reflexive pronouns**, either:

   a. precede the form of **estar.**

   OR

   b. can be attached to the end of the present participle (**-ando, -iendo**).

3. Verbs such as **decir, leer, ir,** and **servir** have irregular **-ando / -iendo** forms.

Fíjate

In addition to describing an action in progress at the moment of speaking, the progressive is also used to describe an action that is different from the norm.

Este mes, estoy haciendo las compras en el mercado central en vez del Supermercado Biz.
This month, I am shopping at the market instead of at Biz Supermarket.

Estrategia

Remember that some of the verbs that are irregular in the preterit also have an irregular present participle (*-ando/ -iendo*):

pedir (e-i-i)	p**i**diendo	ir	**y**endo
repetir (e-i-i)	rep**i**tiendo	caer	ca**y**endo
dormir (o-ue-u)	d**u**rmiendo	leer	le**y**endo
morir (o-ue-u)	m**u**riendo		

7-17 Lo/La conozco bien

Es el fin de semana. Túrnense para describir lo que están haciendo sus amigos en este momento.

MODELO Vicente
Vicente está mirando unos relojes de pulsera.

1. Laura

2. Eva

3. Kyung

4. Silvia

5. Alberto

7-18 ¿Qué está comprando Inés?

¡Anda! Curso elemental, Capítulo 8, Las construcciones reflexivas, Apéndice 3.

Inés está en la tienda Falabella.

Paso 1 Describan lo que ven en su bolsa.

Paso 2 Túrnense para explicar para qué necesita cada artículo.

MODELO *Necesita el cepillo de dientes para cepillarse los dientes.*

Paso 3 Creen oraciones en **el presente progresivo.**

MODELO *Inés se está cepillando los dientes.*

7-19 Joyerías Helmlinger

Miren la página web de esta joyería, y después contesten las siguientes preguntas.

1. ¿Qué están promocionando en su página web?
2. ¿Qué están haciendo los diseñadores continuamente?
3. ¿Qué calidad de joyería está buscando una persona que compre en Helmlinger?
4. En tu opinión, ¿falta alguna información importante para los posibles clientes?

7-20 En la tienda Mucha Moda

En grupos de tres, describan el dibujo. Cada estudiante debe crear por lo menos **cuatro** oraciones.

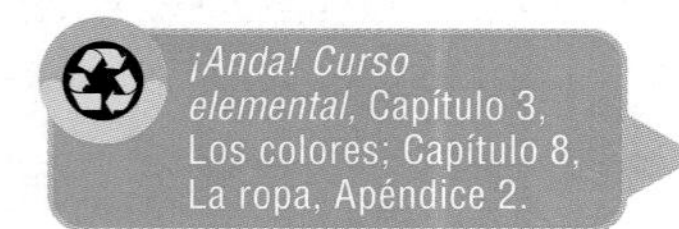

7-21 Una conversación interesante

Estás en un almacén tipo Wal-Mart o Target y tu padre/madre/esposo/a te llama por teléfono celular. Cuéntale dónde estás, qué estás haciendo, qué necesitas comprar, etc. Tu compañero/a va a ser la persona que te llama. Después, túrnense. Usen **el presente progresivo** cuando puedan.

MODELO
E1: *¿Marisol?*
E2: *Hola papá.*
E1: *¿Dónde estás, hija?*
E2: *Estoy en la tienda Gran Mundo y están vendiendo todo muy barato — ¡es una ganga!*
E1: *¿Qué estás haciendo allí? Tú no necesitas nada.*
E2: *No es verdad, papá. Necesito…*

GRAMÁTICA 4 Los tiempos progresivos: el imperfecto y *andar, continuar, seguir, ir* y *venir*

7-17 to 7-18

41

You have just reviewed the present progressive. There are other tenses that can be used with the present participle **(-ando / -iendo).** For example, the **imperfecto progresivo** is similar in usage to the imperfect. It is used to describe a past action in progress.

Lo vi cuando **estábamos volviendo** del centro.	*I saw him when we were returning from downtown.*
Chan **estaba mirando** los relojes de pulsera cuando llamaste.	*Chan was looking at the wristwatches when you called.*
¿Te **estabas maquillando** cuando el niño entró?	*Were you putting on your makeup when the little boy came in?*
Él **estaba buscando** muebles en el almacén.	*He was looking for furniture at the warehouse.*

Other verbs can be used with the present participle **(-ando, -iendo): andar, continuar, seguir, ir,** and **venir.** The use of each of these verbs subtly changes the meaning of the progressive.

- ***Andar* + present participle** implies that the action in progress is not occurring in an organized fashion.

El dependiente nuevo **anda buscando** las prendas por todas partes. — *The new sales clerk is going around looking for the garments all over the place.*

- ***Continuar/seguir* + present participle** means to keep on/to continue doing something.

Seguimos buscando el anillo que mi madre perdió esta mañana. — *We continue looking for the ring my mother lost this morning.*

- ***Ir* + present participle** emphasizes progress toward a goal.

Los obreros **van avanzando** en la construcción de nuestra ferretería nueva. — *The workers are making progress on the construction of our new hardware store.*

- ***Venir* + present participle** emphasizes the repeated or uninterrupted nature of an action over a period of time.

Hace dos años que mis hermanos **vienen haciendo** las mismas cosas molestas. — *For two years my brothers have been doing the same aggravating things.*

Fíjate

Remember that in Spanish the present progressive is *not* used to express the future.

Present progressive: *Están trabajando en la tintorería.* They are working (right now) at the dry cleaners.

Future: *Van a trabajar en la tintorería.* They are going to work at the dry cleaners (in the future).

7-22 Ahora mismo

¿Qué están haciendo las siguientes personas? Túrnense para crear oraciones usando **andar, continuar, seguir, ir** y **venir.**

MODELO Fabián (es arquitecto y está a punto de ver mucho progreso en un proyecto muy grande)
Fabián va progresando en su proyecto.

1. Maite (tiene mucho que hacer pero necesita terminar de limpiar su apartamento esta noche; se siente muy despistada)
2. Javier y Constanza (son muy trabajadores; estudian todos los días para sus clases y tienen dos exámenes mañana)
3. Mi mejor amigo (desde que lo conocí, me ha ayudado mucho; hace ocho años que lo conozco)
4. Nuestro/a profesor/a de español (le gusta hacer trabajo voluntario y así sirve a la comunidad tanto como a sus estudiantes)
5. Yo (duermo bien siempre y anoche dormí muy bien también)
6. Todos los compañeros de clase (cada día saben más y mejoran mucho)

7-23 Y ella dijo...

En grupos de cuatro, van a crear oraciones para añadir a las oraciones de sus compañeros. Necesitan usar el vocabulario nuevo del capítulo con **andar, continuar, seguir, ir** y **venir.** Sigan el modelo.

MODELO E1: *Ando buscando unos aretes de plata.*
E2: *Ando buscando unos aretes de plata y sigo trabajando muchas horas en el banco.*
E3: *Ando buscando unos aretes de plata. Sigo trabajando muchas horas en el banco. Y vengo diciendo que los pasteles de Los Chatos son los mejores.*
E4: …

7-24 Cuando era niño/a...

¿Qué hacías cuando ocurrieron los siguientes eventos? Termina las siguientes oraciones y después compártelas con un/a compañero/a.

MODELO tuviste tu primera pesadilla (*nightmare*)
Estaba durmiendo.

1. conociste a tu mejor amigo/a
2. recibiste el mejor regalo de tu vida
3. llegó Papá Noel por primera vez
4. supiste que ibas a estudiar en la universidad
5. te regalaron tu primera bicicleta
6. te llamó tu primer/a "amigo/a especial"

Algunos diseñadores y creadores

En el mundo hispano, como en los EE.UU., hay tiendas que se especializan en productos específicos. Aquí puedes conocer a las personas que hacen los productos que compras en estas tiendas.

Paloma Picasso nació en el año 1949 y empezó su carrera de diseñadora temprano, trabajando con joyas. También ha creado una marca de perfume con su nombre. Hoy sigue diseñando una línea de joyas para la joyería Tiffany y Compañía. Su línea luce anillos, aretes y collares de oro, plata y con diamantes.

Si estás contemplando comprar unos muebles nuevos que tengan a la vez funcionalidad y un diseño moderno, considera los productos del diseñador **Sami Hayek** (n. 1973 en Coatzacoalcos, México). Fundó su negocio de diseño en el año 2003 y se especializa en los muebles. Tiene una lista impresionante de clientes de Hollywood y de negocios importantes.

Narcisco Rodríguez (n. 1961) empezó a trabajar en las compañías de moda de Donna Karan y Calvin Klein, dedicándose al diseño de prêt-à-porter (*ready-to-wear*) femenino para grandes almacenes. Tiene su propia línea de ropa y ha creado una colonia para hombres y un perfume para mujeres. Ha ganado premios como "mejor diseñador" en varias categorías y continúa diseñando ropa y fragancias.

Preguntas

1. ¿En qué creaciones se especializan estas personas? ¿En qué tipo de tiendas se encuentran sus productos?
2. ¿Cómo se comparan sus productos con los que usas?
3. ¿Qué diseñadores de productos similares conoces en los E.E.U.U.?

7·25 Entrevista

Túrnense para hacerse y contestar las siguientes preguntas.

1. ¿Qué andas buscando que no has encontrado todavía?
2. ¿Qué continúas haciendo que no debes hacer?
3. ¿Qué sigues esperando que ocurra en tu vida o en las vidas de tus padres?
4. ¿Qué notas vas sacando este semestre/trimestre?
5. ¿Qué sigues deseando hacer que nunca has hecho?

7·26 Nos vamos al spa

Sus amigos casi nunca hacen nada especial por sí mismos y cuando lo hacen, sienten que tienen que justificarlo. Los han invitado a ir con ustedes al Spa Corazón Patagonia en Chile por cinco días. Ayúdenles a justificar el viaje, usando formas del **progresivo** en **cinco** oraciones.

MODELO *Sigo trabajando demasiado y necesito descansar.*

¡Conversemos!

ESTRATEGIAS COMUNICATIVAS Conversing on the phone and expressing agreement (Part 1)

Just as in English, there are conventions for speaking on the phone in Spanish, whether we are speaking in formal circumstances or talking with our friends.

During those conversations, we have the occasion to express agreement. Using the following expressions will help you.

Conversando por teléfono	*Speaking on the phone*
■ **Aló./Bueno./Diga./Dígame.**	*Hello?*
■ **¿Está _____ (en casa)?**	*Is _____ there?/at home?*
■ **¿De parte de quién?**	*Who shall I say is calling?*
■ **Le/Te habla.../Es.../Soy...**	*This is...*
■ **Lo/La/Te llamo más tarde.**	*I will call him/her/you later.*
■ **No está./No se encuentra.**	*He/She is not home.*
■ **¿Puedo tomar algún recado?**	*May I take a message?*
■ **Gracias por haber(me) llamado.**	*Thank you for calling (me).*
■ **Oiga.../Oye...**	*Hey...*
■ **Mire/Mira...**	*Look...*
■ **¡No me diga/s!**	*You don't say!/No way!*
Expresando concordancia	***Expressing agreement***
■ **Eso es./Así es.**	*That's it.*
■ **Cómo no./Por supuesto./Claro que sí./Desde luego.**	*Of course.*
■ **Exacto./Exactamente.**	*Exactly.*
■ **(Estoy) de acuerdo.**	*Okay, I agree.*

Fíjate

Different countries tend to have different ways of answering the phone. For example, *Diga* tends to be used in Spain, and *Bueno* in Mexico. *Aló* is used in various countries.

CD 3
Track 2

7-27 Diálogo

Escucha el diálogo y contesta las siguientes preguntas.

1. ¿Quién contestó el teléfono? ¿Qué dijo?
2. ¿Qué le dijo Adriana a la señora que la había llamado?
3. ¿Para qué invitó la mujer a Adriana a Chicago?

¡Anda! Curso elemental, Capítulo 8, La ropa, Apéndice 2.

7-28 El mercado de los mercados

Saliste para ir de compras al nuevo mercado de pulgas (*flea market*). No puedes creerlo... ¡tienen de todo! Llama a tu mejor amigo/a para decirle todo lo que tienen. Completa los siguientes pasos. Túrnense.

Paso 1 Llama a tu amigo/a y otra persona contesta el teléfono. Dile que quieres hablar con tu amigo/a.

Paso 2 Descríbele a tu amigo/a las cosas que ves. (Usa el vocabulario de la página 274, **Algunas tiendas y algunos lugares en la ciudad,** y de la página 287, **Algunos artículos en las tiendas.**)

Paso 3 Tú ofreces comprarle unas cosas a tu amigo/a y él/ella está de acuerdo.

7·29 Una entrevista

Imagina que para tu trabajo tienes que entrevistar a la persona encargada de las modificaciones de la planificación de tu ciudad. Entrevista a esa persona por teléfono para conocer sus planes para las tiendas y otros lugares de la ciudad. En tu entrevista, incluye las siguientes expresiones: **a menos que, en caso de que, para que, con tal de que** y **aunque.** Túrnense.

7·30 Canal Véndelotodo

Estás haciendo una gira por el Canal Véndelotodo. Allí hay unas estrellas con sus productos: Joan Rivers con sus collares y "diamantes", Leonardo DiCaprio con unas bombillas "verdes", etc. Llama a un miembro de tu familia para contarle sobre los productos y las personas famosas que ves. Túrnense.

7·31 El remate

El señor Dineral es un hombre riquísimo y muy reservado. Quiere que vayas a un remate (*auction*) especial y ofrezcas por su parte (*you bid on his behalf*). Durante el remate, vas a estar comunicándote con él por teléfono. Él te va a decir si quiere ofrecer por un objeto y hasta cuánto quiere gastar. Cuando llegas al remate, te das cuenta que el señor es un poco excéntrico porque el remate es un poco "diferente". Por ejemplo, rematan una botella de esmalte de uñas que era de Paris Hilton.

Paso 1 Con un/a compañero/a, hagan una lista de las cosas excéntricas que van a rematar.

Paso 2 Creen unos diálogos entre tú y el señor Dineral durante el remate. Acuérdense de que hablan por teléfono porque el señor es muy reservado. Túrnense de papel.

MODELO E1: *¿Aló?*

E2: *Sr. Dineral, le habla _____. Van a rematar una botella de esmalte de uñas de Paris Hilton.*

E1: *Bueno, ofrece hasta mil dólares…*

7·32 No lo veo

Normalmente es Rafa quien hace las compras, pero hoy tiene que ir Carmen, puesto que Rafa tiene que quedarse hasta tarde en el trabajo. El problema es que Carmen no puede encontrar nada en la tienda Buena Ganga, así que Carmen tiene que llamar a Rafa para preguntarle dónde se encuentran las cosas en la tienda.

Paso 1 Creen una lista de **diez** cosas que necesitan.

Paso 2 Túrnense, interpretando los papeles de Rafa y Carmen. Si quieren, pueden usar el dibujo de la página 287 para inspirarse.

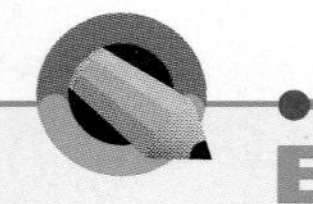

ESCRIBE

7-24 to 7-25

ESTRATEGIA Using a dictionary

A key skill in writing in Spanish is learning to use the dictionary effectively. Dictionaries have conventions for presenting words, their pronunciation, and their meanings. Abbreviations are used, and there is always an abbreviation key at the beginning of the dictionary that explains them. Familiarize yourself with this key first. Sometimes other explanatory symbols and notes further explain word usage. Pay attention to all of these clues as you select the appropriate word(s) to express your meaning. Then double check by looking up the word in reverse: if you began with English–Spanish, then check the Spanish–English version to verify that you have chosen the correct way to express your intended meaning.

7•33 Antes de escribir

Vas a escribir un artículo de opinión para el periódico local, expresando tus ideas sobre los pequeños negocios comparados con una mega tienda en tu pueblo. Piensa en tus ideas y opiniones sobre la situación. Luego, organízalas lógicamente y con detalles. ¿Cuáles son algunas palabras de vocabulario que necesitas y que no conoces? Haz una lista de ellas.

7•34 A escribir

Ahora, para escribir tu artículo, completa estos pasos:

- Primero, usa el vocabulario y las estructuras gramaticales de este capítulo en el artículo.
- Presenta tu opinión claramente, usando las nuevas palabras en tus oraciones.
- Tu artículo debe consistir en por lo menos **diez** oraciones.

7•35 Después de escribir

Comparte tu artículo con un grupo de compañeros de clase. ¿Entienden ellos tu punto de vista/tu opinión? Explícales las palabras que no entiendan, basándote en tu investigación en el diccionario. ¿Escogiste las palabras apropiadas para expresarte?

¿Cómo andas?

Having completed the second **Comunicación,** I now can...

	Feel Confident	Need to Review
• describe items sold in stores. (p. 287)	❑	❑
• refer to ongoing actions in the past and present. (pp. 288, 291)	❑	❑
• identify some people whose products are sold in stores. (p. 293)	❑	❑
• make a phone call and express agreement. (p. 294)	❑	❑
• use a bilingual dictionary effectively when writing. (p. 296)	❑	❑

Vistazo cultural

7-26 to 7-27

Vistas culturales

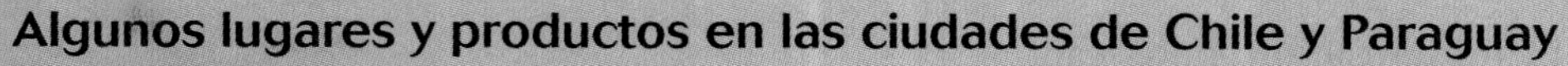

Algunos lugares y productos en las ciudades de Chile y Paraguay

Tengo un título en Ingeniería Comercial de la Universidad de Santiago de Chile. Siempre he querido dirigir mi propio negocio. En mis estudios aprendí mucho sobre las ciencias de la administración de empresas. Cuando tenga más experiencia, espero abrir mi propia tienda.

Lic. Fernando Arrieta Guajardo

Falabella, un importante almacén de Chile

Falabella es una de las compañías más grandes de Chile. Tiene almacenes en Chile, Argentina, Perú y Colombia. Cuando empezó en el año 1889, era una sastrería (*tailor shop*), pero hoy día se vende de todo en sus tiendas.

La Mezquita As-Salam en Santiago, Chile

Hoy día hay más de 3.000 musulmanes en Chile, y la población musulmana está creciendo poco a poco con la llegada de nuevos inmigrantes y también con las conversiones de personas que ya viven en el país. La primera mezquita de Chile, la Mezquita As-Salam, fue construida a principios de los años 1990.

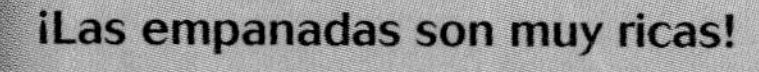

¡Las empanadas son muy ricas!

Una panadería es una tienda donde se vende pan. Por lo tanto, es natural que la tienda donde se venden empanadas se llame *empanadería*. La empanada es un pastel de masa (*dough*) con un relleno (*filling*) de varias cosas: pescado, carne, verduras, queso o realmente lo que a uno le guste.

El volantín: un juguete muy popular en Chile

¿Qué se puede encontrar en una juguetería? En Chile, tres juguetes muy comunes son el trompo (*top*), los zancos (*stilts*) y el volantín (*kite*). Un pasatiempo popular en Chile es hacer volar volantines. Durante las celebraciones de la independencia chilena, hay competiciones de volantines en todas partes del país.

La Basílica de Nuestra Señora de los Milagros en Caacupé, Paraguay

El ocho de diciembre se celebra la fiesta de la Virgen en Caacupé, Paraguay. La catedral, la Basílica de Nuestra Señora de los Milagros, es un centro religioso y espiritual para el país. Miles de personas vienen caminando hasta cien kilómetros a modo de peregrinaje (*pilgrimage*).

Las ruinas de las reducciones jesuitas de Trinidad, Paraguay

Cuando vayas a Paraguay, visita la Santísima Trinidad de Paraná: la mayor de las ruinas de las reducciones jesuitas y designada Patrimonio Cultural de la Humanidad por UNESCO. Trinidad era una ciudad con una plaza principal, fábricas para hacer bienes (*goods*) y casas individuales donde vivían los indígenas protegidos por los padres.

El arpa paraguaya es el instrumento nacional

En Asunción, hay fábricas donde se construyen unos instrumentos de cuerdas típicos y populares de Paraguay: el arpa paraguaya y la guitarra. El arpa paraguaya es apreciada en todas partes del mundo por su sonido distinto al de otros tipos de arpa. El arpa se hace usualmente de maderas locales.

Preguntas

1. Identifica los lugares de las ciudades mencionadas y determina si hay productos asociados con ellos.
2. ¿Existen estos lugares en tu ciudad o pueblo? ¿Cuáles? ¿En qué son similares y en qué son diferentes de los lugares indicados en Chile o Paraguay? Si estos lugares no existen en tu ciudad, ¿por qué sera?
3. En los capítulos anteriores, has aprendido sobre los productos y las prácticas culturales de otros países (por ejemplo, en el *Capítulo 4, ¡Celebremos!,* aprendimos sobre La Quema del Diablo en Guatemala, las procesiones religiosas de la Semana Santa en Guatemala y Honduras, Carnaval en La Ceiba, Honduras, las pupusas, etc.). Piensa en algunos ejemplos y compáralos con las prácticas y los productos que ves aquí (por ejemplo, el volantín, las empanadas o la fiesta de la Virgen en Caacupé, Paraguay). ¿En qué son similares y en qué son diferentes?

Laberinto peligroso

EPISODIO 7

lectura

7-28 to 7-30

ESTRATEGIA **Identifying elements of texts: Tone and voice**

In addition to understanding what is being said, it is also important to grasp *how* it is being said. **Tone** and **voice** are two important ways of determining *how*. **Tone** is the writer's attitude toward his/her readers and the subject(s). Tone reflects the feelings of the writer. **Voice** allows the reader to perceive a human personality through the language and sentence structure.

Therefore, ask yourself the following questions to determine tone and voice.

1. What language does the author use?
2. Is the passage serious, sarcastic, humorous, or perhaps neutral?
3. What words are used that make you think so?
4. How much of the author's beliefs and opinions are in the piece?
5. Is the author a formal observer, a reporter, or a vested participant in the passage?
6. What are the sentences like? Are they short, or long and descriptive?

Determining tone and voice helps you go beyond the literal meaning of what you read.

7-36 **Antes de leer** En los episodios del **Capítulo 5,** después de decidir empezar a colaborar en sus respectivas investigaciones, Cisco y Celia fueron a la biblioteca para estudiar unos mapas y crónicas. Posteriormente, tuvieron que ir a la comisaría (*police station*) para declarar ante la policía. Antes de empezar a leer el episodio, contesta las siguientes preguntas.

1. ¿Qué importancia pueden tener los mapas y las crónicas que Celia y Cisco consultaron en la biblioteca?
2. ¿Por qué tuvieron que declarar Celia y Cisco ante la policía? ¿Crees que son inocentes? ¿Por qué?
3. Muchas veces, para comprender mejor una lectura, es útil identificar la voz y el tono del texto. ¿Cómo eran la voz y el tono de algunos de tus episodios favoritos? ¿Cómo crees que va a ser el tono de este episodio?
4. Lee rápidamente las primeras diez líneas del episodio y describe el tono y la voz de esa parte del texto. Identifica palabras del texto para apoyar tu descripción.

CD 3
Track 3

DÍA 40

¿Casualidades o conexiones?

Cuando llegaron a la casa de Cisco, era ya tarde y estaban agotados. Celia y Cisco habían estado varias horas en la comisaría hablando con el detective encargado° del caso. Después de declarar ante la policía, estaban realmente preocupados.

° *in charge*

—Tú y yo sabemos que somos inocentes, pero no creo que le hayamos convencido al detective; creo que durante toda mi declaración estaba dudando de mi palabra. Está claro que somos los sospechosos principales en ese caso. ¡Es fundamental que le hagamos creer en nuestra inocencia! Tenemos que demostrarle que no hemos robado nada, que somos periodistas legítimos, y que estamos realizando una investigación legítima —dijo Celia, un poco agobiada°.

weighed down, feeling down

—Estoy completamente de acuerdo contigo, Celia. Por eso, es más importante ahora que nunca que sigamos investigando para que podamos resolver los dos casos, y para que la policía pueda saber con total seguridad que no somos los culpables. —respondió Cisco con firmeza.

—No sé qué nos espera, pero también creo que a pesar de que una persona misteriosa nos haya amenazado, tenemos que continuar tratando de descubrir la verdad —afirmó Celia convencida. —Y tienes razón, Cisco; en caso de que todo esté relacionado, también creo que deberíamos intentar resolver el caso del robo. Antes teníamos bastante trabajo solo con los asuntos de contrabando y las sustancias extraídas de plantas tropicales, y ahora parece que vamos a tener todavía más.

—A no ser que estemos viviendo muchas casualidades°, toda nuestra investigación sobre el contrabando de los productos de las selvas tropicales para la guerra biológica tiene que estar relacionada con esos mapas y esa crónica. Es la única explicación lógica —dijo Cisco.

coincidences

—Pero tenemos que descubrir la verdad sin que nadie se dé cuenta de lo que estamos haciendo. Hasta que el autor de esos crímenes esté en custodia de la policía, sé que tú y yo vamos a estar en peligro. Es imprescindible que sigamos adelante, pero tenemos que hacerlo con muchísimo cuidado —dijo Celia con mucha convicción.

—Es cierto lo que dices. Es evidente que no vamos a poder estar tranquilos hasta que hayamos resuelto todo y sepamos quién es el culpable —respondió Cisco, preocupado.

—Lo sé. Estoy segura de que cuando todo esto haya terminado, voy a necesitar otras vacaciones —respondió Celia, intentando hablar con un tono menos grave y más ligero.

Cisco y Celia se pusieron a estudiar las características del mapa y de la crónica que habían sido robados. Descubrieron que los dos estaban relacionados con una selva tropical en Centroamérica. Había mucho trabajo que hacer, así que decidieron dedicarse cada uno a una tarea distinta. Celia se dedicó a tratar de examinar la zona más de cerca, empleando Google Earth. Con las imágenes de satélite, logró ver el pueblo que aparecía en el mapa robado y que se mencionaba en la crónica. O bien por casualidad o bien por conexión directa entre los dos casos, pudo ver que el pueblo estaba en una zona muy rica en plantas medicinales. Mientras ella estudiaba esas imágenes y otros documentos relevantes, Cisco, por otro lado, andaba buscando información sobre otros mapas y crónicas relacionados con la misma región. Descubrió que en el ámbito internacional, otros mapas y crónicas también habían desaparecido. En la mayoría de los casos, las autoridades no habían sido capaces de descubrir quiénes eran los culpables.

—Aquí hay muchas casualidades. ¿Crees que es posible que haya alguna conexión entre las personas que han robado nuestra biblioteca y todos estos casos internacionales? —Cisco le preguntó a Celia.

—No solo creo que es posible, Cisco, me parece que es muy probable.

7-37 **Después de leer** Contesta las siguientes preguntas.

1. ¿Qué preocupaciones tenían Celia y Cisco respecto a sus declaraciones en la comisaría?
2. ¿Por qué pensaban Celia y Cisco que era importante resolver el caso del mapa y la crónica robados?
3. ¿Qué relación había entre su investigación de las selvas tropicales y el mapa y la crónica robados?
4. ¿Por qué podía tener implicaciones internacionales el robo del mapa y de la crónica?
5. ¿Cómo era el tono del episodio?
6. ¿Por qué se titula el episodio *¿Casualidades o conexiones?*?

video

7-38 **Antes del video** En *¿Casualidades o conexiones?* viste algunas de las preocupaciones de Cisco y Celia que los motivaron a seguir adelante con sus investigaciones. En *¡Trazando rutas y conexiones!,* vas a ver cómo avanzan en sus investigaciones. Antes de ver el episodio, contesta las siguientes preguntas.

1. ¿Crees que Cisco y Celia realmente son sospechosos en el caso del robo del mapa y de la crónica? ¿Por qué?
2. ¿Qué conexiones crees que pueden haber entre la investigación de Celia y Cisco y el robo de mapas y crónicas?
3. ¿Cómo puede estar relacionado con todo eso el laboratorio donde trabaja Cisco?

Celia, te has traído media tienda.

Las propiedades medicinales de estas plantas pueden ser alteradas si caen en manos de contrabandistas, y el resultado puede ser muy peligroso para la sociedad.

Si estas sustancias caen en manos equivocadas, las consecuencias pueden ser muy peligrosas.

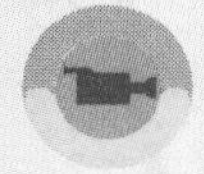

Episodio 7

¡Trazando rutas y conexiones!

Relájate y disfruta el video.

7-39 **Después del video** Contesta las siguientes preguntas.

1. ¿Dónde estaba Celia al principio del episodio y qué hacía?
2. ¿Qué descubrió Cisco en el correo electrónico que recibió antes de comer?
3. ¿Por qué se puso en contacto Celia con agentes federales?
4. ¿Qué descubrió Celia respecto al tráfico de sustancias químicas extraídas de plantas tropicales?
5. ¿Por qué tenía que ir Cisco a declarar otra vez?

Y por fin, ¿cómo andas?

Having completed this chapter, I now can...

	Feel Confident	Need to Review
Comunicación		
• discuss stores and other places in a city. (p. 274)	❑	❑
• correctly choose between **ser** or **estar.** (p. 275)	❑	❑
• express uncertainty in time, location, manner, and purpose. (p. 279)	❑	❑
• determine setting and purpose when listening. (p. 286)	❑	❑
• identify items sold in stores. (p. 287)	❑	❑
• refer to ongoing actions in the past and present tenses. (pp. 288, 291)	❑	❑
• make a phone call in a Spanish-speaking country. (p. 294)	❑	❑
• use a bilingual dictionary effectively to improve writing. (p. 296)	❑	❑
Cultura		
• examine and compare culturally representative apparel. (p. 283)	❑	❑
• identify some people whose products are sold in stores. (p. 293)	❑	❑
• share information about interesting stores, places, and products found in Chile and Paraguay. (p. 298)	❑	❑
Laberinto peligroso		
• identify elements of texts: tone and voice. (p. 300)	❑	❑
• discuss the possible connection and meaning of other missing maps and *cronista* journals. (p. 302)	❑	❑
• express my opinion about Cisco's possible arrest. (p. 303)	❑	❑

VOCABULARIO ACTIVO

CD 3
Tracks 4-8

Algunas tiendas y algunos lugares en la ciudad	Some shops and places in the city
el campo de golf	*golf course*
la carnicería	*butcher shop*
la catedral	*cathedral*
el consultorio	*doctor's office*
la fábrica	*factory*
la farmacia	*pharmacy*
la ferretería	*hardware store*
la frutería	*fruit store*
la fuente	*fountain*
la heladería	*ice cream store*
la juguetería	*toy store*
la mezquita	*mosque*
la panadería	*bread store; bakery*
la papelería	*stationery shop*
la pastelería	*pastry shop*
la pescadería	*fish store*
los servicios	*public restrooms*
la tintorería	*dry cleaners*
la tienda de ropa	*clothing store*
la zapatería	*shoe store*

Para comprar cosas...	To buy things...
el/la dependiente/a	*store clerk*
el dinero en efectivo	*cash*
el escaparate	*store window*
la ganga	*bargain*
la liquidación	*clearance sale*
el mostrador	*counter*
la oferta	*offer*
la rebaja	*sale; discount*
la tarjeta de crédito	*credit card*

Algunos artículos en las tiendas — *Some items in the stores*

Artículos generales	General items
la bombilla	*light bulb*
el cepillo	*brush*
el cepillo de dientes	*toothbrush*
el champú	*shampoo*
el chicle	*gum*
la colonia	*cologne*
la crema de afeitar	*shaving cream*
el desodorante	*deodorant*
el esmalte de uñas	*nail polish*
el jabón	*soap*
la loción	*lotion*
la máquina de afeitar	*electric shaver*
la navaja de afeitar	*razor*
el papel de envolver	*wrapping paper*
el papel higiénico	*toilet paper*
la pasta de dientes	*toothpaste*
el perfume	*perfume*
las pilas	*batteries*
el pintalabios	*lipstick*
el talco	*talcum powder*
las tarjetas	*cards; greeting cards*

Algunas prendas, ropa y otras cosas	Some garments, clothes, and other things
el anillo	*ring*
los aretes	*earrings*
la bufanda	*scarf*
la billetera	*wallet*
el collar	*necklace*
el diamante	*diamond*
el guante	*glove*
la prenda	*garment*
la pulsera	*bracelet*
el reloj de pulsera	*wristwatch*
la ropa interior	*underwear*
el tacón (alto, bajo)	*heel (high, low)*

Palabras útiles	Useful words
apretado/a	*tight*
de buena/mala calidad	*good/poor* (adj.) *quality*
la manga corta/larga	*short/long sleeve*
media manga	*half sleeve*
hecho/a de...	*made of...*
nilón	*nylon*
oro	*gold*
piel	*leather; fur*
plata	*silver*

¿Qué profesiones te interesan? ¿Prefieres trabajar con otras personas o a solas? ¿En una oficina o en una industria o afuera en la naturaleza? Exploremos el mundo del trabajo y la vida profesional.

La vida profesional

	OBJETIVOS	CONTENIDOS
Comunicación	• To compare and contrast professions • To use adjectives as nouns to represent people, places, and things • To express actions in the future • To discuss what would happen or what would be under certain conditions • To repeat or paraphrase what you hear • To discuss different aspects of the business world • To point out people, places, or things • To refer to what would or will have happened • To express good wishes or sympathy • To employ appropriate salutations and closings in letters	1 Some professions 308 **Repaso** Adjectives used as nouns 309 2 The future 312 3 More professions 316 4 The conditional 318 **Escucha** 322 **Estrategia:** Repeating/paraphrasing what you hear 5 An interview 323 **Repaso** Demonstrative adjectives 324 6 The future perfect 326 7 The business world 328 8 The conditional perfect 330 **¡Conversemos!** 334 **Estrategias comunicativas:** Expressing good wishes, regret, comfort, or sympathy **Escribe** 336 **Estrategia:** Greetings and closings in letters
Cultura	• To state proper etiquette for doing business in a Hispanic setting • To identify some people with interesting professions • To share information about professions and the world of business in Argentina and Uruguay	**Notas culturales** La etiqueta del negocio latino 321 **Perfiles** El trabajo y los negocios 332 **Vistazo cultural** Algunos negocios y profesiones en Argentina y Uruguay 338 **Letras** *El delantal blanco* (Sergio Vodanovic) *See Literary Reader*
Laberinto peligroso	• To adjust reading rate according to purpose and comprehension • To determine why the police visit Cisco • To hypothesize about Cisco's mysterious phone call	**Episodio 8** **Lectura:** *Complicaciones en el caso* 340 **Estrategia:** Checking comprehension and determining/adjusting reading rate **Video:** *¿Estoy arrestado?* 342

El mundo del trabajo

PREGUNTAS

1 ¿Qué profesiones te interesan? ¿Por qué?

2 ¿Para qué profesión estudias? Para hacer este trabajo, ¿qué más necesitas hacer después de terminar tus estudios en la universidad?

Comunicación

- Describing professions and careers
- Expressing actions in the future
- Stating what would happen under certain conditions

VOCABULARIO 1 Algunas profesiones

SAM 8-1 to 8-3

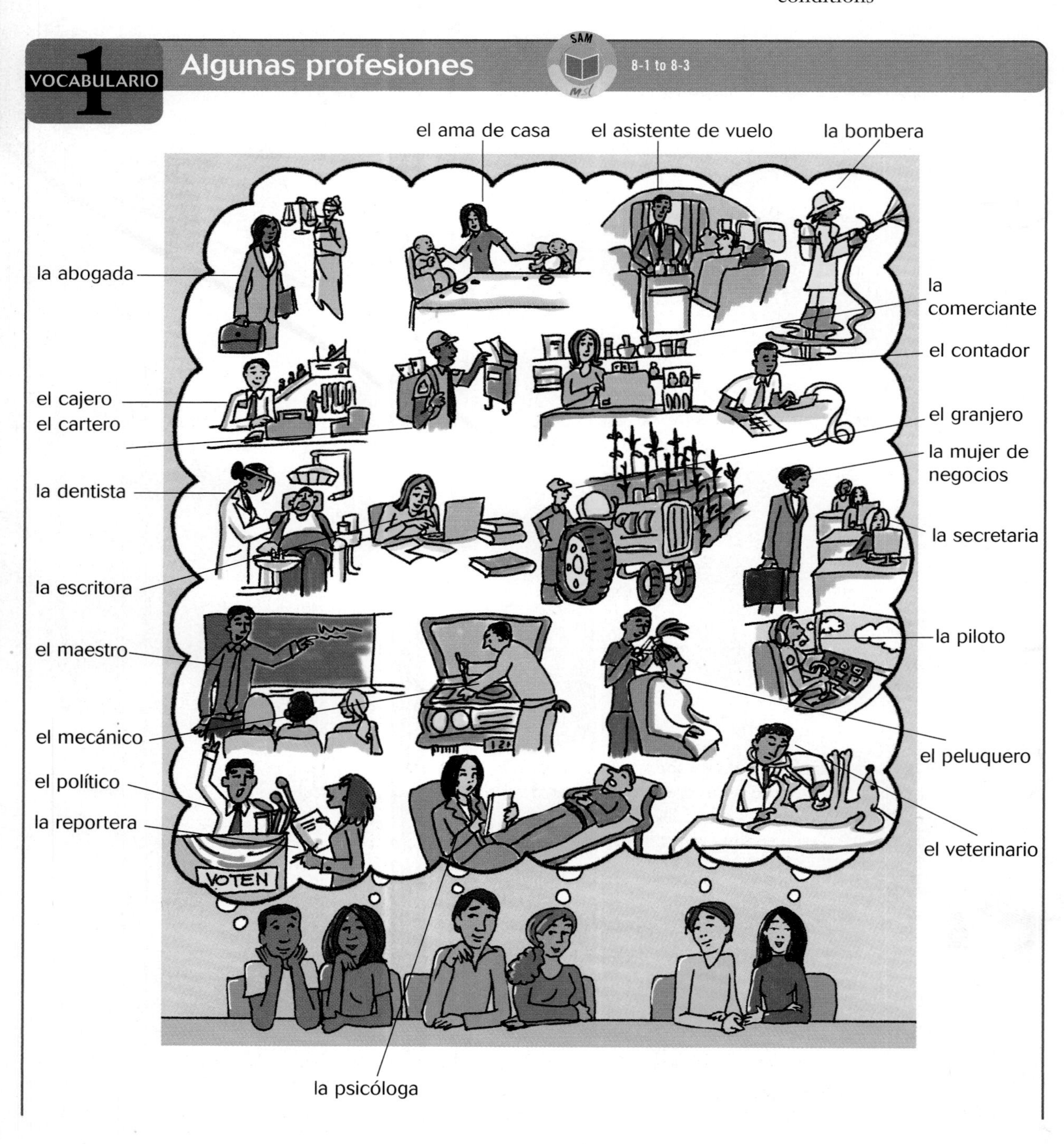

Palabras útiles	*Useful words*
el abogado	*male lawyer*
el/la agente	*agent*
el ama de casa	*male homemaker*
la asistente de vuelo	*female flight attendant*
el/la banquero/a	*banker*
el bombero	*male firefighter*
la cajera	*female cashier*
la cartera	*female mail carrier*
el comerciante	*male shopkeeper, merchant*
el/la consejero/a	*counselor*
la contadora	*female accountant*
el dentista	*male dentist*
el/la empleado/a	*employee*
el escritor	*male writer*
el/la gerente/a	*manager*
la granjera	*female farmer*

el hombre de negocios	*businessman*
el/la ingeniero/a (químico/a)	*(chemical) engineer*
el/la jefe/a	*boss*
la maestra	*female teacher*
la mecánica	*female mechanic*
la peluquera	*female hairdresser*
el/la periodista	*journalist*
el piloto	*male pilot*
la política	*female politician*
el/la propietario/a	*owner; landlord*
el reportero	*male reporter*
el psicólogo	*male psychologist*
el secretario	*male secretary*
el/la supervisor/a	*supervisor*
la veterinaria	*female veterinarian*

Querido diario:

Mis vecinos tienen profesiones muy variadas. La rubia de al lado es dependienta en un almacén, la uruguaya del apartamento 2F es presidenta de una compañía y el guapo del tercer piso es policía.

Preguntas

1. ¿De quién(es) habla Celia?
2. ¿Qué profesiones tienen ellos?
3. ¿A qué profesión aspiras? ¿Y tus amigos? ¿Qué profesiones tienen tus parientes?

SAM 8-4

Guide 2, 4

REPASO

Los adjetivos como sustantivos

In Celia's diary, she writes **la rubia, la uruguaya,** and **el guapo.** You may recall that dropping the noun creates *adjectives that function as nouns.* So instead of **la mujer rubia,** you can express the idea with **la rubia.**

Other points regarding adjectives used as nouns include:

1. The neuter definite article **lo,** when used with the masculine singular form of an adjective, also functions as a noun and is translated as "the... thing."
2. The words **más** and **menos** can precede the adjective.
3. Some common expressions with **lo** include:

lo malo	*the bad thing*	**lo peor**	*the worst thing*
lo mejor	*the best thing*	**lo mismo**	*the same thing*

For more information, refer to **Capítulo 10** of ***¡Anda! Curso elemental*** in Appendix 3.

Estrategia

You have noticed that *¡Anda! Curso intermedio* makes extensive use of pair and group work in the classroom to provide you with many opportunities during the class period to practice Spanish. When working in pairs or groups, it's imperative that you make every effort to speak only Spanish.

8-1 Categorías

¿Cuáles de las profesiones y trabajos del vocabulario nuevo requieren, por regla general, título universitario? ¿Cuáles no lo requieren?

Paso 1 Pongan las profesiones y trabajos bajo la categoría apropiada.

MODELO
1. REQUIEREN TÍTULO UNIVERSITARIO
   abogado
2. NO REQUIEREN TÍTULO UNIVERSITARIO
   cajero

Paso 2 ¿Cuáles requieren títulos universitarios avanzados?

8-2 Asociaciones

¿Qué palabras (o personas) se asocian con los siguientes trabajos y profesiones?

Paso 1 Túrnense para hacer asociaciones.

MODELO la peluquera
pelo, cepillo, peinarse...

Fíjate

A synonym for *escritor/a* is *autor/a.*

1. el banquero
2. la escritora
3. la secretaria
4. el asistente de vuelo
5. la dentista
6. el periodista
7. el abogado
8. el cajero
9. el cartero

Paso 2 Para cada profesión o trabajo de la lista, añadan una nacionalidad. Después, cambien la frase a una con adjetivo que funciona como sustantivo.

Estrategia

Remember that an adjective of nationality must agree with its noun.

MODELO la peluquera
la peluquera española
la española

¡Anda! Curso elemental, Capítulo Preliminar A, Los adjetivos de nacionalidad, Apéndice 2.

8-3 ¿Es verdad?

Decide si estas oraciones, por regla general, son ciertas o falsas. Si son falsas, corrígelas. Después, compara tus respuestas con las de un/a compañero/a.

MODELO Un ingeniero químico no necesita un título universitario.
Falso. Un ingeniero químico necesita un título universitario.

1. El veterinario es un doctor de animales.
2. El periodista es también escritor.
3. Un ama de casa trabaja de nueve a cinco.
4. Generalmente, los granjeros no tienen jefes.
5. Los pilotos y los asistentes de vuelo trabajan juntos.
6. No hay ningún requisito para ser bombero/a.

8-4 El/La asistente

Decidan cómo revisar las siguientes partes de este reporte de la compañía para que sean menos repetitivas, usando **los adjetivos como sustantivos.** También deben usar una expresión con **lo (lo interesante, lo bueno, lo mejor,** etc.), como en el modelo.

MODELO Los carteros trabajan para todos los negocios del edificio. Los carteros nuevos trabajan cuarenta horas por semana y los carteros antiguos trabajan treinta horas por semana.

Lo interesante es que los carteros trabajan para todos los negocios del edificio. Los nuevos trabajan cuarenta horas por semana y los antiguos trabajan treinta horas.

1. Hay cinco contadores en total: dos de ellos tienen más de cinco años de experiencia con la compañía. Los tres contadores nuevos tienen menos de un año de experiencia con nosotros. Además, los tres contadores nuevos tienen títulos avanzados. Finalmente, de los tres contadores nuevos, dos son mujeres y uno es hombre.
2. La compañía emplea cuatro ingenieros químicos. Dos de los ingenieros son graduados de MIT y dos son graduados de UCLA. Los dos ingenieros de MIT tienen títulos de doctorado. Los ingenieros de UCLA son nuevos; llevan menos de un año en la compañía. Los ingenieros de UCLA han expresado interés en continuar con sus estudios.

8-5 ¿A quién conoces que...?

Circula por la clase hasta encontrar a un/a estudiante que pueda contestar afirmativamente cada una de las siguientes preguntas.

MODELO conocer a un piloto

E1: *Marco, ¿conoces a un piloto?*

E2: *No, no conozco a ningún piloto.*

E1: *Sofía, ¿conoces a un piloto?*

E3: *Sí, mi primo es piloto.*

E1: Firma aquí, por favor.

PREGUNTAS	FIRMA
1. conocer a un/a piloto	*Sofía*
2. haber trabajado como secretario/a o recepcionista	
3. pensar que el trabajo de escritor es fácil	
4. creer que los abogados ganan más dinero que los veterinarios	
5. tener un pariente que trabaja como contador/a	
6. haber llevado su coche a un/a mecánico/a recientemente	
7. haber trabajado en un negocio que tiene más de veinte empleados	
8. tener un amigo que es propietario/a de un negocio	

8-6 En su opinión

Discutan las siguientes posibilidades, evitando siempre la repetición.

¡Anda! Curso intermedio, Capítulo 3, Los materiales de la casa y sus alrededores, pág. 106; Dentro del hogar, pág. 117; Capítulo 5, Las vacaciones, pág. 190.

MODELO ¿Cuál es la profesión...? más/menos interesante

E1: *¿Cuál es la profesión más interesante?*

E2: *Para mí la más interesante es ingeniero. ¿Y para ti?*

E1: *La más interesante es psicólogo. Para mí la menos interesante es bombero. ¿Y para ti?*

E2: *Para mí la menos interesante es granjero.*

¿CUÁL ES LA PROFESIÓN...?

1. más/menos interesante
2. más/menos lucrativa
3. más/menos difícil
4. más/menos fácil
5. que requiere más/menos horas de trabajo
6. que requiere más/menos años de estudio universitario
7. que requiere más/menos creatividad
8. que mejor sirve a la comunidad

GRAMÁTICA 2 El futuro

8-5 to 8-6   58

As in English, the **future** can be expressed in several ways. In Spanish so far, you have either used the present tense to indicate that an action will take place in the very near future or used the construction ***ir + a* + infinitivo** to express *to be going to do something:*

Hablamos (*present*) con el agente esta tarde.	*We will speak with the agent this afternoon. / We are speaking to the agent this afternoon.*
Vamos a hablar (**ir + a +** infinitivo) con el agente esta tarde.	*We are going to speak with the agent this afternoon.*

1. The **future** tense can express actions that will occur in the *near or distant future*. The future for regular verbs is formed by **adding the following endings to the infinitive.**

¡Mi hijito Juanito se graduará en menos de trece años!

	hablar	**leer**	**escribir**
yo	hablaré	leeré	escribiré
tú	hablarás	leerás	escribirás
él, ella, Ud.	hablará	leerá	escribirá
nosotros/as	hablaremos	leeremos	escribiremos
vosotros/as	hablaréis	leeréis	escribiréis
ellos/as, Uds.	hablarán	leerán	escribirán

Note the following examples:

Hablaremos con el agente mañana.	*We will speak with the agent tomorrow.*
Mi hermano **será** escritor algún día.	*My brother will be a writer someday.*
¿**Sacarás** el título de veterinario?	*Will you receive your Veterinary Science degree?*
Mercedes y Cristóbal **conocerán** a mi jefa la semana próxima.	*Mercedes and Cristóbal will meet my boss next week.*
Yo **iré** contigo si quieres.	*I'll go with you if you like.*

2. The following are some common irregular verbs in the future. While the stems are irregular, the endings remain the same as for regular verbs.

- The following verbs drop the infinitive vowel:

haber	**habr-**	**habré, habrás, habrá...**
poder	**podr-**	**podré, podrás, podrá...**
querer	**querr-**	**querré, querrás, querrá...**
saber	**sabr-**	**sabré, sabrás, sabrá...**

- These verbs replace the infinitive vowel with **d:**

poner	**pondr-**	**pondré, pondrás, pondrá...**
salir	**saldr-**	**saldré, saldrás, saldrá...**
tener	**tendr-**	**tendré, tendrás, tendrá...**
valer	**valdr-**	**valdré, valdrás, valdrá...**
venir	**vendr-**	**vendré, vendrás, vendrá...**

- These verbs have different irregularities:

decir	**dir-**	**diré, dirás, dirá...**
hacer	**har-**	**haré, harás, hará...**

3. The future can also be used to *indicate probability*. When you wish to express the English idea of *wonder*, *might*, *probably*, etc., in Spanish you use the future:

¿Dónde **estará** el consejero?	*I wonder where the counselor is/must be.*
¿Qué **querrá** el jefe?	*What do you think the boss wants?*
¿Qué **estaremos** haciendo en quince años?	*(I wonder) What will we be doing in fifteen years?*

8-7 La corrida de toros

Escuchen mientras su profesor/a les da las instrucciones para este juego.

8-8 Pobre Alberto y Verónica

Alberto y Verónica no consiguieron el trabajo de verano que querían con el Banco Toda Confianza. Hicieron una lista sobre lo que podrán hacer la próxima vez para tener éxito. Usando los verbos de la lista, completen la conversación entre ellos con los verbos en el **futuro.** Túrnense.

contestar	escuchar	hablar	investigar
llamar	llevar	poder	ponerse
preguntar	tener	traer	salir

MODELO traer

Traeré cartas de referencia. —decidió Alberto.

1. Yo ____________ con unas personas que trabajan allí para entender mejor las responsabilidades del puesto (*position*). —comentó Verónica.
2. ____________ la página web para obtener más información sobre el negocio. —se dijeron Alberto y Verónica.
3. Los dos no ____________ jeans para la entrevista. ____________ unos trajes elegantes.
4. ¿____________ temprano para poder llegar a tiempo? —le preguntó Verónica a Alberto.
5. Verónica no les ____________ sobre el salario en la primera entrevista.
6. No los ____________ el día siguiente para preguntarles si han tomado una decisión. ____________ más paciencia. —dijo Alberto. Y papá, ¿____________ ir conmigo? —le preguntó Alberto.

8-9 ¿Y mañana?

Combinen los elementos de las columnas A, B y C, y escriban oraciones para describir qué harán estas personas mañana.

MODELO el mecánico reparar el camión de mi amigo

El mecánico reparará el camión de mi amigo.

COLUMNA A	COLUMNA B	COLUMNA C
el ingeniero	dar	los dientes de juicio a mi hermano
los carteros	empezar	para Europa en un avión grande
la dentista	escribir	el camión de mi amigo
el mecánico	poner	las cartas en el buzón
los periodistas	reparar	un reportaje sobre las elecciones
la consejera	sacar	consejos a todos los empleados
los pilotos	salir	con la construcción de la autopista
la política	venir	a la reunión para explicar el aumento de impuestos

8·10 En quince años

¿Cómo será tu vida en quince años? Completa los siguientes pasos.

¡Anda! Curso intermedio, Capítulo 2, Algunos deportes, pág. 68, Algunos pasatiempos, pág. 81; Capítulo 3, Los materiales de la casa y sus alrededores, pág. 106, Dentro del hogar, pág. 117; Capítulo 4, Las celebraciones y los eventos de la vida, pág. 142; Capítulo 5, Los viajes, pág. 180.

Paso 1 Haz y luego contesta las siguientes preguntas con un/a compañero/a. Túrnense.

MODELO E1: *Mi compañera Marsha tendrá un puesto en IBM. Trabajará con las computadoras. Ella vivirá en Cary, Carolina del Norte…*

E2: *Mi compañero Mark trabajará como periodista. Reportará los deportes. Vivirá en Miami. Sus amigos vivirán en Miami también…*

1. ¿Qué trabajo / tener / tú? / Descríbelo.
2. ¿Dónde vivir / tú?/ ¿Dónde / vivir / tus amigos?
3. ¿Cómo / ser / tu casa o apartamento?
4. ¿Estar / tú / casado/a? / ¿Tener / tú / hijos?
5. ¿Cómo / pasar / tu familia y tú / su tiempo libre?
6. ¿Adónde / ir / ustedes / de vacaciones?
7. ¿En qué / gastar / ustedes / el dinero?
8. ¿Cómo / servir / tú / a la comunidad?

Paso 2 En grupos de cuatro, compartan sus ideas sobre el futuro de su compañero/a.

8·11 El año 2030

¿Cómo será el mundo en el año 2030?

Paso 1 Escribe **cinco** preguntas sobre el futuro.

Paso 2 Circula por la clase para hacerles esas preguntas a tus compañeros/as. Deben elaborar sus respuestas.

MODELO E1: *¿Cómo cambiarán los modos de transporte?*

E2: *Los carros serán eléctricos y los aviones usarán una gasolina sintética. Viajaremos mucho por tren, que también usará un tipo de gasolina sintética…*

Más profesiones

8-7 to 8-8

la banca	*banking*
las ciencias (acuáticas, políticas)	*(aquatic, political) science*
el comercio/ los negocios	*business*
la enfermería	*nursing*
la gerencia de hotel	*hotel management*
la ingeniería	*engineering*
la justicia criminal	*criminal justice*
el mercadeo	*marketing*
la moda	*fashion*
la pedagogía	*teaching*
la psicología	*psychology*
la publicidad	*advertising*
las ventas (por teléfono)	*(telemarketing) sales*

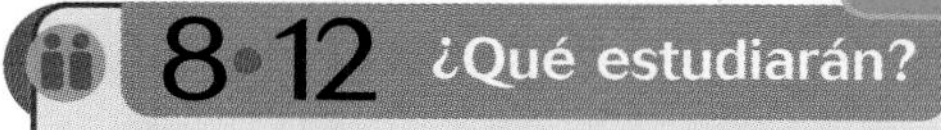
¡Anda! Curso elemental, Capítulo 2, Las materias y las especialidades, Apéndice 2.

8-12 ¿Qué estudiarán?

Los siguientes estudiantes están interesados en estos trabajos. ¿Qué necesitarán estudiar después de graduarse de la escuela secundaria? Túrnense para hacerse y contestar las preguntas.

MODELO Víctor médico

E1: *¿Qué estudiará Víctor?*

E2: *Víctor estudiará medicina.*

1. Daniel — enfermero
2. Caridad — gerente de un banco
3. Niko y Cristina — gerentes de hoteles
4. Esteban — ingeniero
5. Lola y Ana Lisa — psicólogas
6. Jorge Luis — hombre de negocios
7. Graciela — mujer policía
8. Julio y Mauricio — maestros
9. Tú — ¿?

Estrategia

You may wish to review vocabulary dealing with *Las materias y las especialidades*, in *Capítulo 2* of Appendix 2.

¡Anda! Curso elemental Capítulo 2, Las materias y las especialidades; Capítulo 4, Trabajos y servicios voluntarios; Capítulo 8, La ropa; Capítulo 10, Los medios de transporte, El viaje; Capítulo 11, La política, Apéndice 2.

¡Anda! Curso intermedio, Capítulo 3, Los materiales de la casa y sus alrededores, pág. 106, Dentro del hogar, pág. 117; Capítulo 5, Los viajes, pág. 180, Las vacaciones, pág. 190; Capítulo 7, Algunas tiendas y algunos lugares en la ciudad, pág. 274, Algunos artículos en las tiendas, pág. 287.

8-13 Es interesante porque...

¿Cuáles son los aspectos positivos e interesantes de las siguientes profesiones? Juntos, hagan una lista para cada una de las siguientes profesiones.

MODELO la enfermería

Es interesante porque siempre trabajas con la gente. Puedes ayudar a las personas enfermas y a sus familias. Eres un factor importante en el mejoramiento del paciente.

1. la pedagogía
2. la gerencia de hotel
3. la publicidad
4. la justicia criminal
5. las ciencias políticas
6. la moda
7. la ingeniería
8. la banca

¡Anda! Curso intermedio, Capítulo 5, El subjuntivo con antecedentes indefinidos o que no existen, pág. 199.

8-14 Tenemos puestos

Terminen las siguientes oraciones con una carrera o profesión de la lista y con una descripción breve de la persona ideal para el puesto. No repitan las respuestas. Túrnense.

MODELO Queremos ____________ que ____________ (saber)...

Queremos una secretaria que sepa hablar español.

1. Buscamos un/a ____________ que ____________ (poder)...
2. Necesitamos un/a ____________ que ____________ (saber)...
3. Queremos un/a ____________ que ____________ (ser)...
4. Esperamos encontrar unos/as ____________ que no ____________ (ser)...
5. Deseamos un/a ____________ que ____________ (hacer)...

8·15 Algunos hispanos muy influyentes

Paso 1 Lean la siguiente información sobre estos hispanos importantes.

Sara Martínez Tucker (n. 1955) es originalmente de Laredo, Texas. Se graduó con honores de la Universidad de Texas-Austin con un título en periodismo. Fue reportera para el periódico *San Antonio Express* antes de volver a UT para sacar la maestría en comercio. Ha servido como Subsecretaria de Educación del Departamento de Educación estadounidense y como directora del Hispanic Scholarship Fund.

Alfredo Quiñones Hinojosa nació en el año 1968 en Mexicali, México, cruzó la frontera de los EE.UU. con diecinueve años y menos de $5.00 en el bolsillo. Fue trabajador migratorio cuando empezó a tomar cursos en Delta Community College. Después, se matriculó en UC-Berkeley donde decidió estudiar medicina. Se graduó cum laude de la Facultad de Medicina de Harvard, y ahora "Doctor Q" es neurocirujano, profesor y director del programa de cirugía de tumores cerebrales de Johns Hopkins.

Paso 2 Crea **cinco** preguntas sobre las carreras de estos hispanos y pregúntaselas a tu compañero/a. Usa **el futuro.**

Paso 3 Ahora, piensa en tu futuro profesional. Escribe una descripción sobre lo que harás.

El condicional

8-9 to 8-10 59

The **conditional** is used:

1. to explain what a person *would do* in a given situation.
2. to soften requests.
3. to refer to a past event that is future to another past event.

A. It is formed similarly to the future; that is, the infinitive is the stem. The following endings are attached to the infinitive:

	preparar	comer	vivir
yo	prepararía	comería	viviría
tú	prepararías	comerías	vivirías
él, ella, Ud.	prepararía	comería	viviría
nosotros/as	prepararíamos	comeríamos	viviríamos
vosotros/as	prepararíais	comeríais	viviríais
ellos/as, Uds.	prepararían	comerían	vivirían

Note the following sentences :

1) —Con un millón de dólares, yo **dejaría** de trabajar y **viajaría** por el mundo —¡dos veces! — *With a million dollars, I would stop working and travel around the world —twice!*

—Ah, ¿sí? Yo me **compraría** una casa en la playa. — *Oh, yeah? I would buy myself a house on the beach.*

2) ¿**Podrías** llamar al jefe, Violeta? — *Could you call the boss, Violeta?*

¿**Querría** decirme dónde está la oficina del contador? — *Would you tell me where the accountant's office is?*

3) Creíamos que **habría** menos publicidad para los puestos nuevos. — *We thought there would be less advertising for the new positions.*

Le dijimos al gerente que lo **llamaríamos** aquella tarde. — *We told the manager that we would call him that afternoon.*

B. The irregular conditional stems are the same as the irregular future tense stems:
The following verbs drop the infinitive vowel:

haber	**habr-**	**habría, habrías, habría...**
poder	**podr-**	**podría, podrías, podría...**
querer	**querr-**	**querría, querrías, querría...**
saber	**sabr-**	**sabría, sabrías, sabría...**

Fíjate

The word "would" does not always translate as the conditional. Remember that when *would* means "used to," as in "When I was a child I would (used to) wake up early every Saturday to watch cartoons," the imperfect tense is needed.

These verbs replace the infinitive vowel with **-d:**

poner	**pondr-**	**pondría, pondrías, pondría...**
salir	**saldr-**	**saldría, saldrías, saldría...**
tener	**tendr-**	**tendría, tendrías, tendría...**
valer	**valdr-**	**valdría, valdrías, valdría...**
venir	**vendr-**	**vendría, vendrías, vendría...**

These verbs have different irregularities:

decir	**dir-**	**diría, dirías, diría...**
hacer	**har-**	**haría, harías, haría...**

C. Just as there is the future of probability, there is also the conditional of probability. It is used to make a guess about the past and is often translated as *wonder*.

¿**Estaría** el reportero en la reunión con ellos? — *I wonder if the reporter was in the meeting with them.*

¿A qué hora **llegaría** la secretaria ayer? — *I wonder what time the secretary arrived yesterday.*

Sería a las ocho y media, como siempre. — *It would have been at 8:30, like always.*

8·16 Cambios

Cambien las siguientes frases en el **futuro** al **condicional**.

MODELO estudiaremos
estudiaríamos

1. (yo) saldré
2. mis profesores irán
3. tú estudiarás
4. el atleta jugará
5. los estudiantes podrán
6. tú y yo pediremos
7. mis mejores amigos vendrán
8. mi familia comerá

8·17 Los planes de Fernanda

Fernanda quiere ser secretaria. Expliquen lo que ella haría, sola y con sus colegas, en ese puesto.

MODELO contestar el teléfono cuando la recepcionista no está
Contestaría el teléfono cuando la recepcionista no está.

1. archivar documentos
2. escribir informes (reportes) con su jefa
3. hacer publicidad
4. asistir a reuniones para tomar apuntes
5. atender a los clientes con la recepcionista
6. traducir para los clientes que hablan español
7. coordinar las citas de la jefa

8·18 ¿Qué pasó?

Lucía ha perdido su trabajo. Escriban **seis** posibles causas de su pérdida de trabajo. Después, comparen sus razones con las de otros/as compañeros/as.

MODELO *Llegaría tarde al trabajo.*

SAM 8-11 to 8-12

Notas culturales

La etiqueta del negocio latino

Para tener éxito en el ambiente de los negocios latinos, es recomendable seguir una etiqueta basada en las normas culturales hispanas. Claro que hay diferencias entre los diferentes países y aun entre las compañías dentro del mismo país. Pero existen en general unas reglas (*rules*) que te servirán muy bien de guía al navegar por el mundo de los negocios latinos.

1. Los títulos son muy importantes. Usarlos es un signo de respeto; serás admirado si haces el esfuerzo de emplearlos.
2. Es mejor ser formal: en el lenguaje (*usted* en vez de *tú*), en la ropa (un traje o un vestido conservador y elegante) y en la deferencia que muestras a tus colegas.
3. Una reunión de negocios empezará con una conversación personal para que los participantes te conozcan mejor. Un intento de comenzar inmediatamente con el tema principal del negocio (a la manera estadounidense), eliminando este gesto personal, sería muy mal visto y podría arruinar el negocio desde el principio.

Seguir estas normas no te asegurará el éxito, pero sí te dará ciertas ventajas en el mundo latino de los negocios.

Preguntas

1. ¿Por qué es buena idea seguir esta etiqueta de negocios?
2. ¿Cómo reflejan estas reglas la cultura latina en particular?
3. Haz una comparación de estas reglas con las normas estadounidenses de los negocios. ¿Qué reglas serían las más difíciles para ti? ¿Cuáles serían las más fáciles? ¿Por qué?

Remember that in Spanish the word for "vacation" is always plural: *unas vacaciones*.

¡Anda! Curso intermedio, Capítulo 5, Los viajes, pág. 180; Viajando por coche, pág. 185; Las vacaciones, pág. 190.

¡Anda! Curso elemental, Capítulo 10, Los medios de transporte, El viaje, Apéndice 2.

8-19 Unas vacaciones ideales

Estás ya pensando en las vacaciones de verano. Explícale a tu compañero/a cómo serían tus vacaciones ideales.

MODELO *Para mis vacaciones ideales, yo iría a Cancún. Me quedaría en el Hotel Palacio de la Luna…*

8-20 ¡La lotería!

Participas en la lotería de dos millones de dólares. En grupos de tres, compartan lo que harían con ese dinero. Pueden usar estas preguntas como guía: ¿Qué harías si ganaras (*if you won*)? ¿Seguirías trabajando? ¿Cómo cambiaría tu vida? ¿Qué harías con tanto dinero? ¿Qué comprarías?

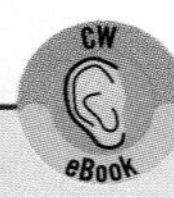

ESCUCHA

8-13 to 8-14

ESTRATEGIA Repeating/paraphrasing what you hear

When you listen to a conversation, an announcement, a podcast, etc., you usually do not need to remember exactly what was said. To repeat or share that information, you would generally *paraphrase* what you heard —that is, retell it using different words or phrases.

8•21 Antes de escuchar

Emilio y Alicia son los propietarios de un negocio nuevo (y todavía pequeño) de importación. Aunque son inteligentes, enérgicos y trabajadores, no pueden hacerlo todo. Haz una lista de los diferentes puestos que tendría una compañía como ésa al empezar.

8•22 A escuchar

CD 3
Track 9

Paso 1 Escucha la conversación entre Alicia y Emilio para averiguar el tema.

Paso 2 Escucha otra vez, concentrándote en:

1. lo que dice Alicia sobre su trabajo.
2. la idea que tiene Emilio.
3. cómo responde Alicia a su idea.

Paso 3 Parafrasea su conversación en **tres** oraciones.

8•23 Después de escuchar

Compara tu paráfrasis con las de otros/as compañeros/as y juntos decidan cuáles serían las características más importantes para empleados en este momento.

¿Cómo andas?

Having completed the first **Comunicación,** I now can...

	Feel Confident	Need to Review
• discuss jobs and professions. (pp. 308, 316)	❏	❏
• use adjectives as nouns to represent people, places, and things. (p. 309)	❏	❏
• express future actions. (p. 312)	❏	❏
• discuss what would happen or would be under certain conditions. (p. 318)	❏	❏
• describe proper etiquette for doing business in a Hispanic setting. (p. 321)	❏	❏
• repeat or paraphrase what I hear. (p. 322)	❏	❏

Comunicación

- Describing the business world and having interviews
- Stating what will or would have happened

VOCABULARIO 5 Una entrevista

SAM 8-15 to 8-16

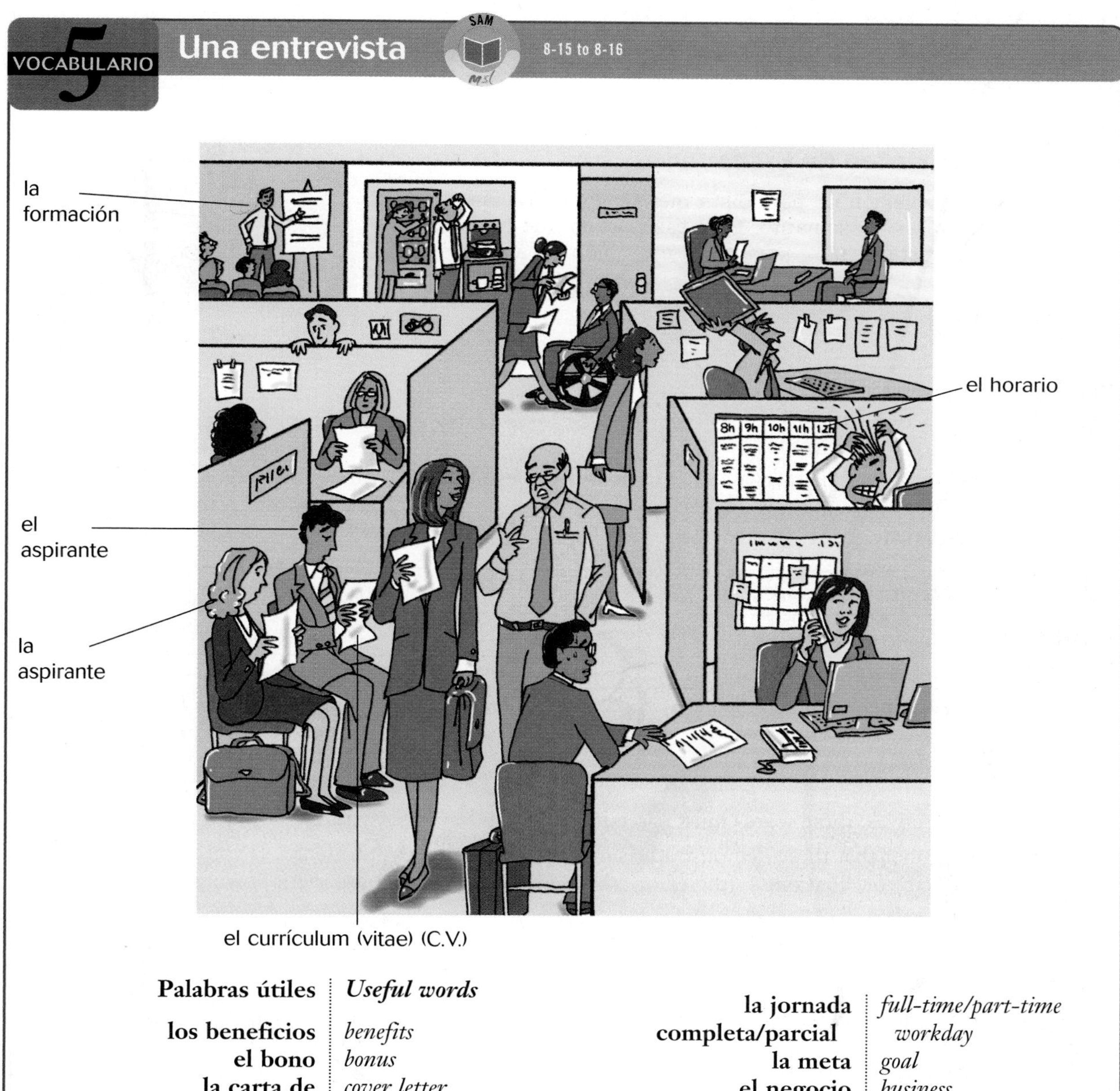

Palabras útiles	Useful words
los beneficios	*benefits*
el bono	*bonus*
la carta de presentación	*cover letter*
la carta de recomendación	*letter of recommendation*
la destreza	*skill*
la empresa	*corporation; business*
la jornada completa/parcial	*full-time/part-time workday*
la meta	*goal*
el negocio	*business*
el personal	*personnel*
el puesto	*job; position*
la solicitud	*application form*
el sueldo	*salary*
el trabajo	*job*

Verbos	***Verbs***
ascender (e-ie)	*to advance; to be promoted; to promote*
contratar	*to hire*
entrenar	*to train*
entrevistar	*to interview*
negociar	*to negotiate*
publicitar	*to advertise, to publicize*
renunciar (a)	*to resign, to quit*
solicitar	*to apply for (a job); to solicit*
tener experiencia	*to have experience*

El parloteo de Cisco

Esta profesión de periodista que tengo ahora me interesa mucho —es fascinante. Pero ese trabajo que tenía antes en el restaurante —ay, comía muy bien en aquellos días.

Deja un comentario para Cisco:

REPASO

Los adjetivos demostrativos

In Cisco's blog, he talks about **esta profesión, ese trabajo,** and **aquellos días.** When you want to point out a specific person, place, thing, or idea, you use **demonstrative adjectives.**

8-17 to 8-18

DEMONSTRATIVE ADJECTIVES	MEANING	REFERRING TO...
este, esta, estos, estas	*this, these*	something nearby
ese, esa, esos, esas	*that, those over there*	something farther away
aquel, aquella, aquellos, aquellas	*that, those (way) over there*	something even farther away in distance and/or time... perhaps not even visible

21, 22

As adjectives, these words must agree in gender and number with the nouns they modify.

Remember that these demonstratives can also stand alone as pronouns. If you want to say "this one" or "that one," "these" or "those," as pronouns you use the following:

éste	*this one*	**éstos**	*these*	**ésta**	*this one*	**éstas**	*these*
ése	*that one*	**ésos**	*those*	**ésa**	*that one*	**ésas**	*those*
aquél/a/os/as		*those (away in distance and/or time)*					

For more information on demonstrative adjectives, see **Capítulo 5** of ***¡Anda! Curso elemental*** in Appendix 3.

8.24 Todo un proceso

Su compañía tiene un puesto nuevo que sería perfecto para su amigo Roberto. Roberto está muy interesado y quiere que le den más información sobre el proceso de empleo en su compañía. Juntos, pongan las siguientes frases en orden para ayudar a su amigo.

_____ anunciar ese puesto
_____ contratar a ese empleado nuevo
_____ solicitar ese trabajo
_____ renunciar ese trabajo
_____ ascender en esa empresa
_____ entrevistar para ese puesto
_____ negociar ese sueldo

8.25 Amigo/a, tienes razón

Tu amigo/a te da su opinión y tú respondes con una opinión similar. Cambia la forma de **este/a** a **ese/a** y añade (*add*) la palabra **también.** Después, compara tus oraciones con las de un/a compañero/a.

MODELO TU AMIGO/A: El currículum de este señor es muy interesante.
TÚ: *Sí, y ese currículum es interesante también.*

1. Esta carta de presentación es excepcional.
2. Estos sueldos son muy altos para una empresa tan pequeña.
3. Este puesto en la escuela secundaria tiene un salario más alto que el puesto en la universidad.
4. Estas cartas de recomendación son muy buenas.
5. Estos trabajos son de jornada completa.
6. Esta oficina es impresionante.

8.26 El puesto perfecto para Francisca

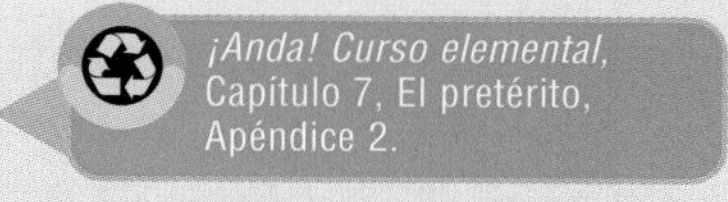

Completen la historia que Francisca le cuenta a Sonia con los verbos apropiados en **el pretérito** o **el infinitivo.**

ascender contratar publicitar renunciar (a) solicitar ver

¡Hola, Sonia! Sabes que ya soy contadora titulada pero llevo semanas buscando un trabajo. Acabo de (1) _______________ un puesto en el negocio Sedano que es perfecto para mí. Según una amiga mía, dos de los empleados con más experiencia (2) _______________ sus puestos y la empresa empezó a (3) _______________ esos trabajos sólo hace una semana. Después de ver el anuncio, fue muy fácil (4) _______________ uno de los trabajos porque no requerían nada más que dos cartas de recomendación y el currículum.

(UNA SEMANA DESPUÉS)
Había tres jefes en la entrevista. Me gustaron esos jefes y me parece que a ellos les gusté también. Creo que me van a (5) _______________. Tienen un programa de formación muy bueno para las personas que quieren (6) _______________ rápidamente. Además, el sueldo, los beneficios... ¡todo es fantástico!

8-27 Todos los puestos no son iguales

Hablen de los trabajos que aparecen en los anuncios.

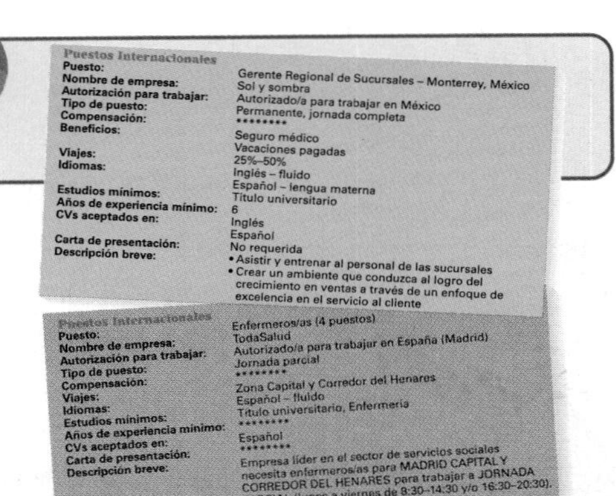

Puestos Internacionales

Puesto:	Gerente Regional de Sucursales – Monterrey, México
Nombre de empresa:	Sol y sombra
Autorización para trabajar:	Autorizado/a para trabajar en México
Tipo de puesto:	Permanente, jornada completa
Compensación:	********
Beneficios:	Seguro médico Vacaciones pagadas
Viajes:	25%–50%
Idiomas:	Inglés – fluido Español – lengua materna
Estudios mínimos:	Título universitario
Años de experiencia mínimo:	6
CVs aceptados en:	Inglés Español
Carta de presentación:	No requerida
Descripción breve:	• Asistir y entrenar al personal de las sucursales • Crear un ambiente que conduzca al logro del crecimiento en ventas a través de un enfoque de excelencia en el servicio al cliente

Puestos Internacionales

Puesto:	Enfermeros/as (4 puestos)
Nombre de empresa:	TodaSalud
Autorización para trabajar:	Autorizado/a para trabajar en España (Madrid)
Tipo de puesto:	Jornada parcial
Compensación:	********
Viajes:	Zona Capital y Corredor del Henares
Idiomas:	Español – fluido
Estudios mínimos:	Título universitario, Enfermería
Años de experiencia mínimo:	********
CVs aceptados en:	Español
Carta de presentación:	********
Descripción breve:	Empresa líder en el sector de servicios sociales necesita enfermeros/as para MADRID CAPITAL Y CORREDOR DEL HENARES para trabajar a JORNADA PARCIAL (lunes a viernes de 8:30–14:30 y/o 16:30–20:30). Contrato estable de larga duración.

1. ¿Cuál es el más interesante? ¿Por qué?
2. ¿Cuál es el menos interesante? ¿Por qué?
3. ¿Cuáles serían los mejores puestos para ustedes? Expliquen.

GRAMÁTICA 6

El futuro perfecto

SAM 8-19 to 8-20

Like the **presente perfecto,** the **futuro perfecto** is formed with **haber** + past participle. In this case, the future of **haber** is used. This tense is the equivalent of *will have* ____*-ed* in English.

No te preocupes, Carlos. Habrás ascendido en menos de dos meses.

	solicitar	ascender	invertir
yo	habré solicitado	habré ascendido	habré invertido
tú	habrás solicitado	habrás ascendido	habrás invertido
él, ella, Ud.	habrá solicitado	habrá ascendido	habrá invertido
nosotros/as	habremos solicitado	habremos ascendido	habremos invertido
vosotros/as	habréis solicitado	habréis ascendido	habréis invertido
ellos/as, Uds.	habrán solicitado	habrán ascendido	habrán invertido

- The irregular past participles are the same as for the other perfect tenses.

abrir	**abierto**	morir	**muerto**	romper	**roto**
decir	**dicho**	poner	**puesto**	ver	**visto**
escribir	**escrito**	resolver	**resuelto**	volver	**vuelto**
hacer	**hecho**				

- The **futuro perfecto** expresses an action that *will have occurred* or *will be completed by an anticipated time in the future.*

Habrás ascendido en menos de dos meses.	*You will have advanced in less than two months.*
Habré conseguido mis metas antes de graduarme.	*I will have reached my goals before I graduate.*
Habrán publicitado la conferencia para finales de junio.	*They will have publicized the conference by the end of June.*

8·28 Cambios

Cambien las formas del **presente perfecto** al **futuro perfecto** para decir lo que habrán hecho estas personas para el año que viene.

MODELO Noé ha solicitado el trabajo.
Para el año que viene, Noé habrá solicitado el trabajo.

Remember that the past participle does not change—only the form of *haber.*

1. El abogado ha ascendido.
2. Los agentes han llegado a un acuerdo.
3. La ingeniera ha terminado el proyecto.
4. Mi contadora y yo hemos hecho algunos cambios en mis finanzas.
5. El gerente ha escrito un reporte sobre la huelga.
6. Yo he puesto más dinero en el banco.

8·29 El círculo

En grupos de cinco o seis, túrnense para decir algo que habrán hecho para la semana que viene. Hay que recordar y repetir lo que acaban de decir las otras personas. Sigan hasta que cada estudiante haya dicho **dos** oraciones.

MODELO CORINA: *Habré terminado la novela para mi clase de inglés.*
ESTEBAN: *Corina habrá terminado la novela para su clase de inglés, y yo habré hecho la tarea de español.*
CARMELA: *Corina habrá terminado la novela para su clase de inglés, Esteban habrá hecho la tarea de español, y yo habré limpiado todo mi apartamento…*

8·30 Las profesiones de mis amigos

Piensa en cinco amigos o parientes de tu edad, más o menos, y di qué trabajos habrán conseguido para el año 2020. Después, comparte tu lista con un/a compañero/a.

Vocabulario útil

ser	*to be*	**conseguir un puesto de…**	*to get a job/position as…*
hacerse	*to become*		

MODELO *Ignacio habrá conseguido un puesto de gerente en un hotel de lujo.*

¡Anda! Curso intermedio, Capítulo 2, Algunos deportes, pág. 68; Algunos pasatiempos, pág. 81; Capítulo 3, Los materiales de la casa y sus alrededores, pág. 106; Dentro del hogar, pág. 117; Capítulo 4, Las celebraciones y los eventos de la vida, pág. 142; Capítulo 5, Los viajes, pág. 180; Capítulo 7, Algunos artículos en las tiendas, pág. 287.

8·31 Para finales del mes y del año

Escribe una lista de por lo menos **seis** deportes, pasatiempos o cosas que habrás hecho para finales del mes. Luego, escribe otra lista de por lo menos **seis** cosas que habrás comprado o recibido como regalo para finales del año. Comparte tus listas con un/a compañero/a.

MODELO E1: *¿Qué habrás hecho como deporte o pasatiempo para finales del mes?*
E2: *Habré practicado yoga. También, mi padre y yo habremos hecho trabajo de carpintería…*
E1: *¿Qué habrás comprado o recibido como regalo para finales del año?*
E2: *Habré comprado una computadora nueva, un traje, unos libros…*

VOCABULARIO 7 El mundo de los negocios

8-21 to 8-22

Palabras útiles	Useful words
el acuerdo	*agreement*
la adquisición	*acquisition*
la agencia	*agency*
el ahorro	*savings*
la bancarrota	*bankruptcy*
la bolsa	*stock market*
la jubilación	*retirement*
la junta	*commission; board; committee*
el lucro	*profit*
el mercadeo	*marketing*
la venta	*sale*
el/la vocero/a	*spokesperson*

Algunos adjetivos	Some adjectives
actual	*current; present*
administrativo/a	*administrative*
ejecutivo/a	*executive*
financiero/a	*financial*
laboral	*work-related*
profesional	*professional*
sin fines de lucro	*nonprofit*

Algunos verbos	Some verbs
ahorrar	*to save*
apropiarse	*to take over; to appropriate*
despedir (e-i-i)	*to fire (from a job)*
fabricar	*to manufacture*
hacer publicidad	*to advertise*
hacer una huelga	*to strike*
invertir (e-ie-i)	*to invest*
jubilarse	*to retire*

8·32 Mímica

Hagan mímica en grupos de cuatro con el vocabulario nuevo. Sigan jugando hasta que cada estudiante represente **tres** palabras nuevas diferentes.

8·33 Frases fracturadas

Usen las siguientes palabras para crear oraciones lógicas.

MODELO acuerdo / comerciante / salvar / huelga

El acuerdo entre los comerciantes nos salvó de la huelga.

1. reportero / decir / hacer huelga / reunión inmediata / propietarios
2. junta / mandar / comerciantes / dejar de comprar / productos / fabricar / papel
3. problemas laborales / empezar / adquisición / agencia nueva / jubilación / presidente
4. venta / agencia / ser necesaria / más de un año / lucro

8·34 En nuestra opinión

Discutan las siguientes oraciones para determinar si están de acuerdo.

1. Es muy difícil ahorrar dinero.
2. La gente se declara en bancarrota por varias razones.
3. El mercadeo es la parte más importante de un negocio.
4. Las personas deben jubilarse antes de cumplir los setenta años.
5. Invertir en la bolsa es perder dinero.

¡Anda! Curso intermedio, Capítulo 4, El presente perfecto de subjuntivo, pág. 161.

8·35 La búsqueda

Busca a alguien que tenga experiencia o que conozca a alguien que haya tenido experiencia con cada situación indicada.

MODELO jubilarse

TÚ: *¿Conoces a alguien que se haya jubilado?*

MANNY: *Sí, mi abuelo acaba de jubilarse.*

SITUACIÓN O EXPERIENCIA	PERSONA
1. jubilarse	*el abuelo de Manny*
2. participar en una huelga	
3. trabajar con una compañía sin fines de lucro	
4. saber negociar muy bien	
5. ahorrar la mitad de su sueldo	
6. servir en una junta de la universidad o del gobierno local	
7. ser periodista o reportero	
8. perder mucho dinero en la bolsa	

8 GRAMÁTICA El condicional perfecto

8-23 to 8-25

59, 64

The **condicional perfecto** is used to express an action that *would have* or *should have occurred under certain conditions but did not*. The English equivalent of this tense is *would have ___-ed / should have ___-ed*. The **condicional perfecto** is formed as follows:

Habría ahorrado dinero pero encontré este carro fantástico y...

	ahorrar	**ascender**	**invertir**
yo	habría ahorrado	habría ascendido	habría invertido
tú	habrías ahorrado	habrías ascendido	habrías invertido
él, ella, Ud.	habría ahorrado	habría ascendido	habría invertido
nosotros/as	habríamos ahorrado	habríamos ascendido	habríamos invertido
vosotros/as	habríais ahorrado	habríais ascendido	habríais invertido
ellos/as, Uds.	habrían ahorrado	habrían ascendido	habrían invertido

Note: This tense is formed similarly to the future perfect. Review the following sentences.

Con mejor información, **habríamos apropiado** suficiente dinero. — *With better information, we would have appropriated sufficient money/funds.*

¿**Habrías invertido** más dinero en la bolsa el año pasado? — *Would you have invested more money in the stock market last year?*

Mi padre **habría ascendido** al puesto de ejecutivo financiero, pero se jubiló muy joven. — *My father would have advanced to the position of financial executive, but he retired very young.*

8-36 Dos años después

Cambien los verbos del **condicional** al **condicional perfecto** para expresar lo que estas personas habrían hecho.

MODELO Mayra invertiría más dinero en la bolsa.
Mayra habría invertido más dinero en la bolsa.

1. Daniel y yo ahorraríamos más dinero.
2. Papá, tú te jubilarías mucho más joven.
3. Su negocio produciría más productos “verdes”.
4. Mi hermano se apropiaría de algunos de los negocios de la competencia.
5. Esos empleados harían una huelga bajo aquellas circunstancias.
6. Yo les daría más tiempo y dinero a las organizaciones sin fines de lucro.
7. El contador se lo diría todo al propietario antes de la bancarrota.

8·37 Teléfono

Escuchen mientras su profesor/a les da las instrucciones para este juego, conocido en inglés como *Gossip*.

8·38 La aspirante ideal

La mujer que Emilio encontró para trabajar como asistente personal de Alicia sólo duró tres semanas —Alicia la despidió. Ayúdenle a Alicia a explicar cómo habría sido la asistente personal ideal (lo opuesto de esa mujer). Digan por lo menos **ocho** características y destrezas que debería haber tenido.

MODELO *La asistente ideal habría sido muy simpática y positiva. Esa mujer era antipática y muy negativa. La aspirante ideal habría llegado a tiempo al trabajo y esa mujer siempre llegaba tarde...*

8·39 Lo que habría hecho...

Algo muy difícil —necesitas imaginar que tienes ochenta años y estás recordando unos momentos y eventos de tu vida. Completa los siguientes pasos.

Paso 1 Imagina lo que podrías decir en cada caso.

MODELO Con más tiempo viajar
Con más tiempo, habría viajado a más países del mundo.

1. viajar
2. hacer
3. trabajar
4. escribir
5. decir
6. comer
7. ¿?
8. ¿?

Paso 2 Comparte tus reflexiones con un/a compañero/a.

MODELO E1: *Con más tiempo, habría viajado a muchos más países del mundo. ¿Y tú?*
E2: *Yo habría viajado a África para trabajar. ¿Qué habrías hecho tú?*
E1: *Yo habría adoptado a un niño...*

Paso 3 Ahora, hablen de las cosas que ya habrán hecho para aquel entonces (*by then*).

MODELO *Yo habré trabajado treinta años como propietario de un negocio de construcción de casas. Habré construido más de dos mil casas "verdes". Mi esposa y yo habremos estado casados por cincuenta años y habremos tenido tres hijos...*

SAM 8-26 to 8-27

PERFILES

El trabajo y los negocios

Aquí tenemos ejemplos de personas que han tenido éxito en sus profesiones.

Ladislao José Biro

László Bíró (1899–1985) debería de haber sido un periodista muy frustrado con sus implementos de escribir. Por eso, trabajando con su hermano, un químico, inventó el bolígrafo, llamado *la birome* en Argentina, su país de adopción. El "boli" fue el precursor del famoso bolígrafo *Bic*.

Esther (n. 1950) y **Alicia Koplowitz** (n. 1952) son dos hermanas españolas que recibieron la compañía Fomento de Construcciones y Contratas como herencia de su padre; la dirigieron entre los años 1989 y 1997. Ahora, son mujeres de negocios exitosas en campos diferentes: Esther con el negocio de construcción y Alicia con las inversiones (*investments*).

Carlos Slim (n. 1940) es un billonario mexicano que hizo su fortuna en la industria de telecomunicaciones. Su formación fue en la ingeniería; es un hombre muy astuto en el mundo de los negocios. En el futuro, tal vez pasará a ser número uno en la lista de Forbes.

Preguntas

1. ¿Qué profesiones tienen estas personas?
2. ¿Por qué han tenido éxito en sus trabajos?
3. Compara las carreras indicadas aquí y las carreras presentadas en las secciones de *Perfiles* en los capítulos anteriores.

8·40 El consejero de Daniela

Daniela está hablando con su consejero de trabajo. El consejero sabe que Daniela no es una persona muy organizada y además que hace todo a última hora. Él le da unas fechas límites (*deadlines*) dentro de las dos semanas próximas y Daniela responde si puede o no. Desarrollen la situación en unas **ocho** a **diez** oraciones de diálogo y representen la escena para sus compañeros/as de clase.

MODELO CONSEJERO: *Hola, Daniela. ¿Has solicitado ese puesto que te interesaba tanto?*

DANIELA: *No, todavía no. He tenido mucho que hacer recientemente.*

CONSEJERO: *Pues, mira. Para el viernes ¿habrás terminado con la carta de presentación?...*

¡Conversemos!

ESTRATEGIAS COMUNICATIVAS Expressing good wishes, regret, comfort, or sympathy

Whether in the world of work or on a personal basis, we sometimes need to congratulate or give condolences. As in English, there are different expressions for different occasions.

Para felicitar a alguien	***Expressing good wishes***
■ ¡Felicidades! / ¡Le/te felicito! / ¡Enhorabuena!	*Congratulations!*
■ ¡Qué maravilloso/extraordinario/estupendo!	*How marvelous/ extraordinary/stupendous!*
■ ¡Sensacional!/¡Fenomenal!/¡Bueno!	*Sensational!/Phenomenal!/Good!*
Para expresar pesar/consuelo o simpatía	***Expressing regret/sympathy***
■ Lo siento.	*I'm sorry.*
■ ¡Qué pena/lástima!	*What a shame/pity!*
■ ¡Ánimo!	*Cheer up!/Hang in there!*
■ Esto pasará pronto.	*This will soon pass.*
■ No se/te preocupe/s.	*Don't worry.*
■ Tranquilo.	*Relax./Calm down.*
■ Mis más sinceras condolencias.	*My most heartfelt condolences.*
■ Mi más sentido pésame.	*You have my sympathy.*

CD 3
Track 10

8-41 Diálogo

Escucha el diálogo y contesta las siguientes preguntas.

1. ¿Qué pasó con Lalo y cómo reaccionó Roberto?
2. ¿Qué otras expresiones le habría podido decirle Roberto a Lalo al final?

8-42 ¿Qué hago?

Hace unos años, había un programa original de la televisión norteamericana que se llamaba *What's My Line?* En grupos de cuatro, uno de ustedes va a seleccionar una carrera, un puesto o una profesión sin compartirlo con sus compañeros. Los otros tres tienen que adivinar (*guess*) lo que escogiste y te hacen preguntas que requieren una respuesta de **sí** o **no.** Respondan con sus expresiones nuevas. Túrnense.

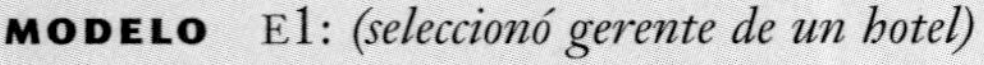

MODELO E1: *(seleccionó gerente de un hotel)*

E2: *¿Trabajarás en una oficina?*

E1: *A veces sí, a veces no. Ánimo.*

E3: *¿Tendrás una jornada larga?*

E1: *Sí. Te felicito. Otra pregunta…*

Estrategia

Remember that *el futuro* can express probability (*wonder, might, probably*).

8-43 ¿Qué será?

Estrategia

Consult p. 312 to review how to form the *future* and p. 326 for the *future perfect.*

¿Cómo será el futuro? Crea **ocho** oraciones con **ocho verbos diferentes** con tus predicciones del futuro para ti, tu familia y el mundo en general. Tu compañero/a tiene que reaccionar a tus predicciones. Usen **el futuro** o **el futuro perfecto.** Túrnense.

MODELO E1: *Me casaré dentro de cinco años.*
E2: *¡Te felicito!*
E2: *Mi hermano habrá perdido su puesto.*
E1: *Lo siento. ¡Ánimo! …*

8-44 Situaciones de la vida

En nuestras vidas, encontraremos todo tipo de situaciones... unas felices y otras tristes. Creen diálogos/conversaciones y hagan los papeles para las siguientes situaciones. Cada conversación debe tener por lo menos **cinco** oraciones.

Una conversación con un/a colega (*colleague*) que acaba de...

1. jubilarse.
2. recibir un bono.
3. renunciar su puesto.
4. ascender en la corporación.
5. ser despedido/a de su puesto.
6. recibir la noticia de que alguien muy querido ha muerto.

8-45 Una presentación formal

Hay muchas compañías con problemas financieros. Te invitaron a hacer una presentación sobre cómo evitar la inminente bancarrota de la Corporación X. Crea una presentación (con PowerPoint si quieres) para decirle a la junta qué habrías hecho (**condicional perfecto**) y lo que harías (**condicional**) para arreglar la situación en su lugar. Di por lo menos **diez** oraciones incluyendo expresiones de consuelo.

Estrategia

Use the following words in your interview: *los beneficios, el bono, la carta de recomendación, el currículum, las destrezas, el horario, la jornada, la meta,* and *tener experiencia.*

Estrategia

Remember that when addressing an employer, you would use *usted,* not *tú.*

8-46 ¡Éxito!

Solicitaron un puesto y los invitaron a entrevistar. Creen un diálogo sobre una entrevista incluyendo la siguiente información. Uno/a de ustedes hace el papel del jefe/de la jefa y el/la otro/a es el/la aspirante.

Paso 1 Después de saludarse, su entrevista debe incluir por lo menos **diez** oraciones para cada uno de ustedes. El/La aspirante debe usar **el futuro** para decir lo que hará en el puesto. El/La jefe/a puede usar **el condicional** para preguntar lo que haría el/la aspirante en ciertas situaciones.

Paso 2 Al final, el/la jefe/a le ofrecerá al/a la aspirante el puesto, y el/la aspirante reaccionará de manera apropiada.

8-30 to
8-32

ESTRATEGIA Greetings and closings in letters

Business and personal letters employ certain conventional phrases for beginnings and endings. Business letters often have additional stock phrases used to indicate purpose, request information, and refer to enclosures.

CARTA COMERCIAL	*BUSINESS LETTER*
Saludos	***Greetings***
(Muy) Estimado/a señor/a + García:	*Dear Mr./Mrs. García:*
Muy señor/a mío/a:	*Dear Sir/Madam:*
A quien corresponda:	*To Whom It May Concern:*
Despedidas	***Closings***
(Muy) Atentamente,	*Sincerely,*
Cordialmente,	*Cordially,*

CARTA PERSONAL	*PERSONAL LETTER*
Saludos	***Greetings***
Querido/a Raúl/Pilar:	*Dear Raúl/Pilar,*
Despedidas	***Closings***
Un (fuerte) abrazo,	*A (big) hug,*
Con cariño,	*With love,*

8•47 Antes de escribir

Escribirás una carta de solicitud para obtener una entrevista con una compañía que tiene un trabajo que te interesa. Antes de escribirla, haz una lista de las calificaciones que tienes para el trabajo.

8•48 A escribir

Escribe tu carta de solicitud. Asegúrate de incluir:

- un saludo apropiado.
- una oración introductoria que presente el propósito de la carta.
- tus calificaciones para el trabajo (incluye tu educación y tus habilidades).
- lo que vas a adjuntar (si es apropiado; por ejemplo, un CV).
- una despedida apropiada.

Fíjate

The Spanish word for an enclosure in a letter is *adjunto*. *To enclose* something is *adjuntar*.

8•49 Después de escribir

Revisa tu carta una vez más para corregir los errores de gramática, vocabulario y ortografía. Ese tipo de errores asegurará que tu carta no tenga el éxito que esperas.

¿Cómo andas?

Having completed the second **Comunicación,** I now can…

	Feel Confident	Need to Review
• discuss different aspects of the business world. (pp. 323, 328)	❑	❑
• point out people, places, or things. (p. 324)	❑	❑
• refer to what will have or would have happened. (pp. 326, 330)	❑	❑
• identify some people with interesting professions. (p. 332)	❑	❑
• express good wishes, regrets, comfort, or sympathy. (p. 334)	❑	❑
• employ appropriate salutations and closings in letters. (p. 336)	❑	❑

Vistazo cultural

SAM 8-33 to 8-34

DVD/VHS Vistas culturales

Algunos negocios y profesiones en Argentina y Uruguay

Para el año próximo habré terminado la Maestría en Economía en la Facultad de Ciencias Económicas de la Universidad de Buenos Aires. Mis especializaciones son Finanzas de las Empresas y Matemática Financiera. Me interesan los negocios y el manejo de las finanzas para el beneficio de la empresa y de la sociedad.

Ana Mercedes Fanelli, Maestría en Economía

El tango: una profesión y una pasión

El tango es otro símbolo cultural claramente asociado con Argentina y su cantante mejor conocido, Carlos Gardel. Bailar el tango requiere una atención y una devoción total. Así que la profesión del bailador/instructor de tango es más que un trabajo: es una pasión compartida con el pueblo argentino.

El gaucho: Símbolo cultural de La Pampa

El gaucho es muy conocido como el vaquero (*cowboy*) de Argentina y Uruguay. Se encuentra en La Pampa y otros lugares rurales, trabajando con el ganado de vacuno (de vacas). Por eso, su caballo le resulta indispensable; se dice que un gaucho sin caballo sería como un hombre sin piernas.

Los alfajores: el sabor argentino

La empresa de Alfajores Havanna empezó en el año 1948. Sus tres socios inventaron una galleta totalmente nueva: el alfajor. Con dos galletas rellenas (*filled*) con dulce de leche (sabor a caramelo) y cubiertas de chocolate, esta confección llegaría a ser un símbolo de lo argentino en todo el mundo.

La industria de vinos

La viticultura (producción de vino) argentina es una industria muy fuerte. Argentina es el quinto país del mundo en la producción de vinos, con la mayoría de la cultivación de las uvas en la provincia de Mendoza. Esta industria ha ayudado mucho al mejoramiento de la economía del país.

El mate: el símbolo de Uruguay

El mate es el receptáculo para el consumo de yerba mate, "la bebida nacional" de Uruguay. Los mates pueden ser sencillos o muy elaborados, según el gusto del artista que los hace. Tradicionalmente, se hacen de una calabaza, pero pueden ser de otros materiales también.

Pedro Sevcec es un reportero mundial

Pedro Sevcec (n. 1950, Uruguay) es reportero de televisión; trabaja para Telemundo. Es también un periodista quien con veinticinco años de experiencia ha ganado muchos premios, incluso un *Emmy* por su reportaje de las noticias. Fue uno de los dos únicos reporteros invitados al primer banquete de estado (*state dinner*) que dio el Presidente Bush en el año 2001.

Aeromás es un negocio uruguayo

Aeromás es un negocio de transporte aéreo privado basado en Montevideo, Uruguay; inició sus operaciones en el año 1983. Se puede contratar Aeromás para transportar correo y carga (*cargo*). Hay vuelos para viajeros en aeronaves ejecutivas con asistentes de vuelo. La empresa también ofrece el servicio de entrenamiento de pilotos.

Preguntas

1. ¿Cuáles de las profesiones y los negocios te interesan? ¿Por qué?
2. ¿Cuáles de las profesiones mencionadas se pueden convertir en un negocio propio? ¿Cómo?
3. ¿Existen profesiones o negocios que son culturalmente estadounidenses? Explica.

Laberinto peligroso

EPISODIO 8

8-35 to 8-37

ESTRATEGIA **Checking comprehension and determining/adjusting reading rate**

Good readers adjust their reading rate depending on their purpose for reading and the nature of the text. When reading for pleasure, one tends to read faster. When reading for memory and comprehension for later recall, one tends to read more slowly. In the latter case, readers concentrate more and reread passages to ensure comprehension. They check their hypotheses, confirm or reject them, and move forward or back in the text accordingly.

8-50 **Antes de leer** En los episodios del **Capítulo 7,** vimos cómo se complicaban los casos que Celia y Cisco están investigando. Antes de empezar a leer este episodio, completa los siguientes pasos.

1. ¿Qué pasó en la comisaría al final del último episodio?
2. Dependiendo del tipo de texto que estás leyendo y también de lo que necesitas comprender de ese texto, a veces es mejor leer más rápidamente y otras veces es mejor leer más lentamente. Por ejemplo, para las partes del texto que contienen información conocida, es mejor leer rápidamente; para las partes del texto que contienen nueva información, es recomendable leer más lentamente. Lee rápida y superficialmente el texto, buscando información repetida que ya has visto en episodios anteriores y también buscando datos nuevos. Marca las partes del texto que repitan información con una "r" y marca las partes nuevas con una estrella (*). Después de mirar todo el texto, lee las partes con "r" más rápidamente y las partes con estrella (*) con más cuidado.
3. Mientras lees, es útil hacerte preguntas básicas sobre los personajes, el lugar, el tiempo y la acción. ¿Qué preguntas te harías mientras lees? Aquí tienes algunas preguntas sobre los personajes para empezar. Escribe otras sobre el tiempo, el lugar y la acción del episodio.

PERSONAJE(S)	¿Qué personajes aparecen en el episodio? ¿Qué hace(n)? ¿Cómo se siente(n)?
LUGAR	
TIEMPO	
ACCIÓN	

CD 3 Track 11

DÍA 43 ## *Complicaciones en el caso*

que vienen información

Mientras investigaban el caso del mapa y de la crónica desaparecidos, Celia y Cisco descubrieron información relacionada con el tráfico de drogas procedentes° de las selvas tropicales. También encontraron datos° sobre la venta ilegal de reliquias° que habían sido robadas de tumbas precolombinas°. Seguían trabajando en casa de Cisco, buscando más información y leyendo artículos. Los dos habrían seguido leyendo en silencio, pero Cisco ya no podía concentrarse; estaba furioso por lo que iba descubriendo.

objetos religiosos sagrados / de la época antes de la llegada de Cristóbal Colón a América Latina

—No puedo creer que la gente haya podido estar traficando con todos estos materiales durante tanto tiempo —exclamó Cisco, indignado—. Según este artículo de un antropólogo forense, ¡ha sido un problema desde hace muchísimos años! ¿Cómo es posible que las autoridades no hayan podido controlar la situación? ¡Con toda la tecnología que tienen! ¡Yo habría resuelto el caso hace mucho tiempo ya!
—Lo sé, es una verdadera vergüenza, Cisco —respondió Celia, más calmada—. Pero supongo que también habrás visto que todos los casos son internacionales. Ese es el mayor problema.
—¿Y? —dijo Cisco, impaciente.
—Realmente, no es tan sencillo resolverlos —contestó Celia, intentando comprender la actitud de Cisco—. Requiere cooperación, colaboración y acuerdos entre los gobiernos de diferentes países. Si a eso también añadimos la inestabilidad política que ha caracterizado la historia de muchos países en América Latina, pues, deberías poder comprender un poco mejor lo complicado que realmente es este tipo de asunto. Me imagino que en muchos momentos nuestros agentes habrán tenido las manos atadas°. ¿Qué harías tú en esa situación?

tied

—No sé, pero haría algo. No me quedaría allí sentado, viendo cómo estos criminales trafican con materiales peligrosos y con artefactos tan importantes. No descansaría hasta encontrarlos. Actuaría para resolver el problema.
—Está bien. ¿Y ahora qué? ¿Quieres que sigamos discutiendo sobre lo que no han podido hacer las autoridades, o quieres que intentemos resolver los casos?
—Obviamente tendremos que seguir trabajando hasta que encontremos a los culpables. ¿Has aprendido algo útil en ese artículo que estás leyendo? —preguntó Cisco, más tranquilo.
—Algo, sí. Es de un criminólogo. Describe el perfil de algunos de los posibles clientes interesados en comprar este tipo de materiales —respondió Celia.
—Interesante. ¿Crees que los datos nos ayudarán con la investigación? —preguntó Cisco.
—Sirven para confirmar algunas de nuestras sospechas. Por ejemplo, afirma que el mercado más caliente para el tráfico de las sustancias extraídas de las plantas es el del bioterrorismo. También habla sobre el mercado internacional para los artefactos precolombinos y otras antigüedades. Establece una relación muy fuerte con el mundo del arte —explicó Celia.
—Pues, si eso es cierto, yo tengo una fuente° que creo que nos podría ayudar. Es un investigador muy conocido y su especialidad es los crímenes relacionados con el comercio ilegal de obras de arte. Lo llamaré ahora mismo —dijo Cisco mientras marcaba el número de teléfono.

source

Mientras esperaba con el teléfono en mano, alguien llamó a la puerta. Abrió la puerta pensando que era Javier; si no, no la habría abierto. Cuando vio que no era Javier, sino la policía, Cisco estaba sorprendido. Después de ver que Cisco discutía con los agentes, Celia estaba horrorizada cuando oyó a Cisco gritarles:
—¿Estoy arrestado?

8-51 **Después de leer** Contesta las siguientes preguntas.

1. ¿Dónde estaban Celia y Cisco durante el episodio?
2. ¿Qué estaban haciendo al principio del episodio?
3. ¿Qué descubrió Cisco en el artículo que leyó? ¿Cuál era la especialidad del autor del artículo?
4. ¿Qué descubrió Celia en el artículo que leyó? ¿Cuál era la especialidad del autor del artículo?
5. ¿Cómo se sintió Cisco al principio del episodio? ¿Por qué?
6. ¿Cómo se sintió Celia al final del episodio? ¿Por qué?

video

8-52 **Antes del video** Antes de ver el episodio *¿Estoy arrestado?,* contesta las siguientes preguntas.

1. ¿Cómo terminó el episodio *Complicaciones en el caso*?
2. ¿Dónde piensas que va a tener lugar el episodio del video?
3. ¿Qué piensas que va a ocurrir en el episodio del video?

¿Debería saber las causas por las que han cerrado el laboratorio?

¿Por qué estará tan interesada en mi vida?

Mi madre es gerente de una empresa.

Episodio 8

¿Estoy arrestado?

Relájate y disfruta el video.

8-53 **Después del video** Después de ver el episodio, contesta las siguientes preguntas.

1. ¿Dónde estaba Cisco al principio del episodio? ¿Qué hacía?
2. ¿Cómo les podría ayudar con el caso la fuente de Cisco?
3. ¿Qué personas aparecieron en las fotos que miraban Cisco y Celia?
4. ¿Quién llamó a Cisco al final del episodio?
5. ¿Adónde tuvo que ir Cisco al final del episodio?

Y por fin, ¿cómo andas?

Having completed this chapter, I now can...

	Feel Confident	Need to Review
Comunicación		
• compare and contrast jobs and professions. (pp. 308, 316)	❑	❑
• employ adjectives as nouns to represent people, places, and things. (p. 309)	❑	❑
• refer to actions in the future. (p. 312)	❑	❑
• discuss what would happen to be or would be under certain conditions. (p. 318)	❑	❑
• repeat or paraphrase what I hear. (p. 322)	❑	❑
• discuss different aspects of the business world. (pp. 323, 328)	❑	❑
• refer to what would or will have happened. (pp. 326, 330)	❑	❑
• point out people, places, or things. (p. 324)	❑	❑
• express good wishes, regrets, comfort, or sympathy. (p. 334)	❑	❑
• employ appropriate greetings and closings in letters. (p. 336)	❑	❑
Cultura		
• state proper etiquette for doing business in a Hispanic setting. (p. 321)	❑	❑
• identify individuals with interesting professions. (p. 332)	❑	❑
• share information about professions and the world of business in Argentina and Uruguay. (p. 338)	❑	❑
Laberinto peligroso		
• adjust reading rate according to purpose and comprehension. (p. 340)	❑	❑
• determine why the police visit Cisco. (p. 342)	❑	❑
• hypothesize about Cisco's mysterious phone call. (p. 342)	❑	❑

VOCABULARIO ACTIVO

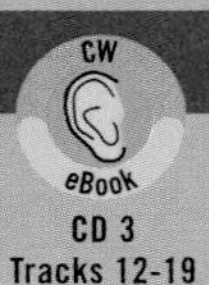

CD 3
Tracks 12-19

Algunas profesiones — *Some professions*

el/la abogado/a	*lawyer*
el/la agente	*agent*
el ama de casa	*homemaker*
el/la asistente de vuelo	*flight attendant*
el/la banquero/a	*banker*
el/la bombero/a	*firefighter*
el/la cajero/a	*cashier*
el/la cartero/a	*mail carrier*
el/la comerciante	*shopkeeper; merchant*
el/la consejero/a	*counselor*
el/la contador/a	*accountant*
el/la dentista	*dentist*
el/la escritor/a	*writer/author*
el/la ingeniero/a (químico/a)	*(chemical) engineer*
el/la granjero/a	*farmer*
el hombre/la mujer de negocios	*businessman/woman*
el/la maestro/a	*teacher*
el/la mecánico	*mechanic*
el/la peluquero/a	*hair stylist*
el/la periodista	*journalist*
el/la piloto	*pilot*
el/la político/a	*politician*
el/la psicólogo/a	*psychologist*
el/la reportero/a	*reporter*
el /la secretario/a	*secretary*
el/la veterinario/a	*veterinarian*

Palabras útiles — *Useful words*

el/la empleado/a	*employee*
el/la gerente/a	*manager*
el/la jefe/a	*boss*
el/la propietario/a	*owner; landlord*
el/la supervisor/a	*supervisor*

Más profesiones — *More professions*

la banca	*banking*
las ciencias (acuáticas, políticas)	*(aquatic, political) science*
el comercio/los negocios	*business*
la enfermería	*nursing*
la gerencia de hotel	*hotel management*
la ingeniería	*engineering*
la justicia criminal	*criminal justice*
el mercadeo	*marketing*
la moda	*fashion*
la pedagogía	*teaching*
la psicología	*psychology*
la publicidad	*advertising*
las ventas (por teléfono)	*(telemarketing) sales*

Una entrevista — *An interview*

el/la aspirante	*applicant*
los beneficios	*benefits*
el bono	*bonus*
la carta de presentación	*cover letter*
la carta de recomendación	*letter of recommendation*
el currículum (vitae) (C.V.)	*résumé*
la destreza	*skill*
la empresa	*corporation; business*
la formación	*training; education*
el horario	*schedule; timetable*
la jornada completa/parcial	*full-time/part-time workday*
la meta	*goal*
el negocio	*business*
el personal	*personnel*
el puesto	*job; position*
el sueldo	*salary*
la solicitud	*application form*
el trabajo	*job*

Algunos verbos — *Some verbs*

ascender (e-ie)	*to advance; to be promoted; to promote*
contratar	*to hire*
entrenar	*to train*
entrevistar	*to interview*
negociar	*to negotiate*
publicitar	*to advertise; to publicize*
renunciar (a)	*to resign; to quit*
solicitar	*apply for; to solicit*
tener experiencia	*to have experience*

El mundo de negocios — *The business world*

el acuerdo	*agreement*
la adquisición	*acquisition*
la agencia	*agency*
el ahorro	*savings*
la bancarrota	*bankruptcy*
la bolsa	*stock market*
la fábrica	*factory*
la huelga	*strike*
la jubilación	*retirement*
la junta	*commission; board; committee*
el lucro	*profit*
la venta	*sale*
el/la vocero/a	*spokesperson*

Algunos adjetivos — *Some adjectives*

actual	*current; present*
administrativo/a	*administrative*
ejecutivo/a	*executive*
financiero/a	*financial*
laboral	*work-related*
profesional	*professional*
sin fines de lucro	*nonprofit*

Algunos verbos — *Some verbs*

ahorrar	*to save*
apropiarse	*to take over; to appropriate*
despedir (e-i-i)	*to fire (from a job)*
fabricar	*to manufacture*
hacer publicidad	*to advertise*
hacer una huelga	*to strike*
invertir (e-ie-i)	*to invest*
jubilarse	*to retire*

¿Es arte?

Hay muchos tipos de arte: la música, el teatro, el cine, el baile, los cuadros que encontramos en un museo y la literatura, para nombrar algunos. La expresión artística dentro del mundo hispanohablante es muy rica y variada: hay algo para todos los gustos. ¿Qué es arte para ti?

OBJETIVOS

Comunicación

- To explore the visual and performing arts, handicrafts, and the world of cinema and television
- To make comparisons of equality and inequality
- To make recommendations and suggestions, and to express volition
- To express doubt, emotions, and sentiments
- To describe something that is uncertain or unknown
- To discuss possible actions in the present and future
- To make inferences about what you hear
- To practice and use circumlocution
- To create strong introductions and conclusions in writing

Cultura

- To learn about a pre-Columbian art museum
- To identify different artistic and expressive talents
- To share information about art, artists, and artisans in Peru, Bolivia, and Ecuador

Laberinto peligroso

- To make inferences when reading
- To hypothesize about Dr. Huesos and the ominous man outside Celia's door
- To consider Celia's threatening e-mail and Cisco's predicament

CONTENIDOS

Don Quijote de la Mancha

PREGUNTAS

1. ¿Qué forma de arte se representa aquí?
2. ¿Cómo determinas si algo es "arte"?
3. ¿Qué talento artístico tienes? ¿Qué tipos de arte has explorado?

Comunicación

- Describing the visual arts
- Expressing volition, doubts, sentiments, and emotions
- Sharing information about someone or something that may not exist

VOCABULARIO 1 El arte visual

SAM 9-1 to 9-2

Fíjate

El cuadro can be both a picture and a painting. *La pintura* is a painting and can also mean paint.

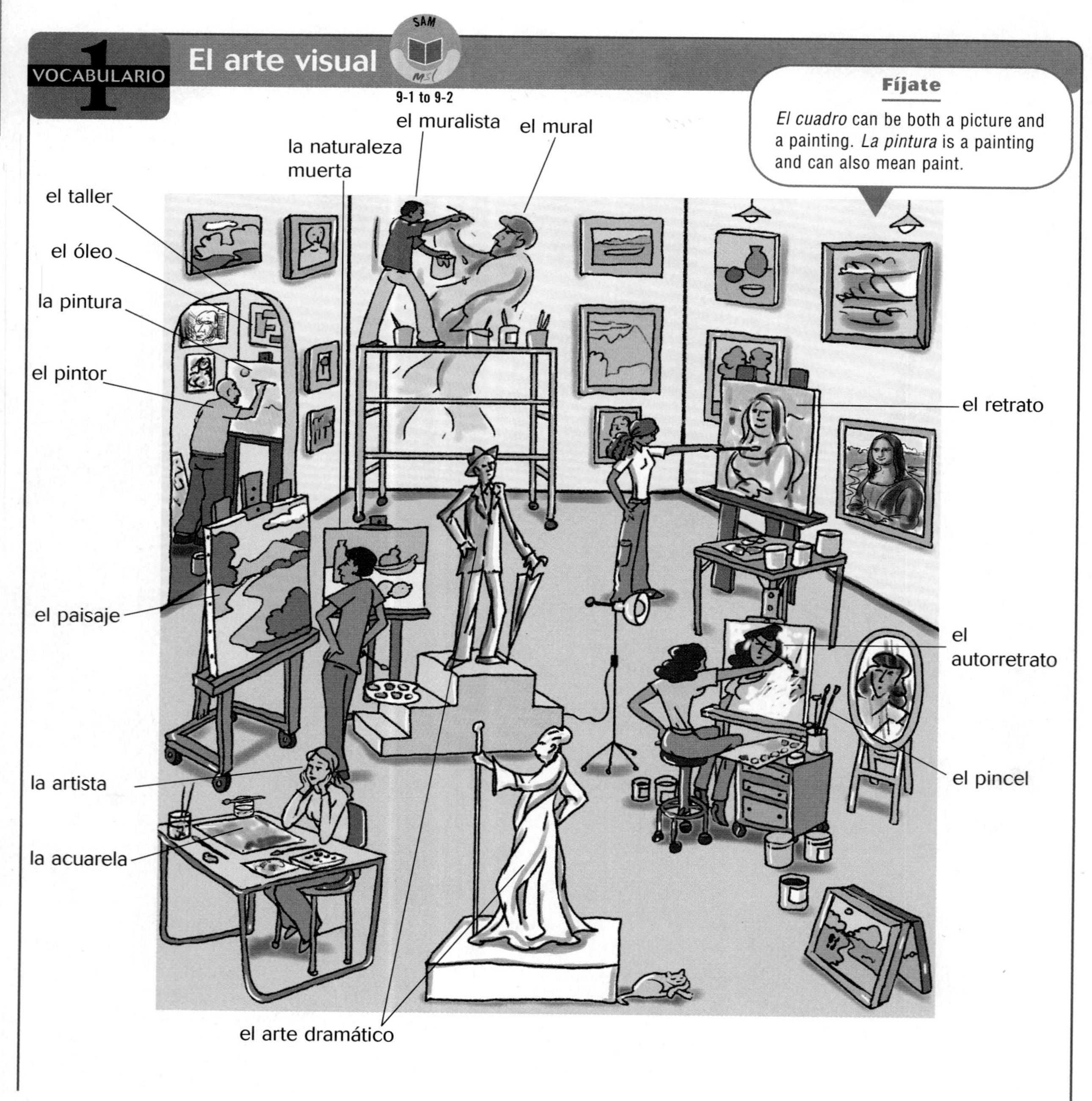

Algunos adjetivos	*Some adjectives*
cotidiano/a	*everyday, daily*
estético/a	*aesthetic*
gráfico/a	*graphic*
innovador/a	*innovative*
llamativo/a	*colorful; showy; bright*
talentoso/a	*talented*
técnico/a	*technical*
visual	*visual*

Algunos verbos	*Some verbs*
hacer a mano	*to make by hand*
crear	*to create*
dibujar	*to draw*
encargarle (a alguien)	*to commission (someone)*
esculpir	*to sculpt*
exhibir	*to exhibit*
reflejar	*to reflect*
representar	*to represent*

Algunas palabras útiles	*Some useful words*
el artista	*male artist*
el dibujo	*drawing*
el diseño	*design*
el grabado	*etching*
la imagen	*image*
el lienzo	*canvas*
la materia	*material; subject*
el motivo	*motif; theme*
la muralista	*female muralist*
la obra maestra	*masterpiece*
la pintora	*female painter*
el valor	*value*

Querido diario:

Quiero comprar un cuadro pero no sé cuál. Me gusta uno sobre la naturaleza tanto como otro parecido, pero con más colores. Pero me interesa más un cuadro abstracto, como los de Miró. El precio es menos importante...

Preguntas

1. ¿Qué quiere comprar Celia?
2. ¿Cuáles considera ella? ¿Cómo son? ¿Qué es lo menos importante para ella?
3. ¿Qué es más importante para ti en un objeto de arte? ¿la apariencia? ¿el precio?

REPASO

SAM 9-3 to 9-4

Guide 28, 29

Las comparaciones de igualdad y desigualdad

In Celia's diary, she writes **tanto como, me interesa más,** and **menos importante.** These are words used to make comparisons. Below is a review of **el comparativo.**

1. The formula for comparing unequal things follows the same pattern as in English:

más	+ *adjective/adverb/noun* + **que**	*more... than*
menos	+ *adjective/adverb/noun* + **que**	*less... than*

The adjectives **bueno/a, malo/a, grande,** and **pequeño/a** are irregular in the comparative form:

bueno/a	*good*	→	**mejor**	*better*
malo/a	*bad*	→	**peor**	*worse*
viejo/a	*old*	→	**mayor**	*older*
joven	*young*	→	**menor**	*younger*

2. The formula for comparing two or more equal things also follows the same pattern as in English:

tan	+ *adjective/adverb* + **como**	*as... as*
tanto/a/os/as	+ *noun* + **como**	*as much/many... as*

For a complete review of the comparative, refer to **Capítulo 10** of ***¡Anda! Curso elemental*** in Appendix 3.

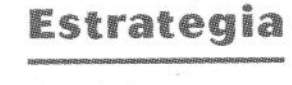

When comparing numbers, *de* is used instead of *que*.

Esta exhibición de arte tiene más de *doscientos cuadros.*

Mayor and **menor** can also mean *larger* and *smaller*, respectively, when comparing countable things.

9·1 Definiciones

¿Qué palabras corresponden a las siguientes definiciones? Túrnense para dar sus respuestas.

MODELO el lugar donde el artista produce su arte
taller

1. el mejor cuadro de un artista; el cuadro insuperable (*unsurpassable*)
2. una pintura mucho más grande que un cuadro normal
3. un cuadro que representa a una persona
4. una pintura de frutas o verduras, por ejemplo
5. un tipo de pintura que pones en un lienzo
6. un cuadro que representa al pintor mismo

El taller de Frida Kahlo en Coyoacán, México

Dagli Orti/Picture Desk, Inc./Kobal Collection.

9·2 El juego de tres pistas

Escuchen mientras su profesor/a les explica el juego.

MODELO taller
PISTA 1: *lugar*
PISTA 2: *artista*
PISTA 3: *trabajar*

¡Anda! Curso intermedio, Capítulo 8, Los adjetivos demostrativos, pág. 324.

9·3 Creaciones

Creen oraciones usando **más... que** y **menos... que.** Combinen elementos de las columnas A, B, C y D.

MODELO Aquella artista más... creativo/a que...
Aquella artista es más creativa que los otros artistas que conozco.

COLUMNA A	COLUMNA B	COLUMNA C	COLUMNA D
Ese cuadro	más	llamativo/a	que...
Aquel artista	menos	innovador/a	
Aquella artista		gráfico/a	
Estos diseños		creativo/a	
Esta muralista		talentoso/a	
Estas pinturas		estético/a	
Aquellos grabados		técnico/a	

El Altar, Oswaldo Moncayo

Un cuadro de Ignacio Silva

9-4 Nuestras opiniones

¡Anda! Curso intermedio, Capítulo 1, Algunos verbos como *gustar*, pág. 38.

Imagina que tu compañero/a y tú van a un museo.

Paso 1 Lean la Guía del Ocio de Madrid para seleccionar adónde y cuándo quieren ir.

GUÍA DEL OCIO MADRID

MÚSICA

sábado 4

- **XVI Festival de Jazz: Joe Henderson** La Riviera. 21 h.
- **Alonso y Williams** La Madriguera. 24 h.

domingo 5

- **Pedro Iturralde** Clamores. Pases: 22.45 y 0.45 h. Entrada libre.

lunes 6

- **Moreiras Jazztet** Café Central. 22 h.

CINE

Las vidas de Celia (2005, España)****
Género: Drama
Director: Antonio Chavarrías
Interpretación: Najwa Nimri, Luis Tosar…
Najwa Nimri da vida a una mujer que intenta suicidarse la misma noche que otra joven es asesinada.

Mujeres en el parque (2006, España)*****
Género: Drama
Director: Felipe Vega
Interpretación: Adolfo Fernández, Blanca Apilánez…
Una película llena de pequeños misterios, donde los personajes se enfrentan a lo difícil de las relaciones personales.

Volver (2006, España)*****
Género: Comedia dramática
Director: Pedro Almodóvar
Interpretación: Penélope Cruz, Carmen Maura…
Se basa en la vida y los recuerdos del director sobre su madre y el lugar donde se crió.

EXPOSICIONES

- **Museo Nacional Centro de Arte Reina Sofía** Santa Isabel, 52. Metro Atocha. Tel. 91 467 50 62 Horario: de 10 a 21 h. Domingo de 10 a 14.30 h. Martes cerrado.

Un recorrido del arte del siglo XX, desde Picasso. Salas dedicadas a los comienzos de la vanguardia. Además, exposiciones temporales.

- **Museo del Prado** Paseo del Prado, s/n. Metro Banco de España. Tel. 91 420 36 62 y 91 420 37 68 Horario: martes a sábado de 9 a 19 h. Domingo de 9 a 14 h. Lunes cerrado.

Todas las escuelas españolas, desde los frescos románicos hasta el siglo XVIII. Grandes colecciones de Velázquez, Goya, Murillo, etc. Importante representación de las escuelas europeas (Rubens, Tiziano, Durero, etc.). Escultura clásica griega y romana y Tesoro del Delfín.

Paso 2 Imaginen que están en la exposición que seleccionaron. Combinen las siguientes frases de las dos columnas para crear **seis** oraciones. Túrnense.

MODELO Me interesa mucho más el arte dramático… que la pintura.
Me interesa mucho más el arte dramático que la pintura.

1. _____ Me interesa el proceso de crear los grabados…
2. _____ El dibujo de Picasso que les encanta a mis padres…
3. _____ El diseño del mural que más me gusta…
4. _____ Me fascina la combinación de materiales de ese artista…
5. _____ Nos faltan unos grabados…
6. _____ No les quedan más de cinco autorretratos…

a. es tan interesante como sus pinturas.
b. mejores que ésos para la exhibición en diciembre.
c. mucho más que aquellas combinaciones.
d. de Frida Kahlo en aquel museo.
e. tanto como el proceso de pintar cuadros.
f. es tan crítico como la creación de las imágenes.

9-5 ¿Qué opinas?

Circula por la clase haciendo y contestando las siguientes preguntas. Llena el cuadro con tus resultados.

PREGUNTA	E1	E2	E3	E4	E5
1. ¿Te gustan más las pinturas al óleo o a la acuarela?					
2. ¿Cuáles son más impresionantes: los murales o los cuadros de tamaño normal?					
3. ¿Crees que sea tan fácil esculpir como dibujar? Explica.					
4. En tu opinión ¿quién es el artista vivo con más talento? ¿Quién es el mejor artista muerto?					
5. ¿Te interesan los autorretratos y retratos tanto como las pinturas de naturaleza muerta?					
6. ¿Tienes la habilidad de pintar o dibujar un autorretrato? ¿Cómo sería tu autorretrato?					

GRAMÁTICA 2 Repaso del subjuntivo: en cláusulas sustantivas, adjetivales y adverbiales

SAM 9-5 to 9-7 Guide 46, 47, 54, 67

- The **indicative** mood *states or inquires about facts*, that is, what happened, what is happening, or what will happen.
- The **subjunctive** mood is used to *express doubt, uncertainty, influence, opinion, feelings, hope, wishes,* or *desires* about events that are happening or might be happening now, have happened or might have happened in the past, or may happen in the future.

The following is a review of the uses of the subjunctive. To review the formation of the present subjunctive, refer to page 82; for a review of the present perfect subjunctive forms, see page 161.

1. El subjuntivo en cláusulas sustantivas

The subjunctive is used to express **volition** and **will, feelings** and **emotions, doubt, uncertainty,** and **probability** in the following ways:

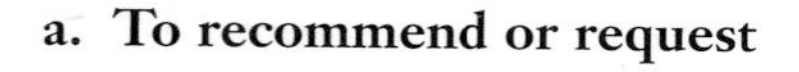

a. To recommend or request

Te recomiendo que **vayas** a la exhibición de arte dramático esta tarde en el museo Arte Vivo. — *I recommend (that) you go to the performing arts exhibit at the Arte Vivo museum this afternoon.*

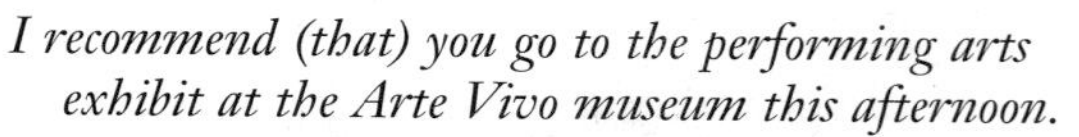

Nos piden que **compremos** unos grabados de unos edificios de la universidad. — *They are requesting that we buy some etchings of some university buildings.*

b. To express wishes

Deseo que mis estudiantes **conozcan** el arte de Velázquez. — *I want (desire) my students to be familiar with Velázquez's art.*

Espero que **podamos** ir a España este verano para visitar sus museos. — *I hope (that) we can go to Spain this summer to visit the museums there.*

c. To report on other's requests, recommendations, or wishes

José y Gregorio **quieren** que sus padres los **lleven** al Museo del Prado este verano. — *José and Gregorio want their parents to take them to the Prado Museum this summer.*

Mis abuelos **nos exigen** que **vayamos** a la sinfónica. — *My grandparents are demanding that we go to the symphony.*

- **Some verbs** used to express **requests, recommendations,** and **wishes** are:

aconsejar	*to recommend; to advise*	**preferir (e-ie-i)**	*to prefer*
desear	*to wish*	**prohibir**	*to prohibit*
esperar	*to hope*	**proponer**	*to suggest; to recommend*
exigir	*to demand*	**querer (e-ie)**	*to want; to wish*
insistir (en)	*to insist*	**recomendar (e-ie)**	*to recommend*
necesitar	*to need*	**rogar (o-ue)**	*to beg*
pedir (e-i-i)	*to ask (for); to request*	**sugerir (e-ie-i)**	*to suggest*

- The following are some common impersonal expressions that also express **requests, recommendations, wishes,** and **desires:**

Es importante que	*It's important that*	**Es necesario que**	*It's necessary that*
Es mejor que	*It's better that*	**Es preferible que**	*It's preferable that*

d. To express feelings and emotions

Nos gusta que **quieras** pintar un mural en este lado del edificio. — *We like that you want to paint a mural on this side of the building.*

Temo que no **podamos** comprar el cuadro —es muy caro. — *I'm afraid we won't be able to buy the painting—it is very expensive.*

- Verbs and phrases expressing **feelings** and **emotions** include:

alegrarse de	*to be happy about*
avergonzarse de (o-ue)	*to feel (to be) ashamed of*
Es bueno/malo	*to be good/bad*
Es una lástima	*to be a shame*
gustar	*to like*
sentir (e-ie-i)	*to regret*
temer/tener miedo (de)	*to be afraid (of)*

> **Estrategia**
>
> Remember that if there is no subject change, the infinitive is required, not the subjunctive.
>
> *Quiero hacer unos dibujos de los niños este fin de semana.*
>
> *Espero crear unos grabados interesantes de esas escenas.*

e. To communicate doubts and probability

Marco **no cree** que ellos **sepan** apreciar su arte. — *Marco does not believe that they know how to appreciate his art.*

Es probable que **podamos** terminar de renovar el taller para septiembre. — *It's likely that we can finish renovating the art studio by September.*

- Verbs and expressions expressing **doubts** and **probability** include:

dudar	*to doubt*
Es dudoso	*to be doubtful*
Es probable	*to be probable*
no creer	*not to believe; not to think*
no estar seguro (de)	*to be uncertain (of)*
no pensar	*not to think*

Estrategia

Remember that when there is no doubt, uncertainty, or disbelief about an action or event, and the subject appears certain of the facts, or if an emotion is not being expressed, the *indicative* is used.

No dudo *que Luis va a pintar el mural.*

Creo *que Silvia va al teatro hoy.*

Having studied the preceding examples of the subjunctive, answer the following questions to complete your review:

1. How many verbs are in each sentence?
2. Which verb is in the **indicative?**
3. Which verb is in the **subjunctive?**
4. Is there a different subject for each verb?
5. What word joins the two distinct parts of the sentence?
6. State a rule for the use of the subjunctive to express **volition** and **will, feelings** and **emotions, doubt, uncertainty,** and **probability.**

A Check your answers to the preceding questions in Appendix 1.

2. El subjuntivo con antecedentes indefinidos o que no existen

The subjunctive is also used to express the **possibility** that **something or someone** is **uncertain or nonexistent:**

Busco un artista que **pueda** pintar unos retratos de mis hijos por un precio razonable.	*I am looking for an artist who can paint some portraits of my children for a reasonable price.*
¿En esta exhibición **hay algún** paisaje que no **sea** impresionista?	*Is there a landscape in this exhibit that is not impressionistic?*
No **conocemos** a nadie que **sepa** esculpir tan bien como tu hermano Eduardo.	*We don't know anyone who knows how to sculpt as well as your brother Eduardo.*

Having read the previous examples,

1. What kinds of verbs tell you that there is a possibility that something or someone is uncertain or nonexistent?
2. If you know that something or someone exists, do you use the indicative or the subjunctive?

A Check your answers to the preceding questions in Appendix 1.

3. El subjuntivo en cláusulas adverbiales

There are connecting words (*conjunctions*) that may or may not require the use of the subjunctive.

Fíjate

Adverbial clauses describe an action and are introduced by adverbial conjunctions.

a. The subjunctive is *always* used after the following conjunctions:
a menos que, antes (de) que, con tal (de) que, en caso (de) que, para que, and **sin que.**

Nos veremos en el concierto **a menos que llueva.**	*We'll see each other at the concert unless it rains.*
Voy a ese museo primero **con tal (de) que haya** una exhibición nueva.	*I am going to that museum first provided that there is a new exhibit.*
Pasa por la galería **en caso (de) que esté** Felipe.	*Stop by the gallery in case Felipe is there.*

b. The indicative is *always* used after the following conjunctions:
ahora que, puesto que, and **ya que.**

David es muy generoso **ahora que es** un artista muy famoso.	*David is very generous now that he is a famous artist.*
No piensan encargarle un retrato al óleo **puesto que prefieren** los retratos de fotografía.	*They are not planning on commissioning an oil portrait from him, given that they prefer photographic portraits.*

With the following conjunctions, either the *indicative* or the *subjunctive* can be used.

aun cuando	**cuando**	**después (de) que**	**luego que**
aunque	**de manera que**	**en cuanto**	**mientras que**
a pesar de que	**de modo que**	**hasta que**	**tan pronto como**

- To determine which is needed, ask the question: *From the point of view of the speaker, has the action already occurred?*
  - **a.** If the action has occurred, the **indicative** is needed.
  - **b.** If the action has yet to occur, the **subjunctive** must be used.

Vamos a ir a ver los murales **tan pronto como lleguen** mis hermanos.	*We will go see the murals as soon as my siblings arrive.*
Piensa hacer los juguetes a mano **aunque** no **tenga** tiempo.	*He is thinking about making the toys by hand even though he may not have the time.*
Siempre le compran acuarelas **aunque cuestan** bastante dinero.	*They always buy her watercolors although they are quite expensive.*

c. In a sentence with no change of subject, the prepositions ***antes de, después de,*** and ***hasta*** are followed by the infinitive.

Necesitamos pasar por el taller **antes de salir** de viaje.	*We need to pass by the studio before we go on our trip.*

Having studied the previous examples, answer the following questions to complete your review:

1. Which conjunctions **always** use the subjunctive?
2. Which conjunctions **never** use the subjunctive?
3. Which conjunctions **sometimes** use the subjunctive?
4. What question do you ask yourself with these types of conjunctions?

Check your answers to the preceding questions in Appendix 1.

9-6 Karin Momberg

Karin Momberg es una artista chilena y española y nos está dando consejos de cómo apreciar el arte. Usen los siguientes verbos en **el subjuntivo** para crear sus recomendaciones.

Un viaje emocionante, de Karin Momberg

aconsejar	proponer	recomendar
ser bueno	ser importante	sugerir

MODELO reconocer desde el principio que no les van a gustar todas las obras

Les recomiendo que reconozcan desde el principio que no les van a gustar todas las obras.

1. observar la obra desde varias distancias
2. observar la obra desde varios ángulos
3. determinar cómo está hecha la obra
4. estudiar el uso de los colores
5. reflexionar sobre el motivo del artista
6. ser crítico del tema y de la técnica
7. dejar que les hable la obra

9-7 La profesora de arte

La profesora Romero les da consejos a sus estudiantes nuevos. Completen las siguientes oraciones con la forma apropiada de los verbos en **el subjuntivo.**

MODELO recomendar estudiar mucho

Les recomiendo que estudien mucho.

1. ser necesario trabajar duro
2. sugerir hacer muchas investigaciones
3. ser obligatorio no copiar
4. aconsejar expresar su creatividad por diferentes medios
5. esperar sentir amor y entrega en lo que hacen

9-8 La Galería de los Serrano

La familia Serrano tiene una galería de arte en Barcelona. Descubre un poco sobre la familia al crear oraciones con **el subjuntivo.** Después, compara tus oraciones con las de un/a compañero/a.

MODELO Los Serrano / esperar / los nuevos artistas / querer exhibir / obras / galería

Los Serrano esperan que los nuevos artistas quieran exhibir sus obras en la galería.

1. El Sr. Serrano / buscar / empleado / hablar inglés / entender / arte moderno
2. La Sra. Serrano / querer / hacer viaje / Buenos Aires / antes de que / (ellos) abrir / próxima exhibición
3. Los hijos Serrano / trabajar / galería / en cuanto / cumplir dieciocho años
4. Los Sres. Serrano / preferir / los hijos / estudiar mucho / y sacar título / comercio
5. Sin embargo, una hija / desear / estudiar / arte / para que / padres / poder vender / cuadros

9-9 El retrato

Joaquín se prepara para pintar el retrato de su amigo Teo. Terminen la siguiente descripción con la forma apropiada de uno de los siguientes verbos. Tienen que decidir si necesitan usar **el subjuntivo, el infinitivo** o **el indicativo.**

decidir	estar	hacer	pintar	poder
reflejar	sentarse	ser	ser	quedar

Teo quiere que yo le (1) __________ un retrato. Primero, necesitamos (2) __________ si voy a hacer el cuadro al óleo, a la acuarela o si sería mejor un dibujo. Teo se decide por un retrato al óleo. Entonces, tengo que buscar un lienzo que (3) __________ del tamaño perfecto. Después, preparo la pintura y busco mis pinceles nuevos. Cuando todo (4) __________ preparado, determinamos la composición del cuadro y decidimos si queremos (5) __________ el retrato de perfil o de frente. Creo que estamos de acuerdo en que es preferible que (6) __________ de frente. Ahora, ¿lo queremos de medio cuerpo, de cuerpo entero o de cara nada más? Lo voy a hacer de medio cuerpo, así que le digo a Teo que (7) __________ para que yo (8) __________ empezar. Quiero que el retrato (9) __________ la personalidad de mi amigo —eso es lo más difícil de todo. Entonces, lo más crítico va a ser los ojos. Es necesario que (10) __________ perfectos.

Estrategia

When you are requesting, recommending, suggesting, etc., that someone do something, the indirect object is present in the sentence. Verbs that commonly require the indirect object are: *aconsejar, exigir, pedir, recomendar, rogar, sugerir, prohibir,* and *proponer.*

Yo te recomiendo que vayas a ver esa exhibición.

Yo (les) recomiendo a mis padres que visiten el Museo Guggenheim en Bilbao, España.

9-10 El arte y tú

Usa las siguientes preguntas para compartir tus ideas sobre el arte con un/a compañero/a.

1. ¿Recomiendas que se pinten murales en las paredes y muros de los edificios en pueblos y ciudades? Explica.
2. Si quieres comprar un cuadro, ¿es importante que sea al óleo o puede ser a la acuarela u otra cosa?
3. ¿Es importante reconocer y entender el tema de un cuadro para poder apreciarlo?
4. ¿Qué medio artístico escogerías para un retrato tuyo: la fotografía, la escultura, el dibujo o la pintura?
5. ¿Quiénes son tus artistas favoritos y cuáles son tus cuadros favoritos? ¿Por qué?

9-11 Consejos

Siempre tenemos deseos y consejos para los demás. Expresen sus deseos y consejos para las siguientes personas.

MODELO A los Serrano / Les recomendamos que…
Les recomendamos que busquen unos cuadros de artistas nuevos para exhibir en una sala aparte.

A LOS PROPIETARIOS DE UNA GALERÍA DE ARTE	A UN JOVEN QUE DESEA SER ARTISTA	A UN GRUPO DE ARTISTAS RECIÉN ESTABLECIDOS
1. Les recomendamos que…	1. Esperamos que…	1. Es importante que…
2. Es necesario que…	2. Siempre le exigimos que…	2. Le aconsejamos que…
3. Sugerimos que…	3. No es importante que…	3. Esperamos que…
4. ¿Creen que…?	4. Le proponemos que…	4. No dudamos que…

VOCABULARIO 3 La artesanía

SAM 9-8 to 9-9

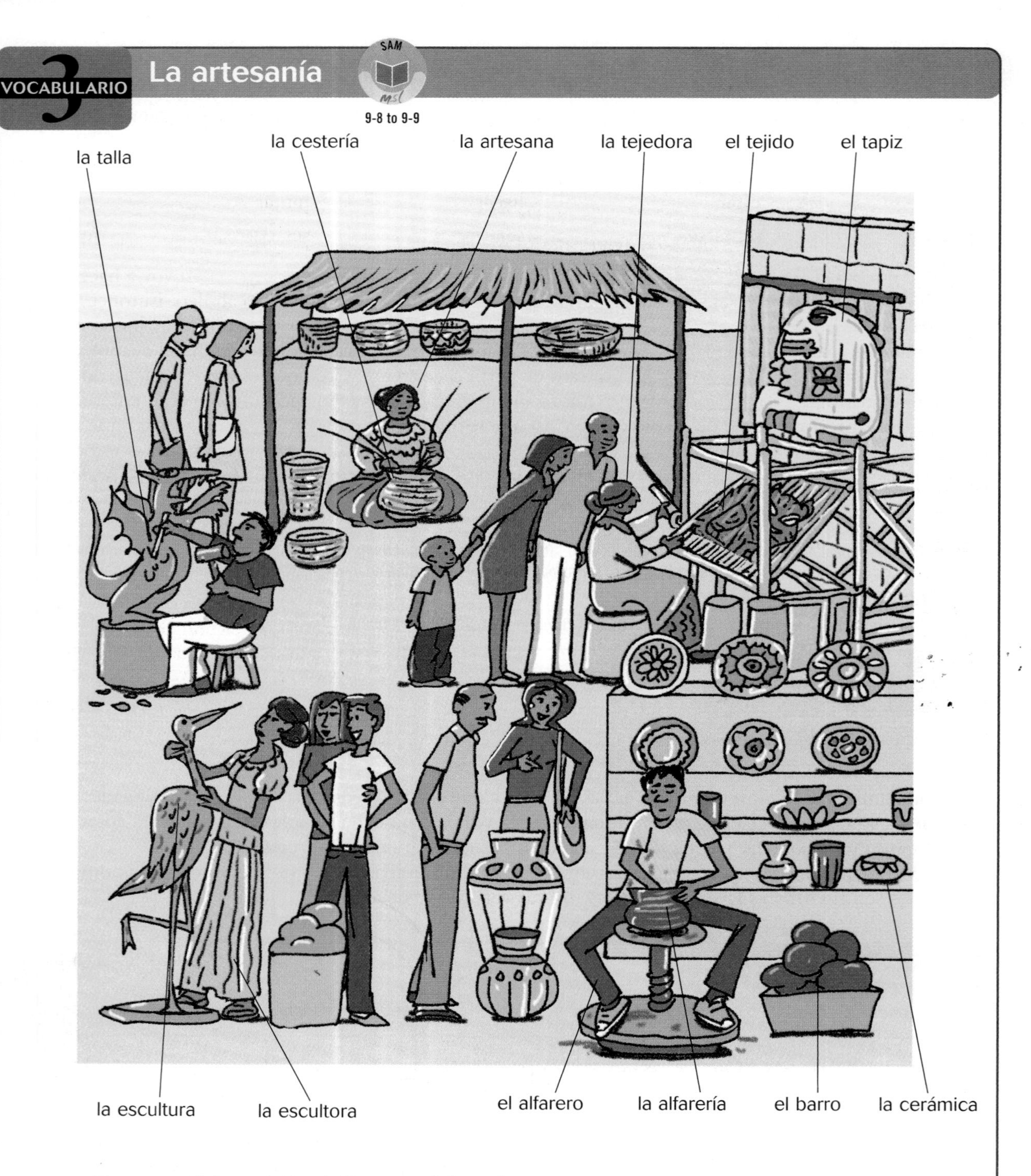

Algunas palabras útiles	*Some useful words*
la alfarera	*female potter*
el artesano	*male artisan*
las artes decorativas/aplicadas	*decorative/applied arts*
el escultor	*female sculptor*
el tejedor	*male weaver*

9·12 Lo dudo

Cambien las siguientes oraciones para expresar duda. Usen los verbos y las expresiones de la página 354.

MODELO Hay muchos artesanos en ese pueblo. (yo)
Dudo que haya muchos artesanos en ese pueblo.

1. El barro es perfecto para ese tipo de cerámica. (nosotros)
2. La alfarería de esas mujeres indígenas tiene mucho valor. (tú)
3. Estas plantas producen materia perfecta para la cestería. (ellas)
4. Ella sabe esculpir mejor que su profesor de escultura. (yo)
5. Van a exponer en su galería el tejido en que trabaja esa tejedora. (José y yo)

9·13 Parejas

Combinen las siguientes frases de las dos columnas para crear oraciones. Tienen que decidir si necesitan usar **el subjuntivo** o **el indicativo.**

Fíjate

Fernando Botero is a Colombian artist and sculptor.

MODELO Busco un tapiz que... (ser) del estilo indígena
Busco un tapiz que sea del estilo indígena.

1. ____ Busco un tejedor que...
2. ____ Encontré una escultura de Botero que...
3. ____ ¿Hay algún artesano que...?
4. ____ Tengo unos platos de cerámica que...
5. ____ No existe un alfarero que...
6. ____ Necesitamos un tapiz que...

a. (saber) crear algo bello y útil a la vez
b. (querer) usar el barro de esta zona del país
c. (hacer) diseños modernos con muchos colores vibrantes en sus tejidos
d. (comprar) en Triana, un barrio de Sevilla, España
e. (poder colgar) al lado de éste muy antiguo
f. (ser) una de las primeras que hizo

Fíjate

To see some of Gabriel Orozco's paintings, see the *¡Anda! Curso intermedio* web site.

9·14 Gabriel Orozco

Esther habla de su artista favorito. Lean lo que dice y subrayen (*underline*) **las cláusulas subordinadas.** Luego, expliquen por qué se usa **el indicativo** o **el subjuntivo** en cada caso.

Gabriel Orozco

Fíjate

Las artes plásticas are visual art that involve the use of materials that can be molded and modulated in some way. The term includes architecture, ceramics, glass, landscape, metalworking, mosaic, paper art, sculpture, textile art, and woodworking.

No creo que haya ningún artista que sea más creativo e innovador que Gabriel Orozco. Nació en Xalapa, México, se crió en la Ciudad de México y estudió en la Escuela Nacional de Artes Plásticas de la UNAM. Aunque durante los primeros años de su carrera fue más conocido y respetado internacionalmente que en su propio país, ahora se está empezando a apreciar su arte cada vez más en México. Se puede decir que ya es famoso ahora que es uno de los artistas plásticos más valorados en el mundo del arte. Sus obras incluyen la escultura, la fotografía, el video, el dibujo y el arte-objeto. También es conocido por sus instalaciones espontáneas que son una combinación de diferentes aspectos de su arte. Se dice que es uno de los diez creadores más importantes e influyentes de los últimos años.

Es interesante que no tenga ni estudio, ni taller, ni galería, puesto que prefiere crear, convirtiendo cualquier cosa en una experiencia estética. Encuentra las materias que usa para sus creaciones explorando, hasta en la basura, recoge latas, etiquetas de botellas de cerveza, restos de construcción, etc., para luego transformarlo todo en objetos de arte. Espera que los que vean su arte cuestionen sus ideas y perspectivas de la realidad. Quiere que ellos usen su imaginación y su propia creatividad al entregarse a sus creaciones.

SAM 9-10 to 9-11

Notas culturales

El Museo del Oro en Bogotá, Colombia

Para un visitante en Bogotá, Colombia, es recomendable que visite El Museo del Oro del Banco de la República; es una joya para el mundo del arte. Abrió a principios del año 1968 y ganó el Premio Nacional de Arquitectura. Fue renovado recientemente (2004–2008) y ahora tiene una nueva apariencia; es un nuevo museo con exhibiciones, servicios y tecnología del siglo XXI. La renovación fue motivada por un deseo de considerar todos los objetos del museo con una perspectiva nueva y comprensiva. Es importante que los artefactos se exhiban dentro de su contexto histórico pero con una conexión con el presente. De esta manera, se espera que tengan más sentido para los visitantes de hoy en día.

El Museo del Oro es único: tiene más de 33.000 objetos de artesanía y orfebrería (*crafting of precious metals*) representativos del período precolombino en sus colecciones. Los diseños y las imágenes de los artefactos son verdaderamente impresionantes y muestran una técnica muy avanzada para la época.

Preguntas

1. ¿Qué contiene el museo que lo hace único? ¿Por qué se considera arte el contenido de este museo?
2. ¿Cómo se compara este museo con los que conoces?

9-15 Decisiones

En grupos de tres, hagan el papel de representantes de un museo pequeño de su pueblo o ciudad. Pueden comprar una obra nueva, gracias a un patrocinador (*patron*) muy generoso. Han considerado muchas, pero seleccionaron tres finalistas. Ahora tienen que tomar la decisión final. De las tres, ¿cuál prefieren? ¿Cuáles son sus razones?

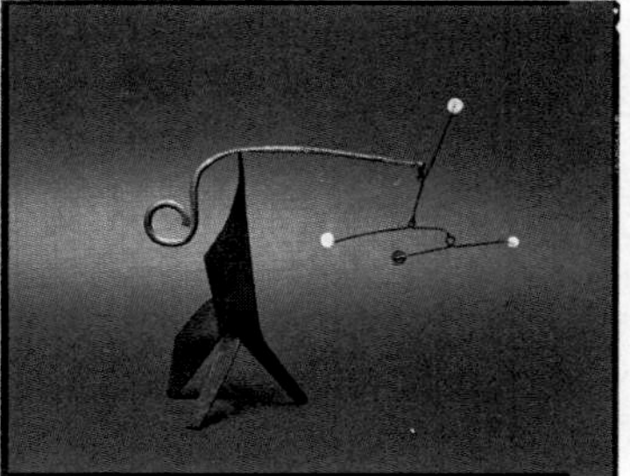

9-16 La cerámica de Talavera

Vayan a la página web de ***¡Anda! Curso intermedio*** para investigar la cerámica de Talavera. Después, preparen un anuncio comercial para publicitar y vender esta cerámica en los EE.UU. Deben usar por lo menos **seis** oraciones en **el subjuntivo.**

ESCUCHA

9-12 to 9-14

ESTRATEGIA **Making inferences from what you hear**

Sometimes when you are speaking with others, your listener may not interpret your message the way you meant it. Or, you may not express yourself exactly as you had wished. If these situations occur, the listener may *infer* (or *deduce*) a meaning different from what you intended. For example, if someone invites you to a concert and you hesitate before answering, he/she may infer that you do not really want to go. If, however, you say "I have to work," he/she will most likely think that you would like to go but have a schedule conflict.

9•17 Antes de escuchar

A David y a su hermano Martín les encantaría ir al concierto de su grupo favorito, Maná. Su madre, sin embargo, piensa que necesitan pasar más tiempo con la familia y deben asistir a eventos culturales. Ella les propone varias ideas. ¿Crees que a los jóvenes les van a interesar?

9•18 A escuchar

CD 4 Track 1

Completa los siguientes pasos.

Paso 1 Escucha la primera vez para captar la idea general de la conversación.

Paso 2 Lee las siguientes preguntas y escucha por segunda vez, ahora enfocándote en la información que necesitas para contestarlas.

1. ¿Qué deducen David y Martín que su mamá quiere que hagan?
2. ¿Qué piensas que va a pasar?

9•19 Después de escuchar

Descríbele a un/a compañero/a una conversación que tuviste recientemente en que o tú o la persona con quien estabas hablando no dijo exactamente lo que estaba pensando. ¿Qué dedujiste? ¿Qué era realmente lo que quería decir?

¿Cómo andas?

Having completed the first **Comunicación,** I now can...

	Feel Confident	Need to Review
• discuss the visual arts and handicrafts. (pp. 348, 358)	❑	❑
• make comparisons of equality and inequality. (p. 349)	❑	❑
• make recommendations and suggestions, and express volition. (p. 352)	❑	❑
• express doubt, emotions, and sentiments. (p. 353)	❑	❑
• describe something that is uncertain or unknown. (p. 354)	❑	❑
• share information about a pre-Columbian art museum. (p. 360)	❑	❑
• make inferences about what I hear. (p. 361)	❑	❑

Comunicación

- Describing the world of music, theater, cinema, and television
- Stating what may happen now and in the future

VOCABULARIO 4 La música y el teatro

SAM 9-15 to 9-17

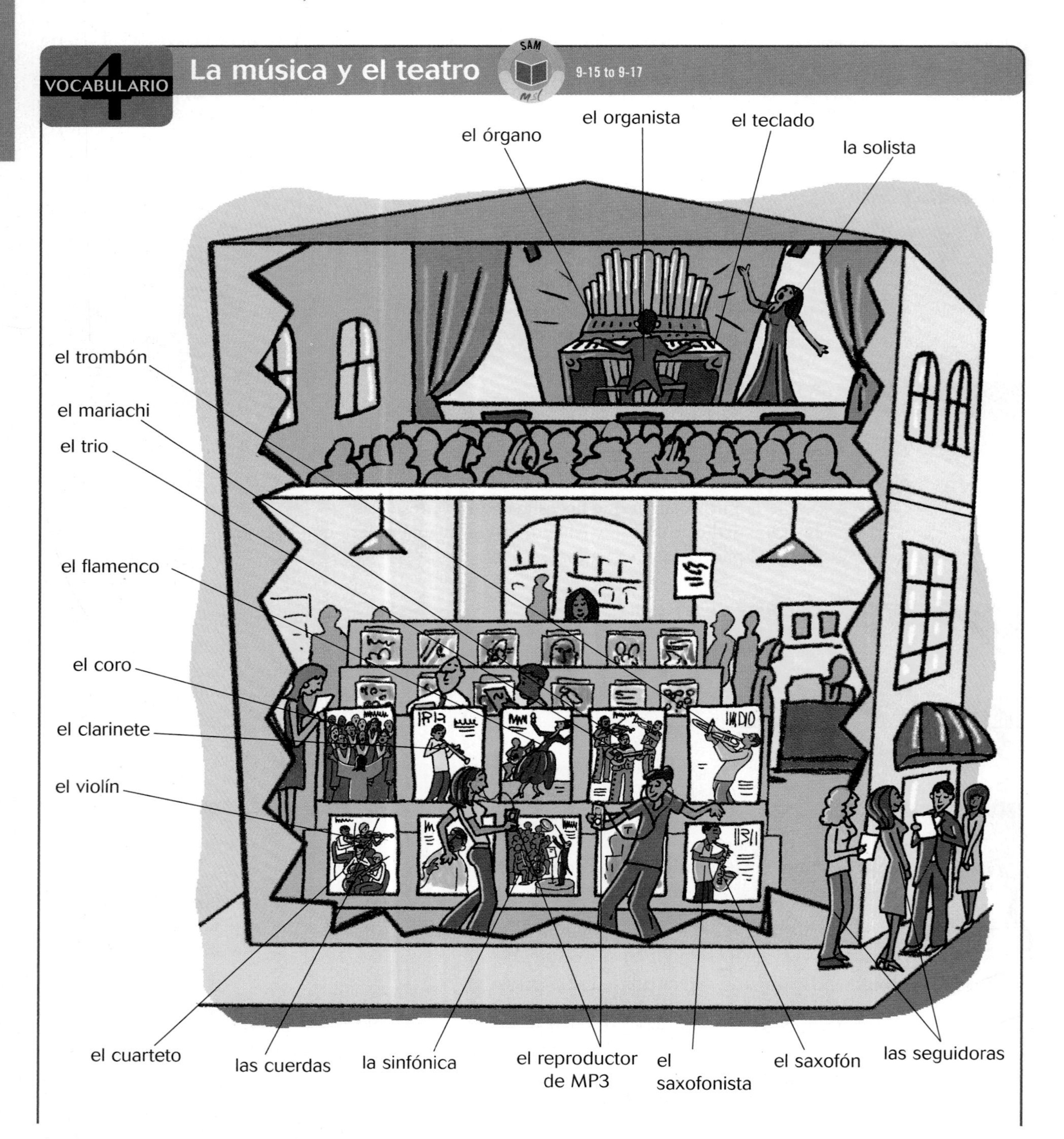

¡Anda! Curso elemental, Capítulo 5, El mundo de la música, Apéndice 2.

La música

Algunas palabras útiles	*Some useful words*
el/la compositor/a	*composer*
el espectáculo	*show*
los instrumentos de metal	*brass instruments*
los instrumentos de viento/de madera	*wind instruments, woodwinds*
el merengue	*merengue*
la música alternativa	*alternative music*
la música popular	*popular music*
la organista	*female organist*
la pieza musical	*musical piece*
la saxofonista	*female saxophonist*
los seguidores	*male fans; groupies*
el solista	*male soloist*

El teatro

Algunas palabras útiles	*Some useful words*
la comedia	*comedy*
la danza	*dance*
el decorado	*set*
el/la directora/a de escena	*stage manager*
el drama	*drama*
el/la dramaturgo/a	*playwright*
la función	*show; production*
el miedo de salir en escena	*stage fright*
la obra de teatro	*play*
la tragedia	*tragedy*

El parloteo de Cisco

Deben escuchar la música que acabo de comprar; es la más suave de todas las grabaciones del conjunto *Bravo*. Los guitarristas son los más apasionados. Creo que soy el mejor aficionado porque compro todos sus CD.

Deja un comentario para Cisco:

REPASO

El superlativo

In Cisco's blog, he uses the words **la más suave, los más apasionados,** and **el mejor aficionado.** All are expressions of **el superlativo** in Spanish. The following is a review of the form and its uses.

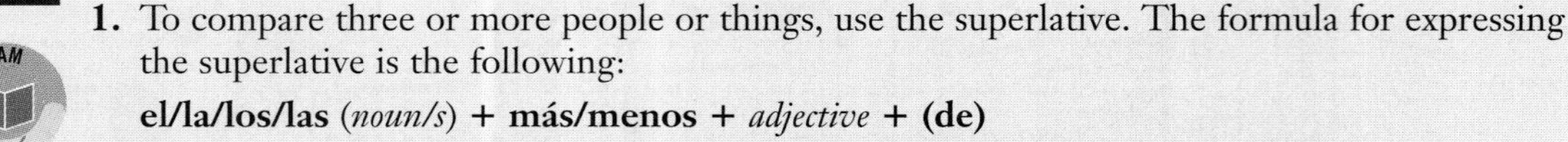

SAM 9-18 to 9-19

1. To compare three or more people or things, use the superlative. The formula for expressing the superlative is the following:

   el/la/los/las (*noun/s*) **+ más/menos +** *adjective* **+ (de)**

2. Just as in the comparative, the adjectives **bueno/a, malo/a, viejo/a,** and **joven** are irregular in the superlative.

Guide 30

COMPARATIVE				SUPERLATIVE	
bueno/a	*good*	**mejor**	*better*	**el/la mejor**	*the best*
malo/a	*bad*	**peor**	*worse*	**el/la peor**	*the worst*
viejo/a	*old*	**mayor**	*older*	**el/la mayor**	*the oldest*
joven	*young*	**menor**	*younger*	**el/la menor**	*the youngest*

For a complete review of the superlative, refer to **Capítulo 10** of ***¡Anda! Curso elemental*** in Appendix 3.

9-20 La mímica

En grupos de cinco o seis, hagan mímica (*charades*) para practicar el vocabulario nuevo.

Paso 1 Cada estudiante debe representar por lo menos **tres** palabras o expresiones nuevas.

Paso 2 Elijan las **dos** mejores representaciones del grupo para presentárselas a todos y expliquen por qué fueron las mejores.

9-21 El/La mejor director/a de escena

Hagan una lista de las responsabilidades de un/a buen/a director/a de escena. Después, decidan cuáles son las responsabilidades más importantes y cuáles son menos importantes para el éxito de una obra de teatro.

Vocabulario útil

inspeccionar	*to inspect*	**planear**	*to plan*	**organizar**	*to organize*

MODELO *Tiene que inspeccionar el decorado.*

9·22 Los instrumentos de orquesta

Miren la foto de la Orquesta Sinfónica de Puerto Rico e intenten nombrar todos los instrumentos que conozcan. Después, creen oraciones usando **el superlativo** y los instrumentos usados por la orquesta sinfónica.

MODELO *La flauta es el instrumento más pequeño de la sinfónica.*

9·23 Los mejores de los mejores

Circulen por la clase para preguntarles a sus compañeros sobre sus gustos y preferencias.

MODELO E1: *¿Quién tiene la mejor voz de hombre?*
E2: *Plácido Domingo tiene la mejor voz. ¿Qué opinas tú?*

1. la mejor voz de hombre
2. la mejor voz de mujer
3. el grupo musical más popular de los EE.UU.
4. el grupo musical más popular del mundo
5. la compañía de ballet más conocida de los EE.UU.
6. el/la mejor dramaturgo/a
7. la obra de teatro más interesante que has visto
8. el/la violinista/pianista/guitarrista, etc., más conocido/a del mundo

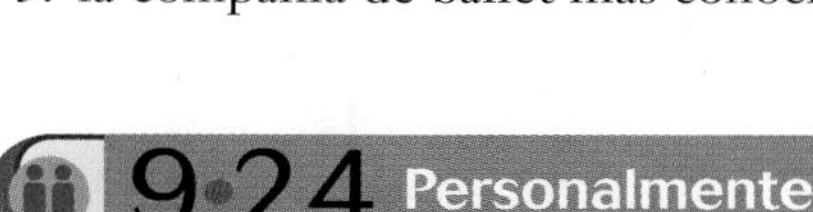

9·24 Personalmente

Por fin, tienen un poco de dinero para ir a un concierto, al cine o al teatro. Completen los siguientes pasos.

Paso 1 Decidan adónde quieren ir.

Paso 2 Ahora, túrnense para hacerse y contestar las siguientes preguntas.

1. ¿Te consideras músico/a, escritor/a, artista, etc.? ¿Cuáles son tus habilidades al respecto?
2. ¿Qué instrumentos tocas? ¿Tocas bien o mal?
3. ¿Has participado en un ballet o en una obra de teatro? ¿Cuál fue tu papel (*role*)? ¿Había decorado y vestuario?
4. ¿Has ido a muchos conciertos? ¿Cuál es el mejor al que has asistido?
5. ¿Has asistido a una sinfónica? ¿Qué tocaron?
6. ¿Qué música y bailes conoces del mundo hispano? ¿De qué países son? ¿Te gustan?

9-25 Una buena filántropa

La Sra. de las Morenas quiere donar dos millones de dólares a tu universidad, expresamente para las artes. La universidad ha identificado varias posibilidades y ustedes, como consejeros de la Sra. de las Morenas, tienen que ayudarla a tomar su decisión. En grupos de tres, conversen para identificar las mejores recomendaciones finales. Preparen su presentación, usando **el subjuntivo, las comparaciones de igualdad y desigualdad** y **el superlativo** cuando sea posible.

POSIBLES PROYECTOS:

1. empezar un programa para los estudiantes de colegio donde los estudiantes universitarios de arte les den clases por las tardes
2. crear fondos permanentes para que los profesores de arte puedan hacer investigaciones en otras partes del mundo
3. establecer una escuela de ballet y baile moderno con fondos suficientes para atraer como profesor/a a un/a bailarín/bailarina conocido/a
4. establecer un teatro-laboratorio para los estudiantes de drama
5. dirigir al coro en una gira anual por diferentes partes del mundo durante diez años

Cláusulas condicionales de *si* (Parte 1)

9-20 to 9-21 62

A **si** (*if*) clause states *a condition that must be met in order for something else to happen*. These are *if... then...* statements.

- The verb in the *if*/**si** clause states the condition for something to happen. This condition is likely to take place. The verb in the *then* clause describes what could happen.
- Use this "formula" when expressing *if/then* statements in which the verb following **si** is in the **present indicative.** Note the sequence below:

Si (*If*) + present indicative + *(then)* present indicative
+ *(then)* future
+ *(then)* command

Fíjate

The *then* clause is known in grammatical terms as a *resultant clause.*

Study the examples below.

Si quieres, podemos escuchar el *Concierto de Aranjuez* de Joaquín Rodrigo.	*If you would like, we can listen to* Concierto de Aranjuez, *by Joaquín Rodrigo.*
Si quieres ir a la sinfónica esta noche, te **llevo.**	*If you would like to go to the symphony tonight, I will take you.*
Si vas al teatro después, **iré** contigo.	*If you go to the theater afterwards, I will go with you.*
Si el conjunto no **toca** música popular, **buscaremos** otro club.	*If the band doesn't play popular music, we'll find another club.*
Si tienes ganas de escuchar y bailar flamenco, **vete** al bar La Trocha.	*If you feel like listening to and dancing flamenco, go to the bar La Trocha.*
Si te gustan las comedias, **cómprate** entradas para ese teatro.	*If you like comedies, buy tickets for that theater.*

 9·26 Muy probable

¿Cuántas oraciones lógicas puedes formar en cuatro minutos, combinando elementos de las columnas A y B? Crea todas las oraciones que puedas y después compáralas con las de un/a compañero/a.

> **Estrategia**
>
> Remember that in the *then* (resultant) clause, it is possible to use the *present indicative, the future tense,* or a *command.*

MODELO *Si quieres escuchar música alternativa, no vengas a mi casa.*

COLUMNA A	COLUMNA B
Si querer escuchar música alternativa...	no poder usar esa guitarra española
Si tocar el merengue...	bailar contigo
Si tener un clarinete...	no venir a mi casa
Si gustar el baile flamenco...	tocar en la orquesta
Si no tener cuerdas nuevas...	tomar lecciones con Silvia
Si no venir al espectáculo...	perder el show de los mariachis de Guadalajara

> **Fíjate**
>
> 
>
> To learn more about this famous rock band and to hear some of their music, visit the *¡Anda! Curso intermedio* web site.

9·27 Fher

Termina el siguiente párrafo con las formas correctas de los verbos apropiados. Después, compara tus respuestas con las de un/a compañero/a.

Maná

enojarse	estar	ganar	levantarse	llegar
llevarse (bien/mal)	perder	poder	prepararse	tener

Hola, amigos. Me llamo José Fernando Emilio Olvera Sierra y soy originalmente de Puebla, México. Mis amigos me llaman Fher. Soy guitarrista, compositor y cantante principal del grupo Maná. Recientemente, hemos estado trabajando mucho —tanto en la música como en nuestra fundación Selva Negra y en otras cosas parecidas. Bueno, ustedes me preguntaron sobre un día normal para mí...

Si (1) ________________ temprano, (2) ________________ tiempo para leer el periódico antes de salir para el estudio. No me gusta andar corto de tiempo porque si (3) ________________ tarde al ensayo, los otros miembros del grupo (4) ________________ conmigo. Si no (5) ________________ bien, (6) ________________ tiempo y energía. Si no (7) ________________ ensayar bien porque estamos frustrados o preocupados, no (8) ________________ bien para nuestra representación en los Latin Grammy Awards. Aparte de la canción que vamos a representar, nos han nominado para cuatro premios. Y como ustedes pueden imaginar, si (9) ________________ uno, (10) ________________ muy contentos.

9·28 La otra parte

Aquí tienen los posibles resultados, o sea, la otra mitad de las oraciones con **si.** Inventen la parte que falta.

MODELO ... voy al museo.

Si hay una exhibición de arte precolombino, voy al museo.

1. ... iremos al teatro.
2. ... compro un reproductor de MP3.
3. ... vete sola al espectáculo.
4. ... aprende a tocar el teclado.
5. ... serás el solista.
6. ... entrevistamos a la diva.
7. ... no llegaré a tiempo a la función.
8. ... pídele una audición.

9·29 Siempre la oposición

Catrina siempre se opone a lo que sus padres le dicen. Respondan a las sugerencias de los padres como si fueras Catrina, usando siempre el vocabulario de **La música y el teatro.**

MODELO LOS PADRES: Si tienes tiempo, puedes limpiar tu cuarto.

CATRINA: *Si tengo tiempo, tocaré el órgano.*

1. Si puedes llegar temprano, vamos al cine.
2. Si terminas de leer el drama, podrás escribir el ensayo para la clase de inglés.
3. Si quieres comprar unas cuerdas nuevas para la guitarra vieja, vete a la tienda Música Central.
4. Si tienes miedo de salir en escena, debes ensayar delante del espejo.
5. Si ensayas más, serás mejor música.
6. Si quitas esa música fuerte, podrás oír lo que te estoy diciendo.

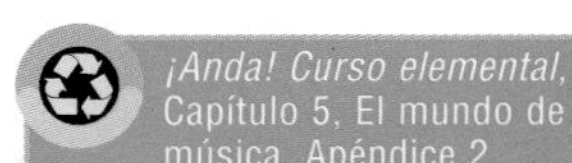

9·30 Mi media naranja (*My soul mate*)

Su profesor/a les va a dar instrucciones para esta actividad. ¡Diviértanse!

9·31 Si lo hacemos...

Túrnense para hacerse y contestar las siguientes preguntas.

1. Si estás seleccionando música para una fiesta en tu casa, ¿qué tipo de música escoges?
2. Si tus amigos y tú quieren ir a un concierto, ¿qué tipo de concierto prefieren —de música clásica, rock, pop, etc.?
3. Si tus padres te compran un reproductor de MP3 nuevo, ¿qué marca y modelo prefieres?
4. Si decido ir al teatro este fin de semana, ¿qué obra debo ver?
5. Si salen con sus amigos el sábado, ¿a dónde irán?
6. Si tienes tiempo libre esta noche, ¿qué piensas hacer?

VOCABULARIO 6 El cine y la televisión

SAM 9-22 to 9-23

¡Anda! Curso elemental, Capítulo 5. El mundo del cine, Apéndice 2.

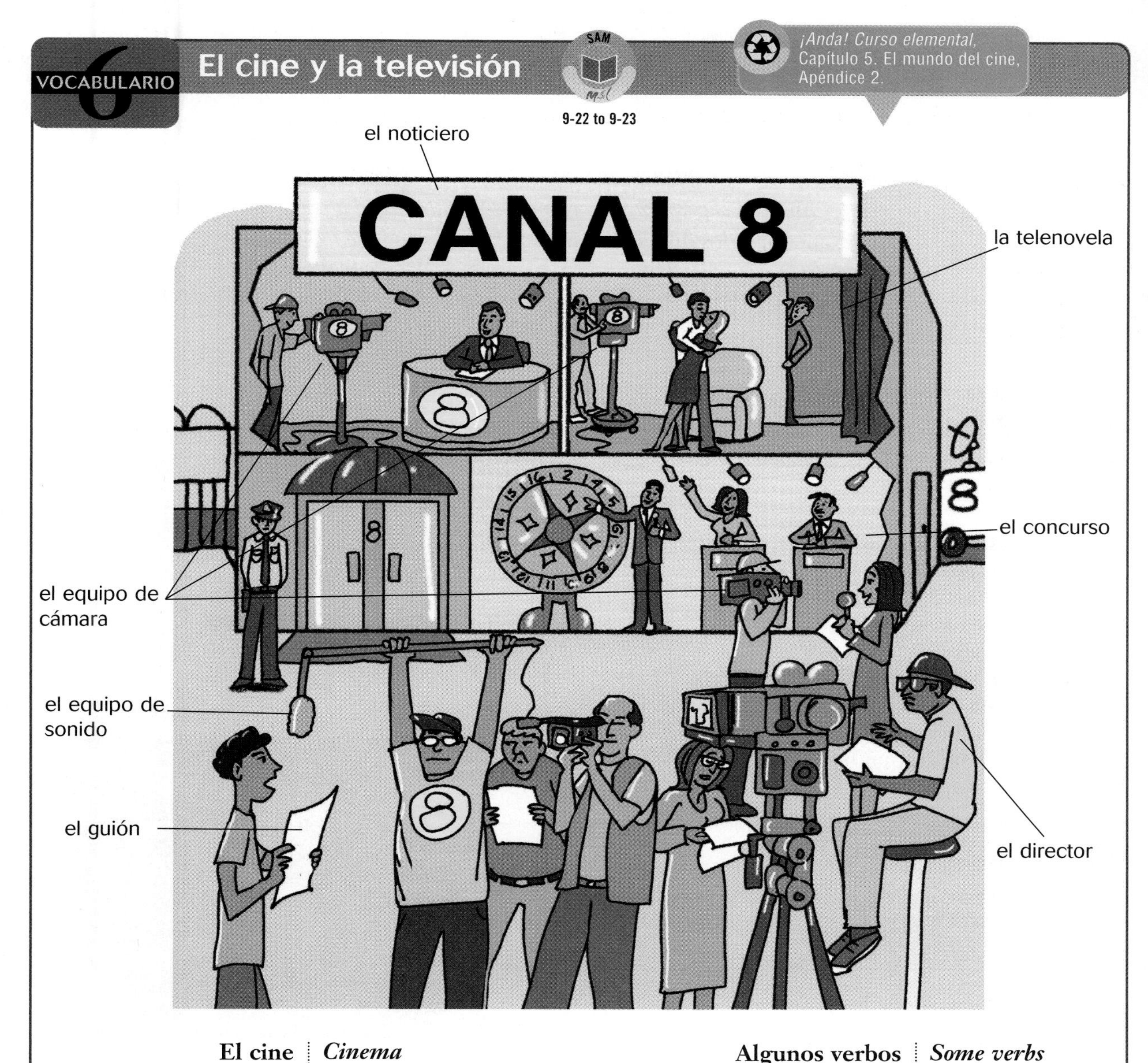

El cine	*Cinema*
el/la cinematógrafo/a	*cinematographer*
el cortometraje	*short (film)*
los dibujos animados	*cartoons*
la directora	*female director*
el/la guionista	*scriptwriter, screenwriter*
el montaje	*staging; editing*
¡Silencio! ¡Se rueda!	*Quiet everybody (on the set)! Action!*
los subtítulos	*subtitles*

La televisión	*Television*
el canal	*channel*
el/la televidente	*television viewer*

Algunos verbos	*Some verbs*
actuar	*to act*
aplaudir	*to applaud*
componer	*to compose*
editar	*to edit*
filmar	*to film*
hacer el papel	*to play the role*
improvisar	*to improvise*
informar	*to inform, to tell*
representar	*to perform*
rodar (en exteriores)	*to film (on location)*

9-32 Las diferencias

Expliquen la diferencia entre las siguientes palabras. Túrnense.

MODELO ensayar / representar
Ensayar es prepararse para representar un papel a través de mucha práctica.

1. el cortometraje / los dibujos animados
2. la telenovela / la televidente
3. improvisar / representar
4. el montaje / el guión
5. rodar / editar
6. el cinematógrafo / la directora

¡Anda! Curso elemental, Capítulo 5, *Hay que* + infinitivo, Apéndice 3.

9-33 Todo relacionado

Pon en orden lo que tiene que ocurrir para que una película salga bien. Después, compara tu lista con la de un/a compañero/a.

_____ Hay que seleccionar los actores, el equipo de cámara, el equipo de sonido, etc.
_____ Hay que preparar el montaje.
_____ Hay que montar el decorado.
_____ Un guionista identifica un tema o una historia para desarrollar o adaptar para el cine.
_____ Hay que rodar.
_____ Hay que hacerle publicidad a la película.
_____ El guionista o su agente les manda el guión a muchos directores de cine.
_____ Los actores tienen que ensayar mucho.
_____ Hay que identificar un buen guión.

9-34 Lo conocido

¿Qué personas, títulos u otras cosas asocian ustedes con las siguientes palabras? Compara tus ideas con las de un/a compañero/a.

MODELO el noticiero que les gusta más
Noticiero Telemundo

1. un cortometraje
2. una película reciente de dibujos animados
3. un/a director/a famoso/a
4. un guión más interesante que la novela en la cual se basa
5. el canal más popular entre tus amigos
6. el concurso más aburrido
7. una película con subtítulos
8. una telenovela

9-35 Profesiones sobresalientes

Elige una de las siguientes profesiones y haz una lista de las cualidades y habilidades que se requieren para tener éxito en esa profesión. Después, en grupos de cuatro, compartan sus listas.

1. músico/a
2. actor/actriz
3. artista
4. artesano/a
5. cantante
6. bailarín/bailarina

El arte como expresión personal

El artista necesita expresarse mediante la forma más apropiada para sí mismo. Estas tres personas han logrado su expresión artística y personal, cada una de forma muy distinta.

Si sabes algo del ballet, conocerás a **Julio Bocca** (n. 1967) quien es, sin duda, el bailarín argentino más famoso del mundo. Después de veinte años con el American Ballet Theatre, volvió a su país nativo en el año 2006 para trabajar con su propia compañía, el Ballet Argentino.

No hay guitarrista que simbolice más la música flamenca que **Paco de Lucía** (n. 1947). Este músico andaluz también ha experimentado con otros estilos como el jazz, e inclusive incorporó el cajón, instrumento afroperuano, en sus composiciones flamencas. Si quieres conocer la música flamenca, escucha a este maestro del arte. español

Uno de los directores del cine mexicano más conocidos es **Alejandro González Iñárritu** (n. 1963). Su película *Amores perros* y muchos actores que trabajaron en ella ganaron varios premios. Al principio, planeaba una serie de once cortometrajes, pero al final seleccionó tres de las historias para elaborar la película definitiva. Mexico

Preguntas

1. ¿Cómo se expresan artísticamente estas personas?
2. Si piensas en estas formas de expresión artística, ¿qué otros artistas conoces o puedes nombrar?
3. Considerando todas las formas de arte, en tu opinión, ¿quién es el/la artista más importante de tu época? Si piensas en todas las épocas, ¿quién será el más importante en tu opinión? ¿Qué tipo(s) de arte representa? ¿Por qué opinas así?

9-36 Los mejores y los peores

Escribe tus selecciones para las siguientes categorías y después, en grupos de tres, compartan la información.

	YO	ESTUDIANTE 1	ESTUDIANTE 2
mejor/peor artista			
mejor/peor grupo musical			
mejor/peor cantante			
mejor/peor canción			
mejor/peor programa de la tele			
mejor/peor concurso de la tele			
mejor/peor noticiero			

¡Conversemos!

9-26

ESTRATEGIAS COMUNICATIVAS Clarifying and using circumlocution

When speaking, you will occasionally need to clarify or elaborate what you are saying. Perhaps your listener(s) did not understand you; perhaps you felt you did not express yourself exactly as you wished; or perhaps you do not know the exact words or way to express what you want to say. Finding another way to say what you mean is known as using *circumlocution* and is a technique and skill that is important when communicating. Use the following expressions to begin your clarification, elaboration, or restatement.

- **Es decir...** *That's to say...*
- **O sea...** *That is...*
- **(Lo que) quiero decir...** *(What) I mean...*
- **Es que...** *It's that.../ The fact is that...*
- **En otras palabras...** *In other words...*

CD 4 Track 2

9-37 Diálogo

Escucha la conversación entre Mariela y José Luis y contesta las siguientes preguntas.

1. Deduciendo de su conversación, ¿a quién le gustan las artes modernas? ¿A quién le gustan las artes antiguas?
2. En realidad, ¿qué quería decirle Mariela a José Luis y qué quería decirle José Luis a Mariela?

9-38 Parecidos

Dicen que por cada diez personas encontrarás diez opiniones diferentes. Sin embargo, existen semejanzas también.

Paso 1 Busca un/a compañero/a que tenga los mismos gustos que tú en uno de los cuatro siguientes temas: el arte, la música, el teatro o el cine/la televisión. Crea **cinco** preguntas y entrevista a **cinco** compañero/as para encontrar el/la compañero/a más parecido/a a ti.

MODELO E1: *¿Te gustan las tragedias? Es decir, ¿te gustan las obras de Shakespeare?*
E2: *Sí, me gustan, pero no todas. O sea, no me gustan las tragedias modernas sino...*

Paso 2 Hagan un reportaje oral en el que comparen sus semejanzas. Cada uno debe expresar sus ideas en por lo menos **ocho** oraciones.

9-39 Meter la pata

¿Cuántas veces has dicho algo que alguien interpretó mal? O ¿cuántas veces has dicho algo que no debías? Creen diálogos de las siguientes situaciones donde metiste la pata (*put your foot in your mouth*).

a. criticaste la música de tu mejor amigo/a
b. insististe en ir a una película y el guión fue horrible y todo el mundo gastó mucho dinero
c. visitaste a un/a amigo/a y criticaste su alfarería. Resulta que era de su madre.
d. ¿? (tu propia situación donde metiste la pata)

9•40 ¿Qué dirían?

Claro que hay excepciones, pero es posible predecir las opiniones de varias edades de personas. Creen diálogos de las siguientes personas sobre los siguientes temas. Cada diálogo debe tener por lo menos **doce** oraciones, usando expresiones de clarificación y de circunlocución, oraciones usando **el subjuntivo** y oraciones con **Si + presente.**

a. los dibujos animado de Disney o Steven Spielberg
b. el director mexicano Alejandro González Iñárritu
c. el bailarín Julio Bocca
d. la música de Paco de Lucía
e. el Museo del Oro de Bogotá, Colombia, y un museo en los EE.UU. que conozcan
f. la música alternativa
g. ¿? (un tema que seleccionen)

9•41 Y el premio va a...

Casi todos han visto los programas de premios como los Óscares, los Grammy, los Tony y los Latin Grammy. Ahora les toca a ustedes crear unos premios y aceptarlos.

Paso 1 Creen unos premios para las siguientes situaciones. Hay que describir a los candidatos y explicar por qué merecen el premio.

a. un premio a la mejor pintura, cerámica, escultura o el mejor tejido
b. la mejor grabación de la música X
c. el/la mejor cinematógrafo/a, director/a, guionista, o el mejor vestuario o la mejor producción de teatro (danza, comedia, tragedia, etc.)

Paso 2 Acepten los premios con un discurso.

9•42 ¡Silencio! ¡Se rueda!

Por fin les toca a ustedes. Hagan los papeles de las siguientes personas para crear su propio *Laberinto peligroso:* el/la cinematógrafo/a, el/la director/a, el/la guionista. También planeen el vestuario y el decorado. Finalmente, ¿hay una diva en su presentación? Si hay, ¿quién es? ¡Diviértanse!

ESCRIBE

9-27

ESTRATEGIA Introductions and conclusions in writing

The purpose of an introduction is to draw the reader in and focus him/her on your topic or theme. A good introduction engages the reader's attention, identifies the subject, and often sets the tone for the writing piece. A strong conclusion should underscore your main points in a nonfiction piece or the theme in a fictional work, maintain the reader's interest, and even motivate the reader to continue to learn about the topic or find out what happens next if it is fiction.

9•43 Antes de escribir

Vas a escribir un cuento corto que describa una escena de una obra de arte —digamos una pintura. (Tu profesor/a te dará opciones para la obra si no tienes un cuadro favorito.) Mira el cuadro, piensa en dos o tres ideas principales de tu cuento que describan lo que ocurre en la obra. Piensa también en una oración introductoria que capte la atención del lector. Luego, considera una oración que resuma y subraye (*underscores*) tus ideas principales.

9•44 A escribir

Ahora que tienes tus ideas organizadas, escribe tu cuento, prestando atención a la introducción y a la conclusión sobre todo. Asegúrate de que en el cuento:

- hayas empezado con una introducción que llame la atención del lector.
- hayas descrito lo que pasa en la pintura u otra obra de arte.
- hayas terminado con una conclusión que resuma el cuento y que mantenga el interés del lector.

9•45 Después de escribir

Comparte tu cuento y una imagen de la obra de arte sobre la cual escribiste con dos compañeros.

¿Cómo andas?

Having completed the second **Comunicación,** I now can...

	Feel Confident	Need to Review
• share thoughts about the world of cinema, theater, music, and television. (pp. 362, 369)	❏	❏
• make superlative statements. (p. 364)	❏	❏
• discuss possible actions in the present and future. (p. 366)	❏	❏
• identify different expressive talents of Hispanic artists. (p. 371)	❏	❏
• use circumlocution to express meaning. (p. 372)	❏	❏
• create strong introductions and conclusions in my writing. (p. 374)	❏	❏

Vistazo cultural

SAM
9-28 to 9-29
DVD/VHS
Vistas culturales

El arte de Perú, Bolivia y Ecuador

Estudio para sacar el bachillerato en Ciencias y Artes de Comunicación con mención en Artes Escénicas en la Pontificia Universidad Católica de Perú. En el futuro quiero ser director de teatro; preferiría trabajar en un teatro experimental con obras modernas.

Germán Aguirre Zárate, estudiante de Teatro

Mario Vargas Llosa, peruano

Lee una de las novelas de Mario Vargas Llosa (n. 1936), como *La casa verde* o *Conversación en la catedral*, si quieres entender algo de la cultura peruana. Es un escritor y novelista de talento enorme que ha ganado una gran cantidad de premios literarios. Es también dramaturgo, cuentista y político: se presentó como candidato para la presidencia de Perú en el año 1990.

El cajón, instrumento peruano

No hay instrumento de percusión más asociado con Perú que el cajón. Es probable que el cajón date de los tiempos coloniales, cuando los esclavos africanos lo empleaban para representar y reproducir la música de su herencia africana. Hoy en día, este instrumento folclórico forma parte indispensable de la música afro-peruana.

Alonso Alegría, peruano

Alonso Alegría (n. 1940) conoce bien el mundo del arte. Es escritor, dramaturgo, guionista, director teatral, columnista para el periódico *Perú 21* en Lima y profesor de Dramaturgia en la universidad. También es productor general del proyecto educativo "Mi Novela Favorita", programa radiofónico de literatura muy popular.

Música folclórica boliviana

Si quieres conocer la música folclórica de los países andinos, escucha algunas canciones interpretadas por el grupo boliviano Los Kjarkas. Fundado en el año 1965, este grupo es uno de los mejores representantes de la música boliviana. Tocan instrumentos folclóricos típicos y cantan en español y en quechua.

Carla Ortiz, boliviana

Desde niña, la boliviana Carla Ortiz (n. 1976) quería ser actriz. Empezó como modelo y luego pasó al campo de la televisión. Se mudó a México donde ha aparecido en muchas telenovelas. Actualmente, vive en Los Ángeles donde sigue apareciendo en la televisión. También actuó en la película *Los Andes no creen en Dios* (2007).

Oswaldo Guayasamín, ecuatoriano

Oswaldo Guayasamín (1919–1999) de Ecuador fue principalmente pintor, pero también diseñaba joyería y hacía objetos de artesanía de metal y de madera. Si examinas sus pinturas, verás reflejada una preocupación por el sufrimiento del ser humano y la denuncia de la miseria que las personas tienen que aguantar en la vida.

Artesanía de Otavalo, Ecuador

Ecuador es famoso por sus productos de artesanía, sobre todo en la provincia de Imbabura. Si deseas escoger entre una gran variedad de arte, debes ir al mercado de Otavalo. Allí encontrarás tejidos y tapices de colores y diseños bonitos, figuras de talla de madera bien elaboradas y mucho más.

Preguntas

1. ¿Qué formas artísticas se mencionan aquí? ¿Cuál *vistazo* te interesa más? ¿Por qué?
2. Identifica varias relaciones entre los artistas mencionados en este capítulo.
3. ¿Es posible que el arte y el mundo profesional tengan conexiones? Piensa en las profesiones del *Capítulo 8* e identifica algunas que se conecten con las formas artísticas del *Capítulo 9*.

Laberinto peligroso

EPISODIO 9

lectura

9-30 to 9-32

ESTRATEGIA **Making inferences: Reading between the lines**

Inferring is drawing conclusions based on information provided, the reader's prior knowledge, and a general comprehension of the text. When you infer something, it is not explicitly stated but rather suggested by the author. For each inference you make, pinpoint the facts in the passage and also identify the background knowledge that has led you to your conclusion.

9-46 Antes de leer En los episodios del **Capítulo 8,** viste cómo la situación de Cisco se vuelve más peligrosa. Antes de empezar a leer este episodio, contesta las siguientes preguntas.

1. ¿Qué pasó al final del último episodio? ¿Dónde estaba Cisco? ¿Por qué estaba allí?
2. ¿Qué piensas que le habrá pasado a Cisco?
3. Basándote en el título de la lectura del **Capítulo 9,** ¿quién crees que protagoniza este episodio? ¿Por qué?
4. Muchas veces, para realmente comprender un texto es necesario que prestes tanta atención a lo que dice el texto implícitamente (no abiertamente) como a lo que dice explícitamente (abiertamente); es decir, es necesario leer entre líneas. Por ejemplo, en los episodios anteriores, la narración no ha hablado muy abiertamente sobre la relación entre los diferentes protagonistas, pero sí ha sugerido algo al respecto. Basándote en los episodios que has visto hasta el momento, ¿qué has deducido sobre la relación entre Celia y Cisco? Cuando contestes las preguntas de *Después de leer,* vas a tener más oportunidades para leer en concreto entre líneas en este episodio.

DÍA 44

CD 4
Track 3

Sola y preocupada

Celia tenía ganas de ver la comedia que se había estrenado en el teatro. Según los críticos, era la mejor obra de la temporada. Había pensado en ir sola, pero mientras esperaba a comprar su entrada cambió de idea. Pensó, —Aunque no me importa ir sola, prefiero que otra persona venga conmigo. Quizás invite a Javier o a Cisco. Dudo que a Javier le guste el teatro tanto como a Cisco. Javier prefiere el cine.— Inmediatamente decidió llamar a Cisco para ver si le gustaría acompañarla a la función. Cuando no contestó el teléfono de casa, intentó llamarlo a su celular. Tampoco lo contestó. Celia se dijo, —¡Qué extraño que haya salido sin el celular! Nunca va a ninguna parte sin ese teléfono. ¿Por qué no ha contestado? ¿Qué estará haciendo?—

Cuando salió del teatro, Celia no tenía muchas ganas de ir a casa para trabajar. Estaba un poco preocupada por Cisco. Se dijo, —Si me preocupo, entonces seguramente está perfectamente bien, tomando café con alguna de sus numerosas amigas. Pero si no me preocupo, entonces será que algo le ha pasado y necesita ayuda.— Se dio cuenta de la futilidad de sus pensamientos y se dijo —¡Celia, contrólate! ¡No es bueno que pienses en esas cosas!—. Tenía que trabajar en la investigación, pero no tenía ganas de hacerlo. Después de reflexionar un poco, tomó una decisión. —Voy a llamar a Javier; quizá él quiera ir al cine. Si me dice que sí, iremos al cine. Si me dice que no, entonces me iré a casa para seguir trabajando.— Lo llamó y él tampoco contestó el teléfono. —¿Estarán juntos Cisco y Javier? —se preguntó Celia.

Al llegar a casa, Celia se puso a trabajar inmediatamente. Después de empezar a leer un artículo interesante, empezó a sentirse más motivada. La información que había encontrado Cisco sobre el tráfico de artefactos precolombinos los había llevado a investigar más sobre el arte de diferentes grupos indígenas. Lo más llamativo de lo que descubría era la variedad de la artesanía de las culturas. Trabajaban en la alfarería, la cestería y la cerámica; creaban tapices, tejidos, esculturas de barro y figuras y objetos tallados en madera. Había todavía más diversidad en los temas de sus obras: en algunas representaban paisajes, otras eran retratos. En algunos dibujos y esculturas se centraban más en plantas y animales, mientras que en otras obras creaban diseños con figuras abstractas. Muchas obras reflejaban la vida cotidiana de la gente.

Aunque le fascinaba lo que aprendía sobre la artesanía de los indígenas, pronto se dio cuenta de que esos datos no eran tan importantes como otros. Por eso, se puso a leer artículos sobre las sustancias extraídas de las plantas. Lo que le pareció más llamativo de esos documentos eran las numerosas referencias al Dr. Huesos y su trabajo con las plantas. Por lo visto, era uno de los máximos expertos en el tema de las sustancias venenosas que se encuentran en las selvas tropicales. El artículo más reciente indicaba que el profesor había desaparecido durante un viaje a una selva en Guatemala, justo antes de la erupción de un volcán. Mientras Celia buscaba más información sobre el Dr. Huesos, alguien llamó a la puerta. Celia se levantó para ver quién era. Vio que era el hombre misterioso del café. Lo que no sabía era que el hombre llevaba un cuchillo.

9-47 Después de leer Contesta las siguientes preguntas.

1. Según el texto, ¿por qué decidió Celia llamar a Cisco en lugar de Javier?
2. ¿Por qué crees que Celia llamó a Cisco? ¿Por qué crees eso?
3. Según el texto, ¿cómo se sentía Celia cuando no pudo hablar con Cisco?
4. ¿Cómo piensas tú que se sentía? ¿Por qué piensas eso?
5. Según el texto, ¿por qué llamó a Javier?
6. ¿Por qué crees que llamó a Javier? ¿Por qué crees eso?
7. ¿Por qué volvió Celia a su casa en lugar de ir al cine?
8. Según el texto, ¿qué tipo de arte hacían los indígenas en Latinoamérica?
9. ¿Qué le pasó al Dr. Huesos en Guatemala?
10. ¿Qué ocurrió al final del episodio?

video

9-48 **Antes del video** Antes de ver el episodio del video, *Desaparecidos*, contesta las siguientes preguntas.

1. ¿Quién fue a la casa de Celia al final de la lectura? ¿Por qué crees que fue a su casa?
2. ¿Qué crees que le pasó al Dr. Huesos? ¿Por qué?
3. Basándote en el título del video, describe qué crees que va a pasar en el video.

Han encontrado el cadáver de un hombre en Guatemala. Según las autoridades podría ser el cuerpo del Dr. Huesos.

¿Cómo? ¿Asesinado?

Si hubiera venido, habría dejado (*would have left*) una clave, ¿no?

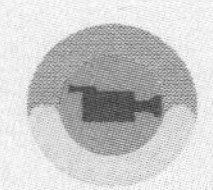

Episodio 9

Desaparecidos

Relájate y disfruta el video.

9-49 **Después del video** Contesta las siguientes preguntas.

1. ¿Qué ocurrió con el hombre misterioso en este episodio?
2. ¿Quiénes entraron en casa de Celia? ¿Por qué entraron en su casa?
3. Según Javier, ¿qué le pasó al Dr. Huesos en Guatemala?
4. ¿Qué encontró Celia en la casa de Cisco?
5. ¿Qué hay en el museo?
6. ¿Qué es necesario que haga Celia si quiere que Cisco esté bien?
7. ¿Qué pasará si Celia intenta contactar a los detectives?

Y por fin, ¿cómo andas?

Having completed this chapter, I now can...

	Feel Confident	Need to Review
Comunicación		
• share impressions and thoughts about the visual and performing arts, the world of cinema and television, and handicrafts. (pp. 348, 358, 362, 369)	❑	❑
• make comparisons of equality and inequality. (p. 349)	❑	❑
• make recommendations and suggestions, and express volition. (p. 352)	❑	❑
• express doubt, emotions, and sentiments. (p. 353)	❑	❑
• describe something that is uncertain or unknown. (p. 354)	❑	❑
• make inferences about what I hear. (p. 361)	❑	❑
• make superlative statements. (p. 364)	❑	❑
• discuss possible actions in the present and future. (p. 366)	❑	❑
• use circumlocution to get my point across. (p. 372)	❑	❑
• create strong introductions and conclusions in narrative writing. (p. 374)	❑	❑
Cultura		
• share information about a pre-Columbian art museum. (p. 360)	❑	❑
• identify Hispanic artists with different expressive talents. (p. 371)	❑	❑
• discuss and compare art, artists, and artisans in Peru, Bolivia, and Ecuador. (p. 376)	❑	❑
Laberinto peligroso		
• read between the lines and make inferences when reading. (p. 378)	❑	❑
• hypothesize about Dr. Huesos and the mysterious man outside Celia's door. (p. 379)	❑	❑
• consider Celia's threatening e-mail and Cisco's predicament. (p. 380)	❑	❑

VOCABULARIO ACTIVO

CD 4
Tracks 4-12

El arte visual	*Visual arts*
la acuarela	*watercolor*
el arte dramático	*performance art*
el/la artista	*artist*
el autorretrato	*self-portrait*
el dibujo	*drawing*
el diseño	*design*
el grabado	*etching*
la imagen	*image*
el lienzo	*canvas*
la materia	*material; subject*
el motivo	*motif; theme*
el mural	*mural*
el/la muralista	*muralist*
la naturaleza muerta	*still life*
la obra maestra	*masterpiece*
el óleo	*oil painting*
el pincel	*paintbrush*
el/la pintor/a	*painter*
la pintura	*painting*
el paisaje	*landscape*
el retrato	*portrait*
el taller	*workshop, studio*
el valor	*value*

Algunos adjetivos	*Some adjectives*
cotidiano/a	*everyday; daily*
estético/a	*aesthetic*
gráfico/a	*graphic*
innovador/a	*innovative*
llamativo/a	*colorful; showy; bright*
talentoso/a	*talented*
técnico/a	*technical*
visual	*visual*

Algunos verbos	*Some verbs*
crear	*to create*
dibujar	*to draw*
encargarle (a alguien)	*to commission (someone)*
esculpir	*to sculpt*
exhibir	*to exhibit*
hacer a mano	*to make by hand*
reflejar	*to reflect*
representar	*to represent*

La artesanía	*Arts and crafts*
la alfarería	*pottery; pottery making*
el/la alfarero/a	*potter*
las artes decorativas/ aplicadas	*decorative/applied arts*
el/la artesano/a	*artisan*
el barro	*clay*
la cerámica	*ceramics*
la cestería	*basket weaving; basketry*
el/la escultor/a	*sculptor*
la escultura	*sculpture*
la talla	*wood sculpture; carving*
el tapiz	*tapestry*
el/la tejedor/a	*weaver*
el tejido	*weaving*

El mundo de la música y del teatro — *The world of music and theater*

La música	*Music*
el clarinete	*clarinet*
el/la compositor/a	*composer*
el coro	*choir*
el cuarteto	*quartet*
las cuerdas	*strings; string instruments*
el espectáculo	*show*
el flamenco	*flamenco*
los instrumentos de metal,	*brass instruments,*
los instrumentos de viento/de madera	*wood instruments, woodwinds*
el mariachi	*mariachi*
el merengue	*merengue*
la música alternativa	*alternative music*
la música popular	*popular music*
el/la organista	*organist*
el órgano	*organ*
la pieza musical	*musical piece*
el reproductor de MP3	*MP3 player*
el saxofón	*saxophone*
el/la saxofonista	*saxophonist*
los/las seguidores/as	*fans; groupies*
la sinfónica	*symphony orchestra*
el/la solista	*soloist*
el teclado	*keyboard*
el trío	*trio*
el trombón	*trombone*
el violín	*violín*

El teatro	*Theater*
el ballet	*ballet*
la comedia	*comedy*
la danza	*dance*
el/la director/a de escena	*stage manager*
la diva	*diva*
el drama	*drama*
el/la dramaturgo/a	*playwright*
el decorado	*set*
el escenario	*stage*
la función	*show; production*
la obra de teatro	*play*
el miedo de salir en escena	*stage fright*
la tragedia	*tragedy*
el vestuario	*costume; wardrobe; dressing room*

El mundo del cine y de la televisión — *The world of cinema and television*

El cine	*Cinema*
el/la cinematógrafo/a	*cinematographer*
el cortometraje	*short (film)*
los dibujos animados	*cartoons*
el/la director/a	*director*
el equipo de cámara/sonido	*camera/sound crew*
el guión	*script*
el/la guionista	*scriptwriter, screenwriter*
el montaje	*staging; editing*
¡Silencio!	*Quiet everybody (on the set)!*
¡Se rueda!	*Action!*
los subtítulos	*subtitles*

La televisión	*Television*
el canal	*channel*
el concurso	*game show; pageant*
el noticiero	*news program*
la telenovela	*soap opera*
el/la televidente	*television viewer*

Algunos verbos	*Some verbs*
actuar	*to act*
aplaudir	*to applaud*
componer	*to compose*
editar	*to edit*
filmar	*to film*
hacer el papel	*to play the role*
improvisar	*to rehearse; to improvise*
informar	*to inform; to tell*
representar	*to perform*
rodar (en exteriores)	*to film (on location)*

10

Un planeta para todos

Con más población y contaminación, la calidad de vida se reduce para toda cosa viva en el planeta, tanto para las personas como para los animales y las plantas. Cuidar de la naturaleza y los recursos que tiene la Tierra no es una opción: es una necesidad.

El planeta en peligro

PREGUNTAS

1. ¿Qué tipo(s) de contaminación existe(n) en tu comunidad?
2. ¿Cuáles son algunos de los peligros de la contaminación del medio ambiente?
3. ¿Qué haces para contribuir a la contaminación? ¿Y para reducirla o disminuirla?

Comunicación

- Describing the environment
- Expressing volition, doubts, sentiments, and emotions in the past
- Expressing actions completed before others in the past
- Expressing what had happened in the past

VOCABULARIO 1 El medio ambiente

SAM 10-1 to 10-3

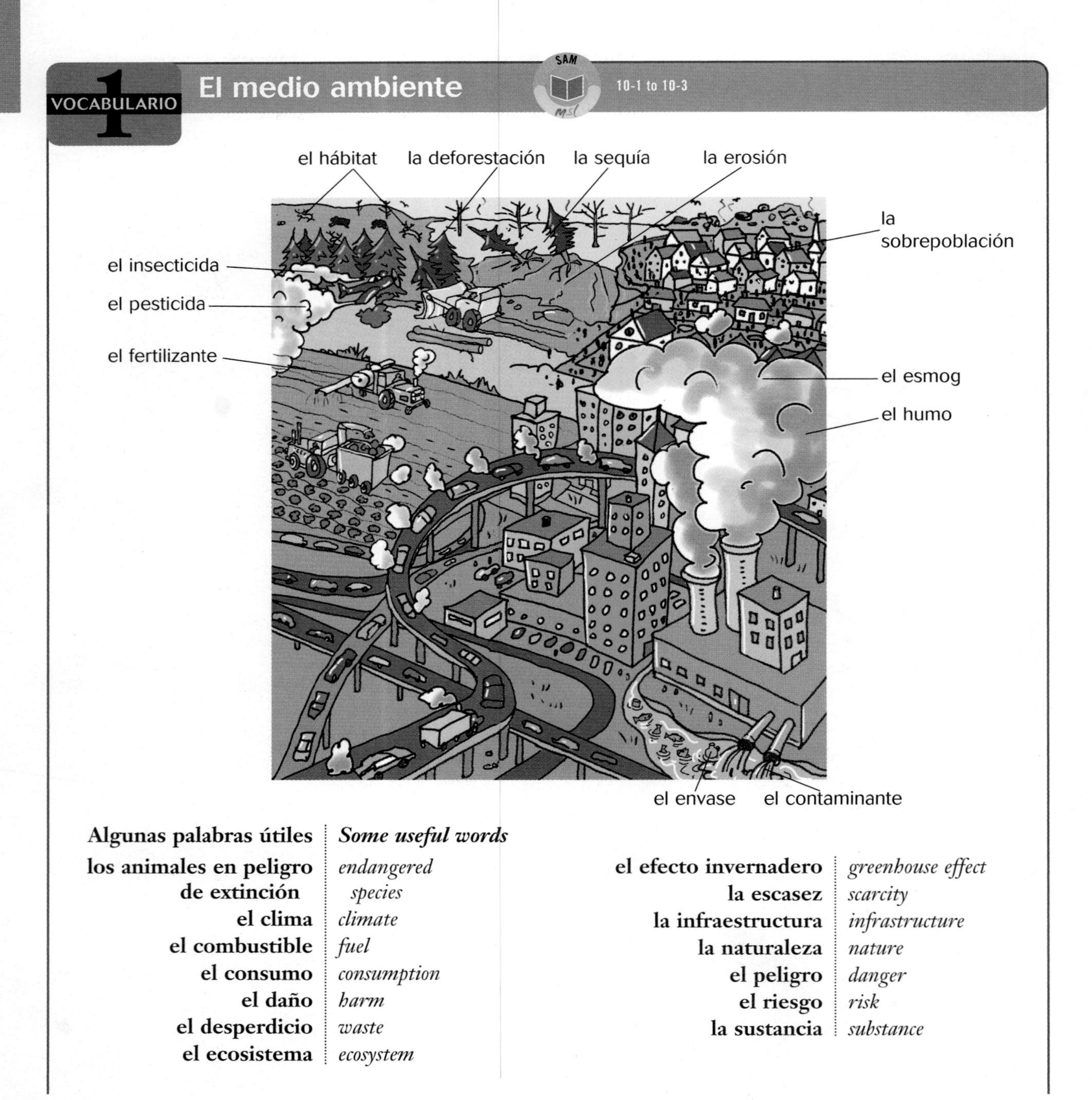

Algunas palabras útiles	*Some useful words*
los animales en peligro de extinción	*endangered species*
el clima	*climate*
el combustible	*fuel*
el consumo	*consumption*
el daño	*harm*
el desperdicio	*waste*
el ecosistema	*ecosystem*
el efecto invernadero	*greenhouse effect*
la escasez	*scarcity*
la infraestructura	*infrastructure*
la naturaleza	*nature*
el peligro	*danger*
el riesgo	*risk*
la sustancia	*substance*

Algunos adjetivos	Some adjectives
árido/a	*arid; dry*
biodegradable	*biodegradable*
climático/a	*climatic*
ecológico/a	*ecological*
exterminado/a	*exterminated*
renovable	*renewable*
tóxico/a	*poisonous*

Algunos verbos	Some verbs
amenazar	*to threaten*
conservar	*to conserve*
cosechar	*to harvest*
dañar	*to damage; to harm*
desaparecer	*to disappear*
descongelar	*to thaw*
desperdiciar	*to waste*
destruir	*to destroy*
fabricar	*to make; to produce*
hacer ruido	*to make noise*
mejorar	*to improve*
preservar	*to preserve*
prevenir	*to prevent*
reducir	*to reduce*
reemplazar	*to replace*
rescatar	*to rescue*
sobrevivir	*to survive*
sostener	*to sustain*

Querido diario:

Hay un gran problema en la Tierra con la cantidad de contaminación. Tenemos que luchar por la preservación de la naturaleza. Sin un intento serio de salvar el planeta ahora, ¿qué nos quedará más tarde?

Preguntas

1. Según Celia, ¿con qué tenemos un gran problema en la Tierra?
2. ¿Cuál es la solución, según Celia?
3. ¿Qué se hace regularmente en tu comunidad para el mejoramiento del planeta?

10-4 to 10-5

37

REPASO

Las preposiciones y los pronombres preposicionales

In Celia's diary, she writes **con la cantidad, por la preservación,** and **sin un intento.** In **Capítulo 5,** you reviewed the uses of **por** and **para.** In addition to **por** and **para,** you have been using a variety of useful prepositions and prepositional phrases throughout ***¡Anda! Curso intermedio.*** They include:

a	*to; at*	**en**	*in, on; at*
a la derecha de	*to the right of*	**encima de**	*on top of*
a la izquierda de	*to the left of*	**enfrente de**	*across from; facing*
acerca de	*about*	**entre**	*among; between*
(a)fuera de	*outside of*	**excepto**	*except*
al lado de	*next to*	**hasta**	*until*
antes de	*before (time/space)*	**incluso**	*including*
cerca de	*near*	**lejos de**	*far from*
con	*with*	**menos**	*except*
de	*of; from*	**para**	*for; in order to*
debajo de	*under*	**por**	*for; through; by; because of*
delante de	*in front of*	**salvo**	*except; save*
dentro de	*inside of*	**según**	*according to*
desde	*from; since*	**sin**	*without*
después de	*after*	**sobre**	*over; about*
detrás de	*behind*		

Also review the list of pronouns that are used immediately following prepositions.

Fíjate

Tú and *yo* (instead of *mí* and *ti*) are used with the prepositions *excepto, entre, según, menos, incluso,* and *salvo.*

mí	*me*	**nosotros/as**	*us*
ti	*you*	**vosotros/as**	*you*
él	*him*	**ellos**	*them*
ella	*her*	**ellas**	*them*
usted	*you*	**ustedes**	*you*

Estrategia

Remember that *con* has two special forms:

1. *con + mí = conmigo* with me
2. *con + ti = contigo* with you

¿Vienes conmigo a la conferencia? Are you coming with me to the conference?
Sí, voy contigo. Yes, I'm going with you.

For a complete review, refer to **Capítulo 11** of ***¡Anda! Curso elemental*** in Appendix 3.

10-1 Definiciones

Completa los siguientes pasos.

Paso 1 Aquí tienen las definiciones. ¿Cuáles son las palabras?

MODELO todo lo que nos rodea (*surrounds us*) y que debemos cuidar para mantenerlo limpio
el medio ambiente

1. la falta o insuficiencia de algo, por ejemplo el agua o la energía
2. una sustancia química tóxica que echamos encima de las plantas para controlar los insectos
3. la falta de agua en la Tierra
4. tener a demasiadas personas viviendo dentro de un área de la Tierra
5. preparar con anticipación lo necesario para evitar algo
6. liberar de un peligro o daño
7. que tiene la posibilidad de hacer de nuevo algo, o de volverlo a su primer estado
8. elementos o servicios que son necesarios para la creación y buena función de una organización

Estrategia

Remember that *la tierra* means "land" or "soil", whereas *la Tierra* refers to the planet Earth.

Paso 2 Ahora subraya las preposiciones que hay en cada definición. Túrnense.

10-2 Nuestros problemas

Lean la conversación entre Delia y Fabián y completen los siguientes pasos.

Paso 1 Subrayen todas **las preposiciones.**

DELIA: Fabián, ¿qué opinas de los problemas del medio ambiente?

FABIÁN: Bueno, creo que el crecimiento tan rápido de la población humana y el desarrollo tecnológico están produciendo un declive (*decline*) cada vez más acelerado en la calidad del medio ambiente y en su capacidad de sostener vida.

DELIA: Sí, estoy totalmente de acuerdo. Además, según los expertos, el dióxido de carbono atmosférico se ha incrementado un treinta por ciento en los últimos doscientos cincuenta años. El problema es que eso puede impedir que la radiación de onda larga escape al espacio exterior. Parece que producimos más calor mientras que es menos el que puede escapar.

FABIÁN: Sí, y ya sé a donde vas —la temperatura global de la Tierra está subiendo. Yo creo que el cambio climático es la cuestión crítica de nuestra época. Entonces las organizaciones nacionales e internacionales tienen que exigir que las empresas y las comunidades busquen la manera de reducir las emisiones de gases invernaderos.

DELIA: Y para que esto sea realidad, hay que buscar maneras de reducir emisiones de carbono. Todo eso va a requerir un gran mejoramiento en la eficiencia energética y en las fuentes alternativas de energía.

FABIÁN: Claro, y no te olvides de los bosques, los ríos y los océanos —el consumo tiene que ser ecológico para poder proteger y conservar la belleza que tenemos en nuestro mundo.

Paso 2 Túrnense para contestar las siguientes preguntas.

1. Según Fabián, ¿qué está causando el declive acelerado en la calidad del medio ambiente?
2. Según Delia, ¿cuánto ha aumentado el nivel de dióxido de carbono en los dos últimos siglos?
3. ¿Cuál puede ser el efecto de ese aumento en el dióxido de carbono?
4. ¿Qué necesitan hacer tanto los países como la comunidad global para combatir eso y para proteger nuestro mundo?

10-3 Así es

Busquen la pareja más lógica para cada frase y creen **ocho** oraciones completas.

1. ______ Alguien bota el envase en el río y...
2. ______ El consumo de la energía para mantener el nivel de vida...
3. ______ Según las cifras, los EE.UU. desperdicia más...
4. ______ Antes de destruir todos los bosques...
5. ______ El mundo se está calentando hasta el punto de...
6. ______ Para reducir el consumo del petróleo...
7. ______ Sin preservar los recursos naturales...
8. ______ Después de dañar tanto a la Madre Tierra...

a. que cualquier otro país del planeta.
b. descongelar los polos norte y sur.
c. es impresionante ver cómo nos sigue sosteniendo.
d. el mundo será muy diferente para las generaciones del futuro.
e. es un gran desperdicio.
f. tenemos que usar los coches de gasolina mucho menos que ahora.
g. necesitamos un mejor plan para reforestar.
h. termina dentro del mar.

10-4 Encuesta

¿Eres "verde"? Completa los siguientes pasos para averiguarlo.

Paso 1 Indica con qué frecuencia haces las siguientes acciones.

México, D.F.

	NUNCA	A VECES	CASI SIEMPRE	SIEMPRE
1. Hablar con mis amigos y parientes para animarlos a reciclar.				
2. No importarme pagar más por los productos que son orgánicos y/o biodegradables.				
3. Reciclar todo el papel que uso.				
4. Reciclar todos los envases posibles de vidrio, plástico, cartón y lata.				
5. No pensar comprar nada que dañe el ecosistema, incluso los pañales (*diapers*).				
6. Conducir menos para conservar energía y reducir la contaminación de aire.				
7. Conducir más lento y menos agresivamente para conservar energía.				
8. Leer el periódico y las revistas en el Internet.				
9. Buscar artículos y programas de televisión para poder aprender más sobre la ecología.				
10. Preocuparse por el agotamiento (*depletion*) de los recursos naturales.				

Paso 2 Crea preguntas y házselas a por lo menos **cinco** compañeros/as de clase. Escribe sus respuestas.

MODELO E1: *¿Hablas con tus amigos y parientes para animarlos a reciclar?*
E2: *Sí, les hablo a veces.*

Paso 3 En grupos de cuatro o cinco, discutan sus respuestas y creen gráficas que representen sus resultados.

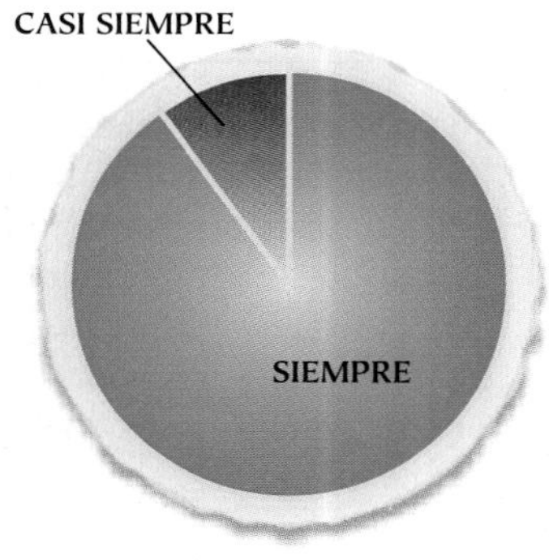

hablar con amigos

pagar más por los productos orgánicos

10-5 La Selva Negra

En el **Capítulo 9,** hablamos de Maná. ¿Sabían que la fundación ecológica La Selva Negra es el brazo social de este grupo de rock? Vayan a la página web de ***¡Anda! Curso intermedio*** para ver artículos y fotos de algunos de sus proyectos dedicados a la protección y preservación del medio ambiente. Después, preparen una presentación de por lo menos **quince** oraciones sobre uno de los proyectos.

Estrategia

For some useful phrases to express agreement or disagreement, consult the *¡Conversemos!* section of this chapter on p. 412.

10-6 Debate

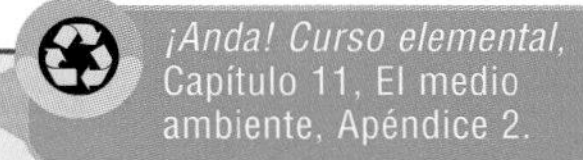

¡Anda! Curso elemental, Capítulo 11, El medio ambiente, Apéndice 2.

Formen equipos para debatir las posibles causas y soluciones a los siguientes problemas.

PROBLEMAS:

1. la sobrepoblación de algunos países del mundo
2. la deforestación
3. el alto consumo del petróleo
4. la dependencia de la energía combustible

GRAMÁTICA 2 El imperfecto de subjuntivo

10-6 to 10-7

60

You already have learned and practiced when to use the subjunctive versus the indicative. You have been using the present and present perfect subjunctive. Now we will explore the past subjunctive, or **el imperfecto de subjuntivo.**

1. The imperfect subjunctive is used to refer to **past events that can include those that were incomplete, hypothetical, unreal, or indefinite.** It is used to express **past wishes, doubts,** and **suggestions.**

   El granjero dudaba que la deforestación **pudiera** causar tanta erosión. — *The farmer doubted that deforestation could cause so much erosion.*

   Los televidentes pidieron que **hubiera** más programas de temas ecológicos. — *The television viewers requested that there be more programs about ecological topics.*

Para el artista era importante que reciclara.

2. The imperfect subjunctive is also used to make **polite requests or statements** using **querer, poder,** and **deber.**

   Quisiera saber cómo este pueblo piensa rescatarse. — *I would like to know how this town is planning on saving itself.*

   ¿Pudieras recomendarme un insecticida que no sea contaminante? — *Could you recommend me an insecticide that is not a contaminant?*

   Debieras ir a la conferencia sobre el medio ambiente. — *You should go to the conference on the environment.*

3. You may use the imperfect subjunctive with **ojalá** when it means *I wish*.

Ojalá que **pudiéramos** rescatar los animales que casi están en peligro de extinción. — *I wish we could rescue the animals that are almost endangered species.*

4. **The imperfect subjunctive of regular and irregular verbs is formed by:**

a. taking the **third person plural of the preterit,**
b. dropping the **-ron** ending,
c. adding the following endings:

		conservar	**sostener**	**sobrevivir**
		(conserva~~ron~~)	(sostuvie~~ron~~)	(sobrevivie~~ron~~)
yo	**-ra**	conserva**ra**	sostuvie**ra**	sobrevivie**ra**
tú	**-ras**	conserva**ras**	sostuvie**ras**	sobrevivie**ras**
él, ella, Ud.	**-ra**	conserva**ra**	sostuvie**ra**	sobrevivie**ra**
nosotros/as	**-ramos**	conservá**ramos**	sostuvié**ramos**	sobrevivié**ramos**
vosotros/as	**-rais**	conserva**rais**	sostuvie**rais**	sobrevivie**rais**
ellos/as, Uds.	**-ran**	conserva**ran**	sostuvie**ran**	sobrevivie**ran**

Note: A **written accent** is required on the *final vowel of the stem* in the **nosotros** form (first person plural).

10-7 La corrida de toros

Escuchen mientras su profesor/a explica la actividad. Van a jugar este juego rápido para practicar las formas del **imperfecto de subjuntivo.**

¡Anda! Curso elemental, Capítulo 11, El medio ambiente; La política, Apéndice 2.

10-8 ¿Qué más?

Acaban de ver un programa documental en la televisión sobre la protección del medio ambiente donde hablaron muchos expertos y personas oficiales del gobierno. Terminen las siguientes oraciones usando siempre **el imperfecto de subjuntivo.**

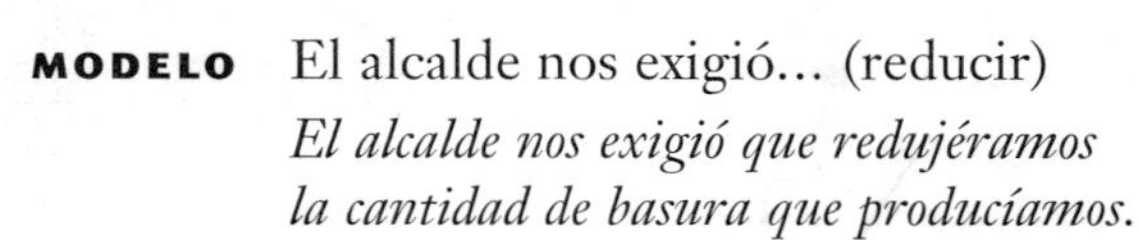

MODELO El alcalde nos exigió… (reducir)
El alcalde nos exigió que redujéramos la cantidad de basura que producíamos.

1. Los expertos esperaban que la gente… (saber)
2. Era imprescindible que yo… (no destruir)
3. El gobierno deseaba que los estados… (no utilizar)
4. Los oficiales nos sugirieron… (prevenir)
5. Un experto buscaba a un oficial que… (poder apoyar)
6. Nos mandó que… (evitar)

¡Anda! Curso elemental, Capítulo 11, El medio ambiente; La política, Apéndice 2.

¡Anda! Curso intermedio, Capítulo 9, Repaso del subjuntivo, pág. 352.

10-9 Mis deseos

Túrnense para responder a cada palabra o expresión relacionada con el medio ambiente.

MODELO E1: la deforestación

E2: *¡Ojalá que pudiéramos plantar dos árboles por cada uno que cortamos!*

Estrategia

Remember that *ojalá* signals the use of the subjunctive. Also remember that the use of *que* is optional.

Ojalá (que) pudiera convencerles. I wish (that) I could convince them.

1. la escasez de agua
2. el esmog
3. la lluvia tóxica
4. los animales en peligro de extinción
5. el efecto invernadero
6. el desperdicio

10-10 En el pasado

¿Qué hacía la gente en el pasado para proteger el medio ambiente? Túrnense para hacerse y contestar las preguntas sobre sus acciones.

MODELO conservar el agua

E1: ¿Qué hacían para conservar el agua?

E2: *Era importante que las duchas fueran cortas y que no se usara mucha agua en el jardín para el césped y las plantas...*

1. conservar la gasolina
2. reducir la basura
3. evitar el uso de contaminantes
4. proteger la tierra
5. proteger los animales salvajes/desplazados (*displaced*)

¡Anda! Curso elemental, Capítulo 11, El medio ambiente, Apéndice 2.

10-11 Por favor

Hay personas que tienen excusa tras excusa para no hacer nada para sostener o ayudar el medio ambiente. Tienen también unos amigos que son creativos en las excusas que tienen para no ayudarlos. Usen **el imperfecto de subjuntivo** para pedirles favores a sus amigos.

MODELO cosechar el maíz

E1: *Tomás, hoy mi padre empieza a cosechar el maíz. ¿Pudieras ayudarnos?*

E2: *Me gustaría ayudarlos, pero tengo que llevar a mi abuelo al médico.*

1. trabajar en el centro de reciclaje
2. reemplazar las bombillas en todos los edificios de la universidad
3. llevar todas las sustancias químicas tóxicas a un vertedero especial
4. reforestar el bosque detrás de la universidad
5. rescatar unos animales desplazados

10·12 Un futuro mejor

¡Anda! Curso elemental, Capítulo 10, Los medios de transporte; Capítulo 11, El medio ambiente; La política, Apéndice 2.

Imagina que dentro de veinte años estás hablando con tus padres sobre "aquellos tiempos" cuando el planeta estaba en más peligro y la sociedad tenía más problemas.

¡Anda! Curso intermedio, Capítulo 7, Algunos artículos en las tiendas, pág. 287; Capítulo 9, Repaso del subjuntivo, pág. 352.

Paso 1 Escribe por lo menos **ocho** comentarios sobre lo que hacías para mejorar el medio ambiente. Necesitas usar **el imperfecto de subjuntivo** en cada oración.

MODELO E1: *Papá, en aquel entonces* (back then) *tú querías que comprara un coche muy pequeño que usara menos gasolina. En casa, nos exigías que... En el jardín...*

Paso 2 Comparte tus comentarios con un/a compañero/a. Túrnense.

GRAMÁTICA 3 El pasado perfecto de subjuntivo

SAM 10-8 to 10-9 Guide 50, 66

The **past perfect subjunctive** (also known as the *pluperfect subjunctive*) is used under the same conditions as the *present perfect* **subjunctive (haya -ado/-ido, hayas -ado/-ido, etc.), but** it is used to refer to **an event prior to another past event.** This includes **events that were doubted** or **that one wished had already occurred.**

Sentíamos que el gobierno **hubiera dejado** que cortaran tantos árboles.	*We were sorry that the government had allowed them to cut so many trees.*
Esperaba que mis padres ya **hubieran reciclado** sus latas.	*I hoped that my parents had already recycled their cans.*
Dudaba que ya **hubieran comprado** los productos biodegradables.	*He doubted that they had already bought the biodegradable products.*

¡No había nadie que hubiera reciclado más que mis padres!

Note: The first verb in each of the sample sentences is in the **imperfect** (**Sentíamos, Esperaba,** and **Dudaba**). Those first verbs are in the *main clause,* which is also known as the *independent clause.*

- The **pasado perfecto de subjuntivo is formed in the following manner:**

  imperfect subjunctive form of ***haber*** + **participio pasado** (*-ado/-ido*)

yo	**hubiera**	
tú	**hubieras**	
él, ella, Ud.	**hubiera**	**dañado**
nosotros/as	**hubiéramos**	**sostenido**
vosotros/as	**hubierais**	**sobrevivido**
ellos/as, Uds.	**hubieran**	

10-13 Tiempo y modo

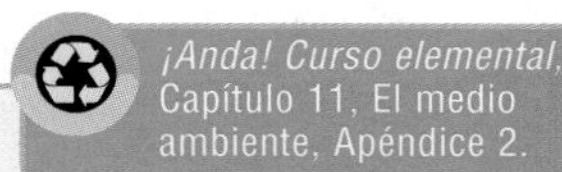

Cambien las siguientes frases para usar **el pasado perfecto de subjuntivo.**

MODELO Es bueno / haya rescatado...
Era bueno que hubiera rescatado el oso panda...

1. Siento / hayamos dañado...
2. Es dudoso / ellos hayan sobrevivido...
3. Es importante / usted haya sostenido...
4. No creo / ella haya amenazado...
5. Ellos tener miedo de / María haya desaparecido...
6. Es (una) lástima / hayan destruido...

10-14 En el centro de reciclaje

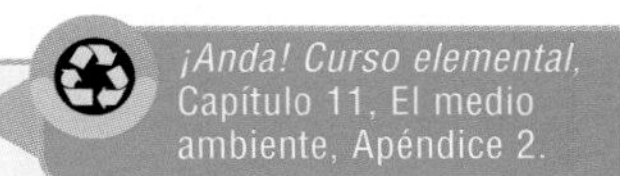

Algunos voluntarios aparecieron ayer, pero pasaron el día charlando y mucho se quedó sin hacer (*a lot was left undone*). Ahora ustedes y sus amigos tienen que hacerlo todo. Cambien los verbos del pasado perfecto de indicativo al **pasado perfecto de subjuntivo.**

MODELO Cuando llegamos al centro:
No habían hecho nada del trabajo del día anterior. (sentir)
Cuando llegamos al centro sentíamos que no hubieran hecho nada del trabajo del día anterior.

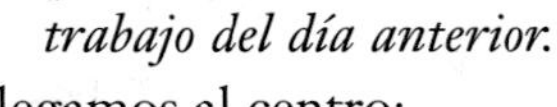

Cuando llegamos al centro:

1. No habían separado los periódicos. (molestarnos)
2. Habían dejado muchas cajas de plástico en la entrada. (sorprenderme)
3. Alguien había escrito "latas" en el recipiente general para el aluminio. (frustrarnos)
4. El director del centro nos dijo que había buscado a otras personas para ayudar en el futuro. (alegrarnos)
5. No había venido nadie que pudiera levantar una caja enorme de vidrio. (extrañarme)

10-15 El verano pasado

Imaginen que los siguientes eventos ocurrieron el verano pasado. Túrnense para explicar cómo hubieran reaccionado.

MODELO ir de vacaciones a Costa Rica (yo / ellos)
E1: *Me encantó que hubieran ido de vacaciones a Costa Rica.*

1. recibir un coche nuevo de sus padres (yo / Mariela)
2. romper con tu novio/a (nosotros / tú)
3. ganar $5.000 en la lotería (Jorge / Gustavo y Rafi)
4. casarse tu mejor amigo/a (ellos / tú)
5. romperse la pierna (yo / Victor)
6. perder su bolso (Cecilia / Amalia)

10-10 to 10-11

Notas culturales

Amigos del Medio Ambiente

Nuestra historia

En el año 1973, unos individuos de conciencia ambiental quisieron fundar una organización sin fines de lucro que tuviera el intento de mejorar el medio ambiente. Si estos individuos no hubieran tenido esta visión hacia el futuro, hoy no existiría Amigos del Medio Ambiente (AMA), que tanto ha progresado en esta área.

Nuestra misión

Amigos del Medio Ambiente se dedica a la preservación del medio ambiente mediante la reducción del desperdicio y la contaminación con la promoción de programas que favorezcan la reducción de toda acción que dañe el ecosistema.

Nuestros principios y acciones

- Desarrollamos programas para reducir los efectos dañinos de la deforestación, la erosión, el efecto invernadero y los resultados del uso de los insecticidas y los pesticidas.
- Trabajamos con los políticos para implementar unas leyes que protejan el medio ambiente y su flora y fauna.
- Proponemos acciones para limpiar el aire y mejorar la calidad del agua de que tanto dependemos.
- Insistimos en la educación para sostener los recursos naturales a fin de cambiar los hábitos de consumo del ser humano.
- Reconocemos los derechos de las especies animales como seres no humanos y les brindamos respeto a su vida y su dignidad.

Preguntas

1. ¿Cuándo fue fundada esta organización y quiénes la crearon?
2. Explica su misión en tus propias palabras. ¿Cómo cumplen con esta misión?
3. ¿Con qué organizaciones de los EE.UU. puedes comparar AMA? ¿En qué son similares y en qué son diferentes? ¿Qué opinas tú de este tipo de organizaciones?

10-16 Lo que hubiera hecho

Entrevista a tu compañero/a para averiguar todo lo que él/ella esperaba que el gobierno hubiera hecho en los últimos veinte años para conservar el medio ambiente. Usen el **pasado perfecto de subjuntivo.** Túrnense.

MODELO *Esperaba que ya hubiera programas de reciclaje en las escuelas primarias...*

10-17 Un año académico en Latinoamérica

Imaginen que acaban de volver de un año académico en un país latinoamericano. Hagan comentarios sobre **ocho** aspectos (inventados) del año y lo que hubieran hecho antes de viajar a Latinoamérica. Usen el **pasado perfecto de subjuntivo.**

MODELO *No pensaba que hubiera sido posible quedarme un año completo lejos de mi casa...*

ESCUCHA

10-12 to 10-13

ESTRATEGIA **Listening in different contexts**

If you are listening to a political commentary, a news broadcast, or some other type of public announcement, your listening is often guided by your personal interest as well as your own opinions and feelings regarding the topic. When you know something about a topic, your background knowledge will help you understand and remember more of what you hear. The degree to which you need to attend to a message depends on what you are listening to and who is delivering it.

10•18 Antes de escuchar

¿Has visto o escuchado anuncios sobre el medio ambiente? ¿Cuáles eran sus mensajes? ¿Qué recomendaban?

10•19 A escuchar

CD 4
Track 13

Vas a escuchar un anuncio de la radio sobre el medio ambiente, dirigido a los jóvenes ecuatorianos. Completa los siguientes pasos.

Paso 1 Escucha la primera vez para captar la idea general del anuncio.

Paso 2 Escucha de nuevo, esta vez enfocándote en la información necesaria para contestar las siguientes preguntas.

1. Según el joven, ¿cuál es la primera cosa que debemos hacer, en nuestras propias casas, para proteger el medio ambiente?
2. ¿Qué tenemos que hacer cuando usamos productos, por ejemplo para la limpieza?
3. ¿Cómo podemos reutilizar los envases?

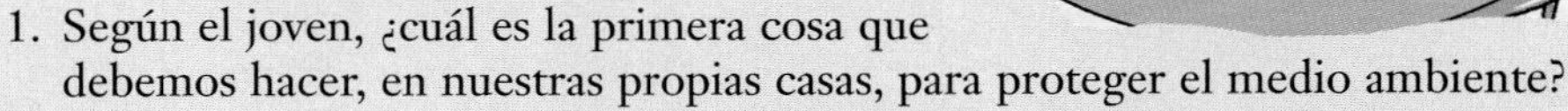

10•20 Después de escuchar

Escribe tu propio anuncio para los jóvenes de tu pueblo o ciudad sobre un aspecto del medio ambiente que te interese. Después, compártelo con tus compañeros de clase.

¿Cómo andas?

Having completed the first **Comunicación,** I now can...

	Feel Confident	Need to Review
• share information about the environment. (p. 386)	❑	❑
• indicate purpose, time, and location. (p. 387)	❑	❑
• express prior recommendations, wants, doubts, and emotions. (p. 391)	❑	❑
• discuss actions completed before others in the past. (p. 394)	❑	❑
• describe the principles and actions of an environmental agency. (p. 396)	❑	❑
• recognize and comprehend information in a listening context. (p. 397)	❑	❑

Comunicación

- Describing the geographic world and its fauna
- Stating what might happen or what might have occurred in the past under certain conditions

VOCABULARIO 4 Algunos animales

SAM 10-14 to 10-15

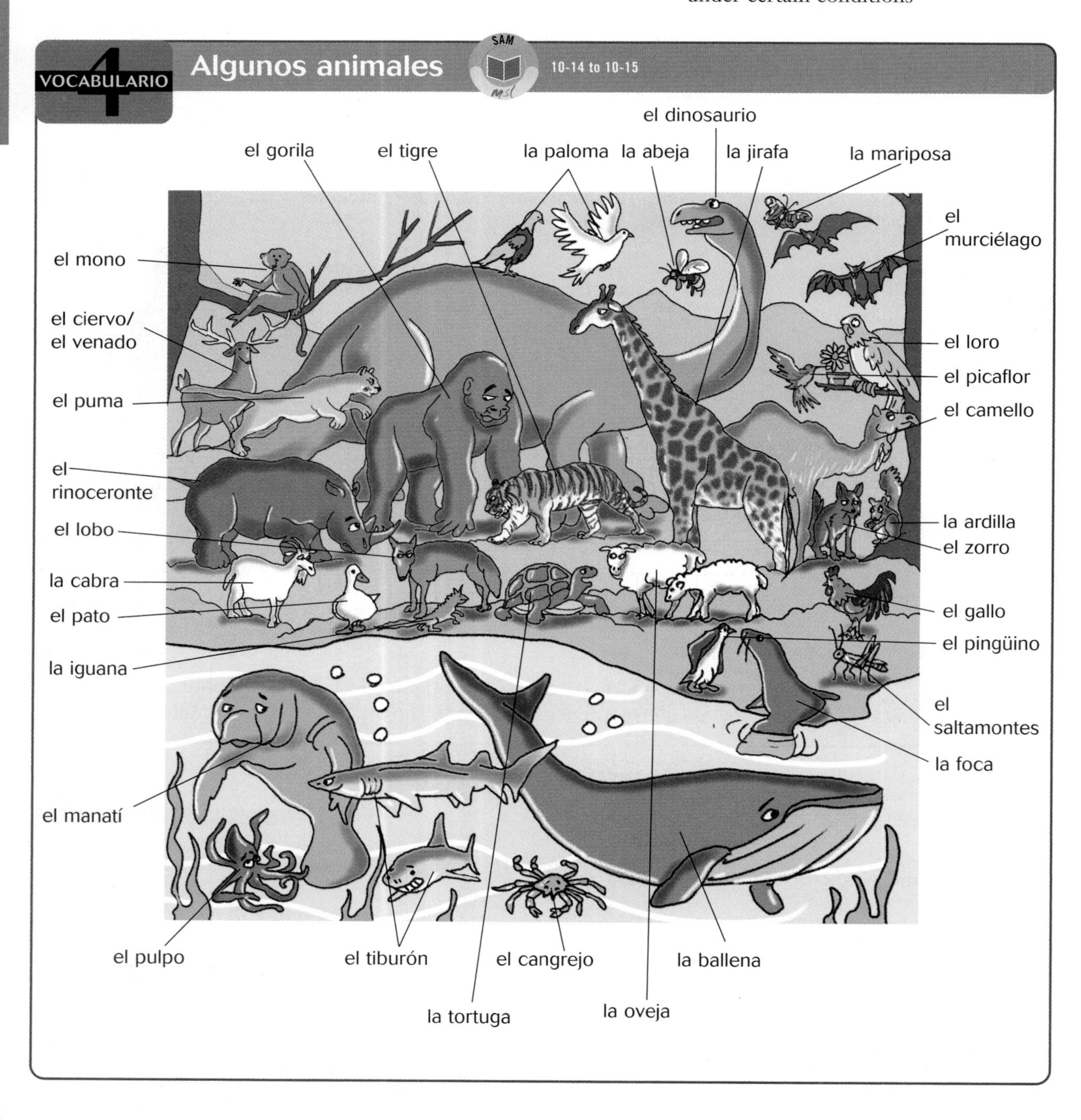

El parloteo de Cisco

¿Qué puedo hacer para preservar el medio ambiente, a fin de sostener una vida saludable para los seres humanos y los animales? Primero, puedo dejar de usar los envases no biodegradables.

Deja un comentario para Cisco:

REPASO

El uso del infinitivo después de las preposiciones

In Cisco's blog, he writes **para preservar, a fin de sostener,** and **dejar de usar.** In Spanish, if you need to use a verb immediately after a preposition, it must always be in the **infinitive** form, as in the following sentences.

Tenemos que trabajar juntos **para mejorar** el medio ambiente.	*We have to work together to improve the environment.*
Saldrá **después de reciclar.**	*She will leave after recycling.*

SAM 10-16

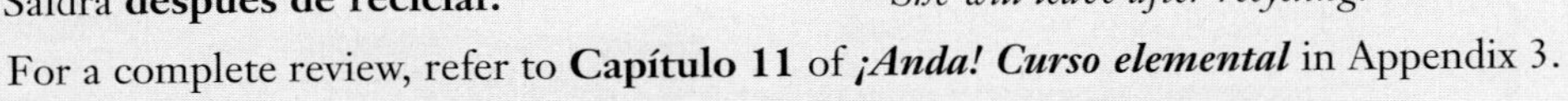

For a complete review, refer to **Capítulo 11** of ***¡Anda! Curso elemental*** in Appendix 3.

10-21 Categorías

Organiza los animales del vocabulario según las siguientes categorías: **insecto, reptil, mamífero** y **ave.** Después, compara tus listas con las de un/a compañero/a.

INSECTO	REPTIL	MAMÍFERO	AVE

10-22 Los hábitats

¡Anda! Curso elemental, Capítulo 11, Los animales, Apéndice 2.

Están organizando un nuevo museo de historia natural en su pueblo o ciudad y quieren que ayuden con la organización de los animales para seis hábitats. Túrnense para indicar el hábitat de cada animal de la lista. **¡OJO!** Hay animales que pertenecen a más de un hábitat.

LA GRANJA	EL BOSQUE	EL OCÉANO	LA SELVA	EL DESIERTO	LA LLANURA

1. la oveja
2. el rinoceronte
3. la cabra
4. el tigre
5. el cangrejo
6. el ciervo
7. la mariposa
8. la ardilla
9. la foca
10. el gallo
11. el gorila
12. el camello
13. la iguana
14. el lobo
15. el pulpo

¡Anda! Curso intermedio, Capítulo 8, El condicional, pág. 318.

10-23 ¿Qué harían?

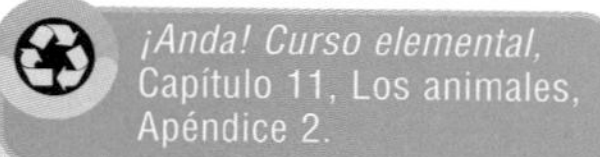

¡Anda! Curso elemental, Capítulo 11, Los animales, Apéndice 2.

Hoy en día está muy de moda viajar a donde puedes interactuar con animales "exóticos". Expliquen a dónde irían o qué harían para poder hacer las siguientes cosas.

MODELO para montar en camello

Para montar en camello, tendría que ir al desierto del Sahara, por ejemplo, y buscar a alguien que tenga camellos.

1. para atraer los picaflores
2. para ver una jirafa
3. para observar las ballenas
4. para evitar una serpiente peligrosa
5. para aprender más sobre el gorila

10·24 ¿Qué significan para ti?

Para muchas culturas, incluso para muchas personas, los animales son utilizados como símbolos. Juntos escojan **seis** animales que puedan ser sus símbolos. Después, compartan sus respuestas con sus compañeros.

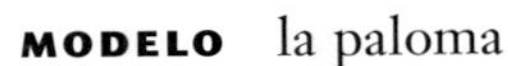

MODELO la paloma
La paloma blanca es un símbolo de la paz.

10·25 Cadenas

En grupos de cinco, van a crear oraciones sobre animales, usando siempre **el infinitivo después de las preposiciones.** Un/a compañero/a empieza con una oración y cada uno/a tiene que añadir una oración sobre el mismo animal.

MODELO la paloma
E1: *Acabo de ver una paloma en el jardín de mi casa.*
E2: *Después de ver la paloma, saqué una foto.*
E3: *Antes de ver la paloma, estaba leyendo.*
E4: *Para ver una paloma, yo necesito ir al parque.*
E5: *Entre ver una paloma y ver un picaflor, prefiero el picaflor.*

1. la abeja
2. la mariposa
3. el lobo
4. el pingüino
5. la jirafa
6. el manatí
7. el puma
8. el murciélago
9. el mono

¡Anda! Curso intermedio, Capítulo 1, El presente perfecto de indicativo, pág. 46; Capítulo 4, El pretérito y el imperfecto, pág. 143; Capítulo 5, El pretérito y el imperfecto (cont.), pág. 196.

10·26 Búsqueda

Circula por la clase buscando a personas que hayan hecho las siguientes cosas. Si la persona lo ha hecho, debe firmar y explicar dónde y cuándo lo hizo.

MODELO ¿Quién... intentar comunicarse con un gorila?
E1: *¿Has intentado comunicarte con un gorila?*
E2: *Sí, cuando tenía diez años fui con mis padres al parque zoológico y me fascinaron los gorilas. Intenté comunicarme con gestos* (gestures).
E3: *Pues, firma aquí...*

¿QUIÉN...?		
nadar cerca de tiburones ____________	cargar (*to carry*) una serpiente ____________	ir de safari y estar cerca de un rinoceronte ____________
capturar un saltamontes ____________	ver un zorro en el jardín de su casa ____________	comer pulpo ____________
ir a un museo para ver los huesos de un dinosaurio ____________	tener un pato como animal doméstico ____________	tocar una iguana ____________

Cláusulas de *si* (Parte 2)

10-17 to 10-18

62, 63

In **Capítulo 9,** you learned about **si** clauses with the **present indicative.** You will remember that the "formula" for sentence formation is:

***Si* + present indicative**	**+ (then)**	**present indicative**
	+ (then)	**future**
	+ (then)	**command**

You can also use **si** clauses to express **hypothetical and contrary-to-fact information.**

- The "formula" for these sentences is:

***Si* + imperfect subjunctive, conditional**
***Si* + past perfect subjunctive, conditional perfect**

Note: The **si** clause can come either at the beginning or at the end of a sentence.

Si hubiera sido Tarzán, habría vivido con los monos.

Study the following examples:

Si fuera Tarzán, **viviría** con los monos.	*If I were Tarzan, I would live with monkeys.*
Si hubiera sido Tarzán, **habría vivido** con los monos.	*If I had been Tarzan, I would have lived with monkeys.*
Si Fernando pudiera ir de safari, no **cazaría; sacaría** muchas fotos.	*If Fernando could go on a safari, he would not hunt; he would take many photos.*
Si Fernando hubiera podido ir de safari, no **habría cazado; habría sacado** muchas fotos.	*If Fernando had been able to go on a safari, he would not have hunted; he would have taken many photos.*
Si encontrara unos huesos importantes de dinosaurio en mi jardín, **sería** famosa.	*If I found some important dinosaur bones in my yard, I'd be famous.*
Si hubiera encontrado unos huesos importantes de dinosaurio en mi jardín, **habría sido** famosa.	*If I had found some important dinosaur bones in my yard, I'd have been famous.*
Verían muchos pingüinos **si vivieran** en el sur de la Patagonia.	*They would see many penguins if they lived in the southern part of Patagonia.*
Habrían visto muchos pingüinos **si hubieran vivido** en el sur de la Patagonia.	*They would have seen many penguins if they had lived in the southern part of Patagonia.*

Si fuera a la playa, bebería a cerveza.
Si tenía mucho

10•27 Si pudiera

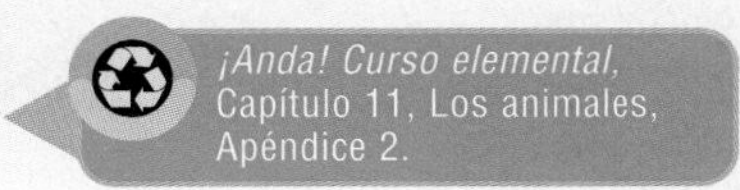

Túrnense para terminar las siguientes oraciones.

MODELO Si hubiera una culebra venenosa en mi casa…
Si hubiera una culebra venenosa en mi casa, saldría inmediatamente y gritaría "¡socorro!" (help).

1. Si pudiera hacer un safari fotográfico…
2. Si viera en persona un animal salvaje…
3. Si tuviera una granja de ovejas…
4. Si estuviera en el desierto del Sahara…
5. Si quisiera proteger las tortugas…
6. Si hubiera muchos saltamontes en mi jardín…

10•28 La otra mitad

Ahora necesitan terminar las siguientes oraciones con **cláusulas de si.** Túrnense.

MODELO … no nadaría en el mar por muchos meses.
Si viera tiburones cerca de la playa, no nadaría en el mar por muchos meses.

1. … iría a África.
2. … me compraría unas cabras.
3. … llamaría al 911 para que me llevaran al hospital inmediatamente.
4. … tendría los hábitats lo más naturales posibles para todos los animales.
5. … compraría unos patos.

10•29 El círculo

Escuchen mientras su profesor/a les da las instrucciones para este juego.

MODELO E1: *Si no quisiera estudiar español…* (tira la pelota)
E2: (toma la pelota) *no estaría en esta clase.* (tira la pelota)
E3: (toma la pelota) *Si estuviera en Puerto Rico…* (tira la pelota)
E4: (toma la pelota) *¡iría a la playa ahora mismo!* (tira la pelota)…

10•30 La conferencia

Completen los siguientes pasos.

Paso 1 Ustedes fueron a una conferencia sobre el medio ambiente el fin de semana pasado. Escriban **cinco** oraciones de lo que podría ocurrir si realmente quisiéramos dedicarnos a preservar el medio ambiente. Usen siempre **cláusulas de si.**

Paso 2 Compartan sus oraciones con otros compañeros y juntos elijan las **tres** mejores oraciones para compartirlas con el/la profesor/a.

MODELO *Si dejáramos de desperdiciar tanto, habría menos basura. Si camináramos más y condujéramos menos…*

VOCABULARIO 6 Algunos términos geográficos

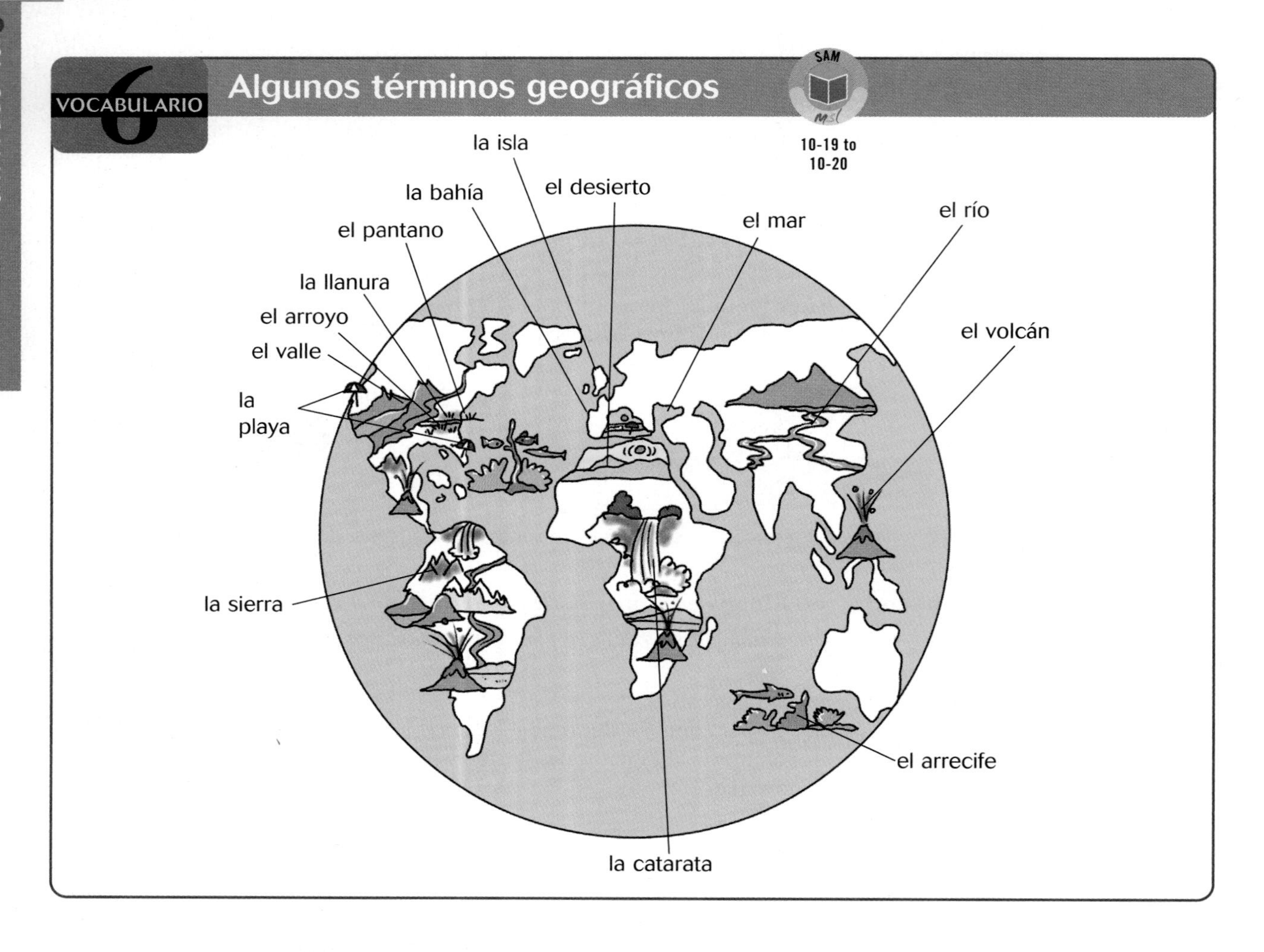

10·31 Lugares famosos

¿Pueden nombrar algunos lugares conocidos para cada término geográfico? Después, digan dónde se encuentran esos lugares.

MODELO bahías

la bahía de Campeche, la bahía Biscayne (bahía Vizcaína),...

La bahía de Campeche está en la costa este de México, cerca del Yucatán.

La bahía de Biscayne está en el sur de Florida,...

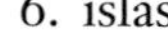

1. ríos
2. sierras
3. valles
4. cataratas
5. desiertos
6. islas
7. mares
8. volcanes

10-32 Los deportes y los pasatiempos

¡Anda! Curso elemental, Capítulo 2, Los deportes y los pasatiempos; Capítulo 11, Los animales, Apéndice 2.

¡Anda! Curso intermedio, Capítulo 1, Algunos verbos como *gustar;* pág. 38; Capítulo 2, Algunos deportes, pág. 68; Algunos pasatiempos, pág. 81.

Hablen de los deportes y los pasatiempos que pueden disfrutar en los siguientes lugares. Usen **gustar** y algunos **verbos como gustar.**

MODELO en el lago

E1: *¿Qué te gusta hacer en el lago?*

E2: *Me encanta nadar, pescar y esquiar en el lago. ¿Y a ti?*

E1: *Me gusta salir en barco.*

1. en las montañas
2. en la playa
3. en el río
4. en el bosque
5. en el océano/mar

10-33 Tres pistas

¡Anda! Curso elemental, Capítulo 11, El medio ambiente, Apéndice 2.

Escoge **cuatro** palabras del vocabulario nuevo y escribe **tres** pistas para cada una, yendo desde lo más general hasta lo más específico. Después, en grupos de cuatro, van a darles las pistas a sus compañeros para que ellos averigüen las palabras.

MODELO el desierto

PISTA 1: *No hay ni muchos animales ni muchas plantas.*

PISTA 2: *Hace mucho calor.*

PISTA 3: *Es un lugar de mucha sequía.*

¡Anda! Curso elemental, Capítulo 11, El medio ambiente; Los animales, Apéndice 2.

10-34 ¿Qué harías?

Acaban de ver una película documental que trata del medio ambiente y les inspiró. Expliquen qué harían para mejorar el medio ambiente en los siguientes lugares o situaciones. Usen **cláusulas de si.**

MODELO el arrecife

E1: *¿Qué harías para proteger los arrecifes?*

E2: *Si fuera posible, prohibiría que los barcos se acercaran y mandaría que no botaran basura. ¿Y tú? ¿Qué harías?*

1. el río
2. la playa
3. la selva
4. el bosque
5. con dos millones de dólares
6. ser el/la director/a de una fundación para proteger el medio ambiente

10-35 Preguntas

¿Son similares o diferentes las experiencias y opiniones de tus compañeros/as de clase? Completa los siguientes pasos para averiguarlo.

Paso 1 Crea preguntas para tus compañeros.

MODELO *Si pudieras navegar cualquier río, ¿cuál sería? ¿Por qué?*

Una playa ecológica: Playa Escondida en Ecuador

1. Si / poder navegar / cualquier río / ¿cuál / ser? / ¿Por qué? ______ ______	5. ¿Cuáles / ser / algunos países / que / tener / volcanes activos? ¿Ver (*Have you seen)* / tú / un volcán en persona? ______ ______
2. Si /estar / ahora mismo en la playa / ¿con quién(es) / te gustar / estar? ______ ______	6. ¿Nadar (*have you swum)* / tú / alrededor de una catarata? Si / poder visitar / tú / unas cataratas famosas / ¿cuáles / visitar? ______ ______
3. ¿Cuáles / ser / las mejores playas? (pueden ser de los EE.UU. o de cualquier parte del mundo) ______ ______	7. Si / poder /tú /¿dónde / bucear o hacer snorkel? ______ ______
4. ¿Vivir / tú / cerca de un bosque? / ¿Caminar / tú / por un bosque de vez en cuando? / ¿Ver (*have you seen*) / tú / algunos animales allí? ______ ______	8. ¿Cuál / ser / el lugar más interesante / que / conocer / tú? / ¿Por qué / ser / tan interesante? ______ ______

Paso 2 Haz una encuesta de tus compañeros/as.

Paso 3 Comparte tus resultados con un/a compañero/a.

Paso 4 Ve a la página web de ***¡Anda! Curso intermedio*** para escribir tus respuestas.

GRAMÁTICA 7 La secuencia de los tiempos verbales

10-21 to 10-22

You have learned and have been practicing a number of tenses over the course of your Spanish studies. What follows is a synthesis and summary of what tenses go together to express certain conditions in the subjunctive.

No hay nadie que haya desperdiciado tanto como mis tíos.

USING THE SUBJUNCTIVE

1. When the verb in the main clause is in the *present indicative*, *present perfect indicative*, or *future indicative*, or is *a command*, the **present** or **present perfect subjunctive** is generally used in the subordinate clause.

MAIN CLAUSE	SUBORDINATE CLAUSE
present indicative, present perfect indicative, future indicative,* or *command	***present* or *present perfect subjunctive***

a. The **present subjunctive** is used when the action of the subordinate clause occurs ***at the same time*** as the action in the main clause ***or after*** it:

MAIN CLAUSE SUBORDINATE CLAUSE

Insistimos en que nuestros compañeros empiecen a reciclar el papel.
We insist that our classmates begin to recycle paper.

No hay nadie que desperdicie tanto como mi tío.
There is no one who wastes as much as my uncle.

b. The **present perfect subjunctive** is used when the action of the subordinate clause occurs ***before*** the action in the main clause:

MAIN CLAUSE SUBORDINATE CLAUSE

Esperamos que todos nuestros compañeros hayan empezado a reciclar el papel.
We hope that all our classmates have begun to recycle paper.

No hay nadie que haya desperdiciado tanto como mis tíos.
There is no one who has wasted as much as my aunt and uncle.

2. When the verb in the main clause is in the *preterit*, *imperfect*, or *conditional indicative*, the **imperfect subjunctive** or the **past perfect subjunctive** form is generally used.

MAIN CLAUSE	SUBORDINATE CLAUSE
preterit, imperfect, or conditional indicative	***imperfect subjunctive* or *past perfect subjunctive***

Roberto insistió en que fuéramos al volcán.
Roberto insisted that we go to the volcano.

Pediría que viajáramos con él cada semana.
He would ask that we travel with him each week.

a. The *imperfect subjunctive* is used when the action of the subordinate clause occurs at the ***same time*** as the action in the main clause or ***after*** it:

MAIN CLAUSE SUBORDINATE CLAUSE

Insistíamos en que todos nuestros compañeros reciclaran el papel.
We insisted that all our classmates recycle paper.

No había nadie que desperdiciara tanto como mi tío.
There was no one who wasted as much as my uncle.

b. The *past perfect subjunctive* is used when the action of the subordinate clause occurs ***before*** the action in the main clause:

MAIN CLAUSE SUBORDINATE CLAUSE

Esperábamos que todos nuestros compañeros hubieran empezado a reciclar el papel.
We hoped that all our classmates had begun to recycle paper.

No había nadie que hubiera desperdiciado tanto como mi tío.
There was no one who had wasted as much as my uncle.

10-36 Reportaje

Lean las siguientes oraciones y completen los siguientes pasos.

Paso 1 Subrayen **una** vez el verbo de la cláusula principal y **dos** veces el verbo de la cláusula subordinada.

MT

1. Es bueno que protejan las tortugas del mar.
2. Me sugirieron que redujera la comida que yo les daba a las cabras. D
3. Ella no quiso ir a la playa hasta que hubieran llegado sus amigos. A
4. Queremos que el pueblo deje de usar tantos contaminantes. D
5. No encontré a nadie que hubiera estado en la Patagonia. A
6. Saldremos de casa en cuanto mis hermanos hayan capturado las iguanas. A

Paso 2 Indiquen si la acción de la cláusula subordinada ocurre **antes de (A), después de (D)** o **al mismo tiempo (MT)** que la acción **de la cláusula principal.**

10-37 Formas

La práctica hace al maestro. Túrnense para completar los siguientes pasos.

Paso 1 Completen las siguientes oraciones con las formas apropiadas de los verbos.

1. Su novio querría que le (comprar) unos patos para el lago que está delante de su casa.
2. No creía que el clima (cambiar) tanto.
3. Nos habría gustado que ellos (dejar) de cortar los árboles del pantano.
4. Los políticos exigen que la gente (reforestar) ese lugar en cuanto antes.
5. Ellos vendrán a vernos tan pronto como nosotros (llegar) del trabajo.
6. Buscamos a alguien que (querer) ir a la sierra con nosotros.

Paso 2 Indiquen si la acción de la cláusula subordinada ocurre **antes de (A), después de (D)** o **al mismo tiempo (MT)** que la acción de la cláusula principal.

10-38 A terminar

Ahora les toca a ustedes. Completen las siguientes oraciones usando siempre una forma apropiada del **subjuntivo** y el **vocabulario** de este capítulo.

1. Dicen que no van a reemplazar los métodos antiguos de producción hasta que...
2. Para la próxima presentación, el/la profesor/a quiere que...
3. Después de ver la cantidad de basura, yo dudaba que...
4. Cuando mi papá vio el zorro, temía que...
5. Insistimos en que...
6. Ojalá que...

¡Anda! Curso elemental, Capítulo 11, El medio ambiente, Apéndice 2.

10-39 Soluciones

En grupos de cuatro, piensen en los factores que afectan al mundo de los animales. Hablen de lo que se podría hacer para solucionar unos problemas y para evitar problemas en el futuro, usando **el subjuntivo** cuando sea posible.

POSIBLES PROBLEMAS:

1. el tratamiento de los animales en algunos parques zoológicos
2. la reducción de los bosques (y así del hábitat de muchos animales)
3. los problemas con los insectos
4. el trato (*treatment*) de los animales que se crían (*raise*) para comer
5. los animales en peligro de extinción

MODELO *Es importante que los parques zoológicos sean lo más naturales posible.*
Es necesario que los animales tengan suficiente espacio para moverse bien.
En el pasado, no era tan crítico que...

Algunas personas con una conciencia ambiental

A propósito o no, el ser humano ha contribuido mucho a la destrucción del medio ambiente. Estas tres personas admirables han dedicado sus vidas al combate de los problemas ambientales.

El Parque Nacional Madidi no existiría si no fuera por la determinación de **Rosa María Ruiz,** una activista ecológica boliviana. Por medio de su trabajo, se protege esta área vasta que incluye una geografía muy variada: desde la sierra de los Andes hasta los valles de la selva tropical amazónica.

Si no hubiera tenido un gran interés y destreza en la cetrería (*falconry*), tal vez **Félix Rodríguez de la Fuente** (1928–1980) no habría llegado a ser el conservacionista español más conocido del siglo XX. Colaboró en una serie de programas de televisión y documentales muy populares sobre el tema de la preservación de la fauna y del medio ambiente.

Tal vez no se habría investigado el peligro que causan los clorofluorocarbonos (CFC) en la capa de ozono si a **Mario José Molina Henríquez** (n. 1943) no le hubiera interesado tanto la química de joven. Descubrió que estos gases dañan a la estratosfera. En el año1995, recibió el Premio Nobel con otros dos científicos por sus investigaciones.

Preguntas

1. ¿Cómo han contribuido estas personas a la concienciación del público sobre el estado del medio ambiente?
2. ¿Qué piensas de la crisis del medio ambiente? ¿Qué puedes hacer para mejorar el medio ambiente?

10-40 Conversación

Es tiempo para conocer mejor a tus compañeros/as de clase. Completa los siguientes pasos.

Paso 1 Contesta las siguientes preguntas con un/a compañero/a de clase. Túrnense.

1. Si pudieras vivir en cualquier lugar, ¿preferirías vivir en la sierra, la llanura, la costa u otro lugar? ¿Por qué? ¿Cómo sería el lugar perfecto para ti?
2. ¿Vivirías en un lugar donde pudiera ocurrir un desastre natural?
3. ¿Es importante que tu vida sea como la de tus padres? Explica.
4. ¿Cómo sería la vida perfecta para ti?
5. Si tu trabajo te mandara a otro país, ¿adónde te gustaría ir? Explica.
6. Cuando eras chico/a, ¿había algo que tus padres siempre querían que hicieras?
7. ¿Crees que haya más interés en el medio ambiente entre los jóvenes o las personas mayores?
8. ¿Quiénes tienen la responsabilidad de proteger el medio ambiente?

Paso 2 Selecciona **dos** de las preguntas y házselas a **diez** compañeros/as de clase.

¡Conversemos!

10-25 to 10-26

ESTRATEGIAS COMUNICATIVAS Expressing agreement, disagreement, or surprise

When conversing, you have many occasions to express agreement, disagreement, or surprise about what you hear or read. What follows are useful expressions for you to use.

Para expresar acuerdo	*To express agreement*
■ **Absolutamente.**	*Absolutely.*
■ **Claro que sí./Por supuesto./¡Cómo no!/Desde luego.**	*Of course.*
■ **Está bien.**	*Okay./It's alright.*
■ **(Estoy) de acuerdo.**	*I agree./Okay.*
■ **Eso es./Así es.**	*That's it.*
■ **Es verdad./Es cierto.**	*It's true.*
■ **Exacto./Exactamente.**	*Exactly.*
■ **No hay duda./No cabe duda.**	*There's no doubt./Without a doubt.*
■ **No hay más remedio.**	*There's no other way/solution.*
■ **Precisamente./Efectivamente.**	*Precisely.*
■ **Sin duda.**	*Without a doubt./No doubt.*
■ **Te digo./Ya lo creo.**	*I'm telling you.../I'll say.*

Para expresar desacuerdo	*To express disagreement*
■ **Al contrario.**	*On/To the contrary.*
■ **Claro que no.**	*Of course not.*
■ **De ninguna manera.**	*No way.*
■ **En mi vida.**	*Never in my life.*
■ **Me estás tomando el pelo.**	*You're kidding me/pulling my leg.*
■ **Nada de eso.**	*Of course not.*
■ **¡Ni lo sueñes!**	*Don't even think about it!*
■ **No estoy de acuerdo.**	*I don't agree.*
■ **No puede ser.**	*It can't be.*
■ **¡Qué va!**	*No way!*

Para expresar sorpresa	*To express surprise*
■ **¡Imagínate!/¡Figúrate!**	*Imagine!*
■ **¡No me digas!**	*You don't say!*

CD 4
Track 14

10-41 Diálogo

Rosario acaba de recibir una llamada y quiere compartirla con su esposo, Marco. Escucha la conversación entre Rosario y Marco, y contesta las siguientes preguntas.

1. ¿Está Marco de acuerdo con lo que Rosario le dice? ¿Cómo lo sabes?
2. Al final, ¿cómo se expresa Marco?

10-42 Una entrevista

¡Qué suerte! Tienes la oportunidad de entrevistar a Al Gore, a Leonardo DiCaprio o a Rosa María Ruiz, tres personas que se han dedicado a asuntos verdes. Completa los siguientes pasos.

Paso 1 Crea preguntas para hacérselas.

Paso 2 Hagan los papeles del/de la entrevistador/a y los medio ambientalistas. Túrnense.

Estrategia

Remember that you can use the imperfect subjunctive to soften requests. You may wish to use them when formulating your questions or comments for your interviews.

10•43 Tiempo para jugar

Pónganse en grupos de tres. Una persona sale del grupo y los otros dos estudiantes escogen un animal. Su compañero/a regresa al grupo y hace preguntas para adivinar el animal. Túrnense.

MODELO (el picaflor)

E1: *¿Es un mamífero?*

E2: *No.*

E1: *¿Es un pájaro?*

E3: *Así es...*

10•44 Si pudieras ser...

Es hora de ser creativos. Hablen de los siguientes temas.

1. Si pudieras ser cualquier animal, ¿cuál serías y por qué?
2. ¿Qué animal es el menos entendido y por qué?
3. ¿Qué animal es el más inteligente y por qué?
4. ¿Cuál es el animal que menos te gustaría encontrar?
5. ¿Cuál es el animal que más te gustaría ver en su hábitat natural?

10•45 Un ecotour

¿Tienes ganas de conocer los arrecifes de Puerto Rico, la catarata más alta del mundo en Venezuela o el desierto Atacama en Chile? Con un/a compañero/a, completen los siguientes pasos para planear un ecotour virtual.

Paso 1 Escojan un lugar. Mientras deciden en qué lugar, usen las expresiones comunicativas nuevas para mostrar si están de acuerdo o no.

Paso 2 Sugieran ideas de lo que la gente podría hacer para proteger y conservar el lugar para futuras generaciones.

10•46 ¡Eres el/la jefe/a!

Imagina que eres o el/la alcalde/sa de tu pueblo o ciudad, o el/la gobernador/a de tu estado, ¡o aún el/la presidente/a del país! Haz una presentación o un discurso para convencerle a un grupo de ciudadanos (*citizens*) de la importancia de conservar el medio ambiente. Incluye por lo menos **quince** oraciones. Por lo menos **dos** de las oraciones deben usar **el imperfecto de subjuntivo** y por lo menos **dos** deben usar **cláusulas de si.** Tu compañero/a va a añadir comentarios cuando está de acuerdo o no lo está con lo que dices. Túrnense.

ESCRIBE

10-27 to 10-29

ESTRATEGIA **More on linking sentences**

In **Capítulo 2,** you learned how to use linking words to connect simple sentences, making them into more complex expressions of thought. The linking words below represent a progression toward an even more sophisticated connection of ideas.

Más palabras nexo	***Additional linking words***
además	*besides*
mientras	*while*
no obstante	*notwithstanding*
por eso	*for this reason*
por otro lado	*on the other hand*
sin embargo	*nevertheless*
sino	*but rather*

10•47 Antes de escribir

Vas a escribir un ensayo en el cual tratas de convencerle a tu comunidad que participe en un proyecto para mejorar el medio ambiente.

1. Primero, piensa en el proyecto "verde" que quieres proponer. Concibe una explicación sencilla pero informativa de ello.
2. Después, haz una lista de los beneficios que este proyecto les dará a las personas de la comunidad. También enumera las desventajas para el medio ambiente si el proyecto no logra completarse.

10•48 A escribir

Usa lo que has aprendido sobre la escritura de los capítulos anteriores (por ejemplo: emplea una introducción y una conclusión). Menciona por lo menos **tres beneficios y tres desventajas** que se puedan relacionar con el proyecto. Tu ensayo debe consistir de **cuatro** o **cinco** párrafos. Usa por lo menos **tres cláusulas de si condicionales.**

10•49 Después de escribir

Lee tu ensayo a la clase. Luego, solicita voluntarios para trabajar en el proyecto. Así verás si has logrado persuadir a los compañeros de la clase o no.

¿Cómo andas?

Having completed the second **Comunicación,** I now can...

	Feel Confident	Need to Review
• identify a variety of animals and geographical features. (pp. 398, 404)	❑	❑
• discuss conditional actions in the past. (p. 402)	❑	❑
• sequence temporal events. (p. 407)	❑	❑
• identify three Hispanic environmental activists. (p. 410)	❑	❑
• express agreement, disagreement, and surprise. (p. 412)	❑	❑
• link sentences to be more cohesive. (p. 414)	❑	❑

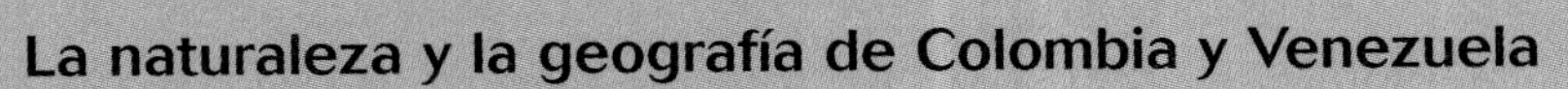

Vistazo cultural

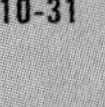

10-30 to 10-31

La naturaleza y la geografía de Colombia y Venezuela

Vistas culturales

Carolina Mora Rojas, Ecóloga

Trabajo para la fundación Tierraviva de Venezuela. Desarrollamos programas educativos para promover la conservación del medio ambiente. Tomé estudios de maestría en el Centro de Estudios Forestales y Ambientales en la Universidad de los Andes de Mérida, Venezuela. Me fascina la naturaleza.

El Parque Nacional Archipiélago Los Roques, Venezuela

Si Los Roques no hubiera sido creado en el año1972 para proteger el ecosistema marino, tal vez el archipiélago no tendría hoy día los arrecifes mejor conservados del Caribe. El archipiélago contiene unas cincuenta islas diferentes. Sus playas de arena blanca atraen mucho turismo; también es un refugio para muchas especies de fauna.

Un *tepuy* de Venezuela

El Monte Roraima es el mejor conocido y el más alto de los tepuyes del Parque Nacional Canaima. Es una meseta de unos 2.800 metros de altura, difícil de escalar. Por este aislamiento, los tepuyes son valorados por las especies de vegetación endémicas que existen en sus zonas más altas.

Misión árbol: Un país petrolero implementa una política "verde"

Tal vez si no se implementara la iniciativa Misión árbol, Venezuela continuaría sufriendo de una tasa (*rate*) alta de deforestación. El objetivo es crear en la población venezolana una conciencia ambiental sobre la importancia de un equilibrio ecológico y animarla a que contribuya al uso sostenible de los bosques.

El Día sin Carro

Un día cada febrero se denomina el "Día sin Carro" en Bogotá, Colombia. Si no fuera por el sistema extensivo de movilidad alternativa (las ciclorrutas), sería difícil circular durante El Día sin Carro. No obstante, los ciudadanos votaron para continuar con esta tradición, y Bogotá cuenta con la mayor participación del mundo latinoamericano.

El manatí amazónico

Colombia tiene una gran biodiversidad de fauna. Entre las muchas especies que existen en los ecosistemas colombianos se encuentra el manatí amazónico, el más pequeño de todos los manatís. Se encuentra en los ríos de la parte sureste de Colombia, y figura en la lista de animales en peligro de extinción.

ProAves y los pájaros de Colombia

Si pudiera proteger todas las especies de pájaros en peligro de extinción, ProAves lo haría. Esta fundación colombiana se dedica a estudiar las aves y a conservar su hábitat en la naturaleza. Colombia tiene el número más alto de especies de aves en el mundo.

La Feria de las Flores

Si no fuera por la industria de floricultura en Colombia, posiblemente no tendrías rosas para el Día de la Madre o de San Valentín. Colombia es el segundo país del mundo en la exportación de flores, detrás de Holanda. En Medellín, cada año se celebra La Feria de las Flores.

Preguntas

1. Identifica los vistazos que representan un esfuerzo para proteger el medio ambiente. ¿Qué opinas de estas acciones?
2. ¿Qué efectos tienen la geografía y el clima sobre la flora y la fauna en estas áreas?
3. ¿Por qué es importante considerar la interrelación entre todos los factores del medio ambiente? ¿Qué pasaría si no consideráramos estos factores?

lectura

10-32 to 10-34

ESTRATEGIA **Identifying characteristics of different text types**

Different texts have different characteristics, and recognizing these at the outset will help your comprehension. For example, the characteristics of a poem are different from those of a newspaper article, which are in turn different from the instructions for putting together a multimedia entertainment center. Academic texts exhibit different characteristics from literary texts; reading for information differs from reading for pleasure. Recognition of these differences provides you, the reader, with aids for comprehension.

10-50 Antes de leer Piensa en los episodios de *Laberinto peligroso* que has visto hasta el momento.

a. Pensando en la estrategia de identificar los diferentes tipos de discursos, ¿qué tipo de discurso ha tenido la mayoría de los episodios? ¿Diferentes secciones con subtítulos? ¿Diálogo? ¿Narración?
b. ¿Qué tipo de vocabulario han tenido? ¿Técnico? ¿Coloquial? ¿Formal?
c. Mira rápidamente el episodio e identifica los diferentes tipos de discurso que tiene. ¿Tiene diferentes secciones con subtítulos? ¿Tiene diálogo? ¿Tiene narración? ¿Qué es lo que predomina?
d. ¿Qué tipo de texto es *Laberinto peligroso?* ¿Cómo se distingue este episodio a los anteriores?

En los episodios de este capítulo, vas a ver cómo reacciona Celia ante la situación tan difícil en la que se encuentra. Antes de empezar a trabajar con la lectura, contesta las siguientes preguntas.

1. ¿Cuáles son algunos de los problemas importantes que has tenido que solucionar? ¿Y tu familia y tus amigos?
2. ¿Cuáles son los problemas que tu familia te puede ayudar a resolver? ¿Qué problemas prefieres que tus amigos te ayuden a solucionar? ¿Y un profesional, como un médico, un psicólogo, la policía, un abogado, etc.?
3. ¿Hay problemas que prefieres resolver tú solo/a? Si contestas sí, ¿cuáles son? Si no, ¿por qué no?
4. ¿Cuáles son las ventajas de compartir tus problemas con otras personas?
5. ¿Por qué crees que a veces la gente decide no compartir sus problemas y trata de resolverlos sin la ayuda de otras personas?
6. ¿Crees que es importante que la gente busque la ayuda de su familia, sus amigos y/o algún profesional cuando está en una situación difícil? ¿Por qué?

DÍA 44 *En peligro de extinción*

CD 4
Track 15

Después de ver la amenaza de la mujer que le había escrito, Celia estaba muy nerviosa. Era más importante que nunca que resolviera los casos. La vida de Cisco dependía de ella. Se preguntó, si todavía fuera un agente federal, ¿qué haría? Casi de inmediato le vino la respuesta: no habría tenido otra opción que hablarlo con sus compañeros. Siempre trabajaban en equipo. Siempre tomaban las decisiones en equipo. Sin embargo, le parecía muy evidente que el caso actual era delicado; sabía que tenía que tener mucho cuidado. Todavía no quería que las autoridades supieran más sobre la desaparición de Cisco porque, por la seguridad de su amigo, no era nada recomendable que se involucraran° más. Sabía que no iban a mejorar nada y que era posible que crearan más riesgos° para Cisco y para ella también. Tenía mucho miedo de que su amigo estuviera en muchísimo peligro: la mujer le había dicho claramente que si llamaba a la policía, lo iba a matar. Y si ella no había podido hablar con él, ¿cómo podía estar segura de que no le habían hecho daño ya? Quizás incluso lo hubieran matado. Y si Cisco estaba bien y ella seguía las instrucciones de la mujer, ¿realmente iba a poder salvarle la vida? Por su experiencia como agente federal sabía exactamente cuáles eran los riesgos: era posible que, incluso después de seguir todas sus indicaciones, la mujer lo matara. También era posible que esa mujer tuviera planes de matarla a ella, si al final Celia decidiera ir al museo sola esa noche. No obstante, pasara lo que pasara, tenía muy claro que había que hacer todo lo posible por rescatar° a Cisco. Su amigo era listo, fuerte y duro; había sobrevivido muchas situaciones difíciles. Hasta que Celia no tuviera pruebas° convincentes de lo contrario, era importante que creyera firmemente que él estaba bien.

got involved
risks
rescue
proof

Agobiada° y confundida, decidió llamar a una amiga con la que antes había trabajado en el FBI, pero que ya no era agente sino que trabajaba en el departamento de fraude de una compañía internacional. Buscó el número de teléfono de su amiga y la llamó. Saltó el mensaje de su buzón de voz y Celia le dejó un mensaje pidiéndole que le devolviera la llamada lo antes posible y diciéndole que era urgente que hablara con ella sobre un asunto importante.

Overwhelmed

Mientras esperaba a que su amiga la llamara, se dio cuenta de que era preferible que se mantuviera ocupada con algo, que se distrajera de alguna manera. Decidió repasar las últimas búsquedas que Cisco y ella habían realizado. Era evidente que habían descubierto algo importante; si no hubieran encontrado nada, nadie estaría amenazándolos. Celia encontró un informe confidencial que había leído Cisco: se trataba de las sustancias medicinales de las plantas tropicales. El informe indicaba que, usando una sustancia extraída de unas plantas tropicales, se había desarrollado un antídoto muy fuerte con múltiples aplicaciones. La sustancia servía como antídoto contra la viruela°, y también eliminaba los efectos tóxicos de otras sustancias que algunos grupos terroristas estaban manipulando para usar como armas biológicas. Un grave problema era que la deforestación estaba amenazando esas plantas.

smallpox

La tensión que sentía Celia en esos momentos se hizo muy evidente cuando, de pronto, sonó el teléfono, y se asustó. Lo contestó y era su amiga, la ex-agente federal. Después de contarle todo lo que había pasado, su amiga le dijo que llamara inmediatamente a la policía, que no había otra opción. Celia le dio las gracias por la ayuda y colgó el teléfono.

10-51 **Después de leer** Contesta las siguientes preguntas.

1. ¿Por qué le parecía tan urgente a Celia resolver los casos?
2. ¿Por qué no quería Celia enseñarles el mensaje de correo electrónico que había recibido a los detectives?
3. ¿Qué habría hecho si todavía hubiera sido una agente federal?
4. ¿Cuáles eran algunos de los riesgos que Celia tenía que tener en cuenta antes de actuar?
5. ¿A quién decidió pedirle ayuda con su situación?
6. ¿Qué información encontró cuando leyó el informe confidencial que había leído Cisco?
7. ¿Por qué se asustó cuando sonó el teléfono?
8. ¿Qué consejo recibió Celia durante su conversación telefónica?
9. ¿A qué se refiere el título del episodio?

video

10-52 **Antes del video** Antes de empezar a trabajar con el episodio del video, *¡Alto! ¡Tire el arma!,* contesta las siguientes preguntas.

1. ¿Crees que Celia va a seguir el consejo que recibió durante su conversación telefónica? ¿Por qué?
2. ¿Crees que Celia va a ir al museo sola o crees que va a pedir que le ayude otra persona? ¿Por qué? Si crees que va a pedirle la ayuda de otra persona, ¿a quién se la va la pedir? ¿Por qué?
3. Basándote en el título del video, ¿qué crees que va a pasar en este episodio?

¡Alto! ¡Policia! ¡Arriba las manos! ¡Tire el arma!

Me convenció que desactivara el sistema de seguridad y sacara unos mapas.

¿Qué relación tiene todo esto con la desaparición de Cisco?

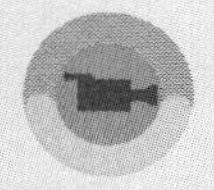

Episodio 10

¡Alto! ¡Tire el arma!

Relájate y disfruta el video.

10-53 **Después del video** Contesta las siguientes preguntas.

1. Al final, ¿fue Celia al museo sola o buscó la ayuda de otra(s) persona(s)?
2. ¿Quién robó los mapas y las crónicas de la biblioteca? ¿Por qué los robó?
3. ¿Quién había amenazado a Cisco y a Celia? ¿Por qué los había amenazado?
4. ¿Quién era el Señor A. Menaza? ¿Por qué quería hacerles daño a Cisco y a Celia?
5. ¿Cómo concluyó el episodio?

Y por fin, ¿cómo andas?

Having completed this chapter, I now can...

	Feel Confident	Need to Review
Comunicación		
• share information about the environment. (p. 386)	❑	❑
• indicate purpose, time, and location. (p. 387)	❑	❑
• express prior recommendations, wants, doubts, and emotions. (p. 391)	❑	❑
• discuss actions completed before others in the past. (p. 394)	❑	❑
• recognize different listening contexts. (p. 397)	❑	❑
• identify a variety of animals and geographical features. (pp. 398, 404)	❑	❑
• express hypothetical or contrary-to-fact information. (p. 402)	❑	❑
• sequence temporal events. (p. 407)	❑	❑
• express agreement, disagreement, and surprise. (p. 412)	❑	❑
• link sentences when writing to be more cohesive. (p. 414)	❑	❑
• recognize and use text types to aid in comprehension. (p. 418)	❑	❑
Cultura		
• share information about an environmental protection foundation. (p. 396)	❑	❑
• identify three Hispanic environmental activists. (p. 410)	❑	❑
• share information about conservation initiatives in Colombia and Venezuela. (p. 416).	❑	❑
Laberinto peligroso		
• recognize and identify characteristics of different text types. (p. 418)	❑	❑
• discover whether Celia calls the police or keeps her mysterious appointment. (p. 419)	❑	❑
• find out what happened to Cisco. (p. 420)	❑	❑

VOCABULARIO ACTIVO

CD 4
Tracks 16-20

El medio ambiente	*The environment*
los animales en peligro de extinción	*endangered species*
el clima	*climate*
el combustible	*fuel*
el consumo	*consumption*
el contaminante	*contaminant*
el daño	*harm*
la deforestación	*deforestation*
el desperdicio	*waste*
el ecosistema	*ecosystem*
el efecto invernadero	*greenhouse effect*
el envase	*package; container*
la erosión	*erosion*
la escasez	*scarcity*
el esmog	*smog*
el fertilizante	*fertilizer*
el hábitat	*habitat*
el humo	*smoke*
la infraestructura	*infrastructure*
el insecticida	*insecticide*
la naturaleza	*nature*
el peligro	*danger*
el pesticida	*pesticide*
el riesgo	*risk*
la sequía	*drought*
la sobrepoblación	*overpopulation*
la sustancia	*substance*

Algunos adjetivos	*Some adjectives*
árido/a	*arid; dry*
biodegradable	*biodegradable*
climático/a	*climatic*
ecológico/a	*ecological*
exterminado/a	*exterminated*
renovable	*renewable*
tóxico/a	*poisonous*

Algunos verbos	*Some verbs*
amenazar	*to threaten*
conservar	*to conserve*
cosechar	*to harvest*
dañar	*to damage; to harm*
desaparecer	*to disappear*
descongelar	*to thaw*
desperdiciar	*to waste*
destruir	*to destroy*
fabricar	*to make; to produce*
hacer ruido	*to make noise*
mejorar	*to improve*
preservar	*to preserve*
prevenir	*to prevent*
reducir	*to reduce*
reemplazar	*to replace*
rescatar	*to rescue*
sobrevivir	*to survive*
sostener	*to sustain*

Algunos animales	*Some animals*
la abeja	*bee*
la ardilla	*squirrel*
la ballena	*whale*
la cabra	*goat*
el camello	*camel*
el cangrejo	*crab*
el ciervo/el venado	*deer*
el dinosaurio	*dinosaur*
la foca	*seal*
el gallo	*rooster*
el gorila	*gorilla*
la iguana	*iguana*
la jirafa	*giraffe*
el lobo	*wolf*
el loro	*parrot*
el manatí	*manatee*
la mariposa	*butterfly*
el mono	*monkey*
el murciélago	*bat*
la oveja	*sheep*
la paloma	*pigeon; dove*
el pato	*duck*
el picaflor	*hummingbird*
el pingüino	*penguin*
el pulpo	*octopus*
el puma	*puma*
el rinoceronte	*rhinoceros*
el saltamontes	*grasshopper*
el tiburón	*shark*
el tigre	*tiger*
la tortuga	*turtle*
el zorro	*fox*

Algunos términos geográficos	*Some geographical terms*
el arrecife	*coral reef*
el arroyo	*stream*
la bahía	*bay*
la catarata	*waterfall*
el desierto	*desert*
la isla	*island*
la llanura	*plain*
el mar	*sea*
el pantano	*marsh*
la playa	*beach*
el río	*river*
la sierra	*mountain range*
el valle	*valley*
el volcán	*volcano*

11

Hay que cuidarnos

Es muy importante cuidarse mucho para sentirse bien y no enfermarse. La buena salud es muy importante para el cuerpo entero: el aspecto físico, el aspecto mental y el aspecto emocional. Todos estos factores contribuyen a que tengamos una vida de buena calidad. ¡Así que hay que cuidarnos en todos los aspectos!

Comunicación

OBJETIVOS

- To describe different parts of the body
- To express actions one does to oneself
- To relate impersonal information
- To discuss reciprocal actions
- To comment on what one hears
- To discuss ailments and mention possible treatments
- To make affirmative and/or negative statements
- To indicate unplanned occurrences
- To identify symptoms, conditions, and illnesses
- To relate what is or was caused by someone or something
- To pause, suggest an alternative, and express disbelief
- To determine audience and purpose for writing

CONTENIDOS

Cultura

OBJETIVOS

- To explore methods of health care and treatment
- To identify three famous Hispanic physicians
- To investigate health care topics in Cuba, Puerto Rico, and the Dominican Republic

CONTENIDOS

Laberinto peligroso

OBJETIVOS

- To assess a passage; responding and giving one's opinion
- To hypothesize about unresolved issues
- To discover the answers to unresolved issues from the author's point of view

CONTENIDOS

¡A ponernos en forma!

PREGUNTAS

1 ¿Qué es necesario hacer para sentirse bien?
2 ¿Cuáles son las diferentes dimensiones de la salud?
3 ¿Qué haces para cuidarte?

Comunicación

- Describing the human body
- Expressing impersonal actions
- Expressing reciprocal actions

VOCABULARIO 1 La cara y el cuerpo humano

SAM 11-1 to 11-2

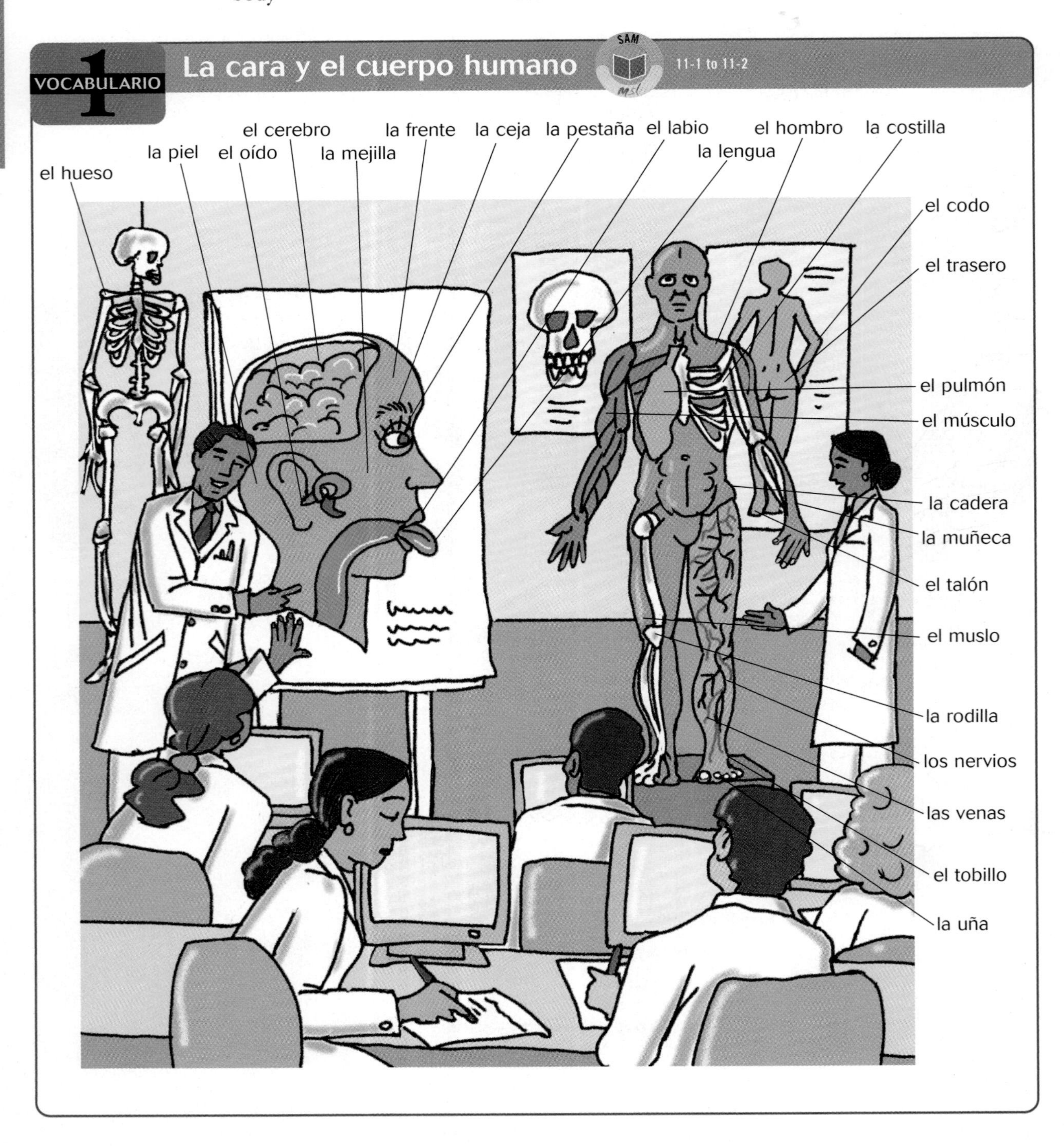

Querido diario:

Cuando me levanté esta mañana, tenía dolor de garganta y fiebre; ¡ay, no quiero enfermarme! Iba a salir con mis amigas, pero es mejor que me quede en casa hoy.

Preguntas

1. ¿Cómo se sentía Celia al levantarse?
2. ¿Por qué piensa que va a enfermarse?
3. ¿Qué haces cuando no te sientes bien? ¿Te quedas en cama o llamas al médico?

11-3 to 11-4

25, 26

REPASO

Los verbos reflexivos

In Celia's diary, she writes **me levanté, enfermarme,** and **me quede.** These are all reflexive verb forms, used when the subject both performs and receives the action of the verb. ***Reflexive verbs*** are always accompanied by a ***reflexive pronoun*** **(me, te, se, nos, os, se).**

- The following are some common reflexive verbs.

acordarse (de) (o-ue)
acostarse (o-ue)
afeitarse
arreglarse
bañarse
callarse
cepillarse
divertirse (e-ie-i)
dormirse (o-ue-u)
ducharse
irse
lavarse
levantarse
llamarse
maquillarse
olvidarse (de)
peinarse
ponerse (la ropa)
ponerse (nervioso/a)
quedarse
quitarse (la ropa)
reunirse
secarse
sentarse (e-ie)
sentirse (e-ie-i)
vestirse (e-i-i)

Fíjate

Remember that reflexive verbs can be in any tense.

For more information on reflexive constructions, refer to **Capítulo 8** of ***¡Anda! Curso elemental*** in Appendix 3.

11-1 ¿Qué parte?

Decidan con qué categorías se asocia cada una de las siguientes palabras.

CATEGORÍAS

la cabeza	la pierna y el pie	el cuerpo (parte interior, no visible)
la cara	el brazo y la mano	el cuerpo (parte exterior, visible)

MODELO 1. la lengua
la cara/la cabeza/el cuerpo (parte interior, no visible)

1. la pestaña
2. las mejillas
3. la piel
4. el talón
5. el cerebro
6. la muñeca
7. las uñas
8. la rodilla
9. las costillas
10. el codo
11. los hombros
12. el muslo
13. las venas
14. el hueso
15. los labios
16. la frente

¡Anda! Curso elemental, Capítulo 9, El cuerpo humano, Apéndice 2.

11-2 La parte necesaria

Para cada una de las siguientes acciones, túrnense para determinar con qué partes del cuerpo se puede asociar.

MODELO levantarse
las piernas y los pies

1. maquillarse
2. olvidarse
3. sentarse
4. peinarse
5. afeitarse
6. ducharse

¡Anda! Curso elemental, Capítulo 9, El cuerpo humano, Apéndice 2.

11-3 Escucha bien

Tu profesor/a te va a describir a una "persona". Necesitas dibujar exactamente lo que él/ella te dice. Después, compara tu dibujo con el de un/a compañero/a.

Vocabulario útil

ancho/a *wide* **corto/a** *short* **fuerte** *strong* **largo/a** *long*

11-4 Procesos naturales

Describan los procesos que se asocian con las siguientes acciones.

Vocabulario útil

doblarse *bend* **estirarse** *stretch* **meterse** *to get into*

MODELO sentarse
Hay que doblarse las piernas y ponerse en un asiento.

1. acostarse
2. dormirse
3. cepillarse los dientes
4. bañarse
5. levantarse
6. ponerse la ropa

¡Anda! Curso elemental, Capítulo 8, La ropa, Apéndice 2.

11-5 ¿Qué les pasa?

Aquí tienen a Alberto y Sofía, quienes acaban de levantarse. Describan a cada uno, y después expliquen lo que necesitan hacer ellos para prepararse bien para unas entrevistas muy importantes que tienen esta mañana.

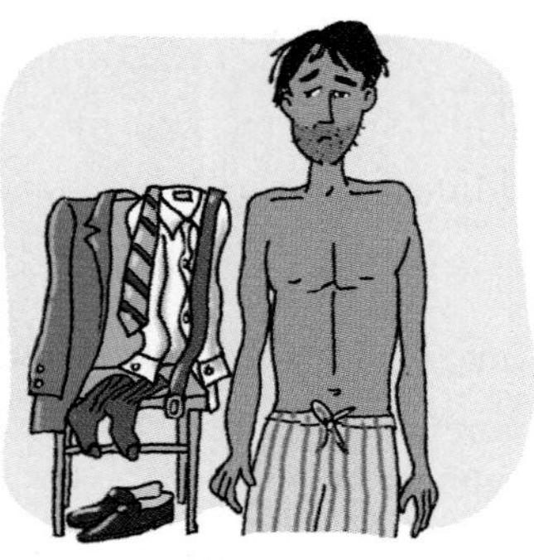

Alberto

Sofía

Estrategia

Include reflexive verbs and new vocabulary in your questions. See how many of the new vocabulary words you can use.

11-6 ¿Cuál es tu rutina diaria?

Entrevista a **cinco** compañeros/as para saber qué hacen en un día normal.

Paso 1 Escribe por lo menos **diez** preguntas. Puedes dividir las preguntas en cuatro categorías: **por la mañana, durante el día, por la noche** y **en general.**

Paso 2 Anota tus resultados en la página web de ***¡Anda! Curso intermedio.***

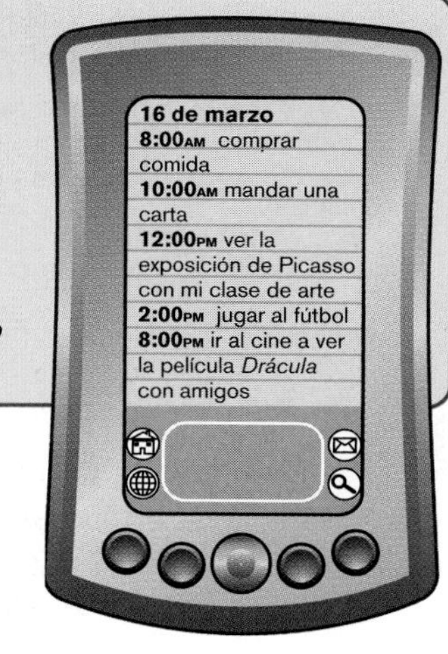

Estrategia

You may wish to report the results of your survey in the form of pie charts or bar graphs.

GRAMÁTICA 2 *Se* impersonal

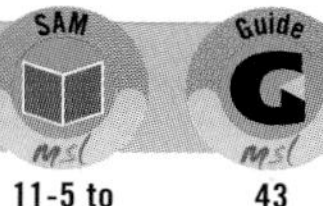

11-5 to 11-6
43

So far, you have used the pronoun **se**:

1. **as an indirect object pronoun** (replacing **le** or **les**).

Le doy las pestañas postizas a María.	*I am giving the false eyelashes to María.*
Se las doy a María.	*I am giving them to her.*

2. **with reflexive verbs.**

Cuando Milagros **se** levanta, la primera cosa que hace siempre es cepillar**se** los dientes.	*When Milagros gets up, the first thing she always does is brush her teeth.*

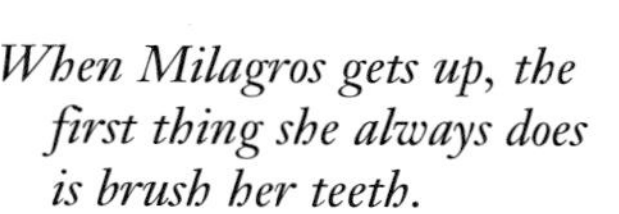

3. Another use of **se** is the **impersonal *se***. The **impersonal *se*** is used to express the concepts of ***one***, ***you***, ***people***, or ***they***, all in general terms. In this construction, **se:**
   - functions as an *indefinite* or *unknown (unimportant) subject.*
   - is ***always*** in the ***third-person singular*** *form of the verb.*

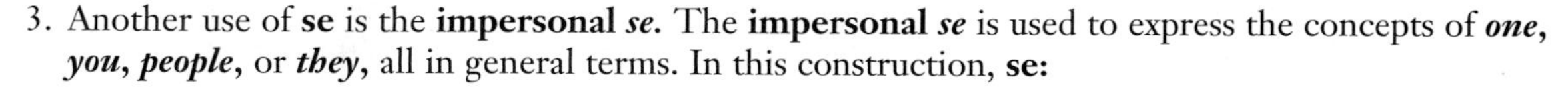

Se dice que Tania siempre lleva pestañas postizas.	*People say that Tania always wears false eyelashes.*
Se sabe que el sol es malo para la piel.	*It is known that the sun is bad for skin.*
Se permite un beso en la mejilla al conocerse.	*You are/One is allowed a kiss on the cheek upon meeting.*

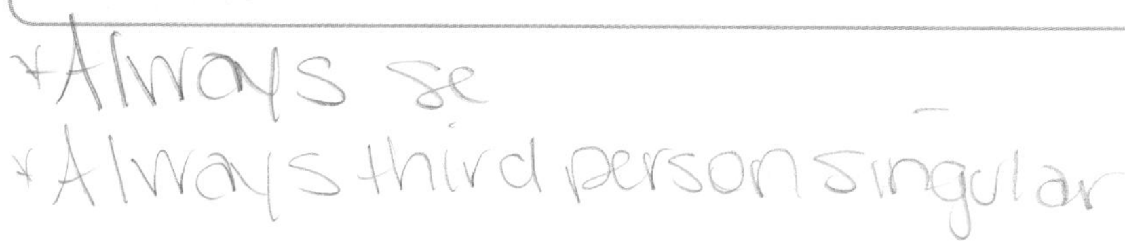

11•7 Chismes

¡Cómo habla la gente! Cambien las siguientes oraciones impersonales que usan la tercera persona plural a oraciones con **el *se* impersonal.**

MODELO Dicen que esa actriz tiene las caderas muy anchas.

Se dice que esa actriz tiene las caderas muy anchas.

1. Dicen que los tacones altos pueden dañar los tobillos y las rodillas.
2. No permiten beber alcohol en este restaurante.
3. No hacen suficiente ejercicio en la escuela.
4. Creen que los nervios se tranquilizan con el ejercicio diario.
5. Escuchan música rock en el gimnasio.

Estrategia

The third-person plural of the verb can also be used to express impersonal subjects ("they"):

Dicen *que Tania siempre lleva pestañas postizas.*	They say that Tania always wears false eyelashes.
Permiten *un beso en la mejilla al conocerse.*	They allow a kiss on the cheek upon meeting.

11•8 Del sujeto al impersonal

Cambien las siguientes oraciones, que tienen sujetos específicos, a oraciones con **el *se* impersonal,** según el modelo.

MODELO Aquellas mujeres dicen que los cirujanos plásticos nos pueden hacer más jóvenes.

Se dice que los cirujanos plásticos nos pueden hacer más jóvenes.

1. A veces algunas personas menosprecian (*underestimate*) la fuerza del cuerpo.
2. Todo el mundo sabe que hay que proteger el cuerpo mediante una buena alimentación y el ejercicio.
3. Mucha gente entiende que no se debe fumar, tomar drogas ilícitas, ni abusar del alcohol.
4. Algunos reconocen que hay que cepillarse los dientes por lo menos dos veces al día.
5. Muchas mujeres piensan que las uñas largas y pintadas son elegantes.

11·9 Sí, se puede

¡Anda! Curso elemental, Capítulo 11, Las preposiciones y los pronombres preposicionales, Apéndice 3.

La familia Sánchez habla de temas que encuentran en el periódico, y los Sánchez siempre tienen una solución para los demás. Digan sus soluciones, usando siempre **el *se* impersonal.**

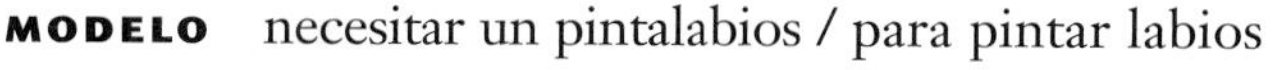

MODELO necesitar un pintalabios / para pintar labios

Se necesita un pintalabios para pintar los labios.

1. no permitir fumar / malo para pulmones
2. poder ver huesos / en una radiografía
3. poder ver venas / a través de la piel
4. usar crema solar con rayos UVA / protegerse del sol
5. comprar crema / ponerse arrugas de la frente

11·10 ¿Qué nos recomiendan?

Miren el cartel sobre la buena salud y escriban **ocho** recomendaciones que encuentran allí, usando **el subjuntivo** y el ***se* impersonal.** Después, compartan sus recomendaciones con sus compañeros/as.

¡Anda! Curso intermedio, Capítulo 2, El subjuntivo para expresar pedidos, mandatos y deseos, pág. 86.

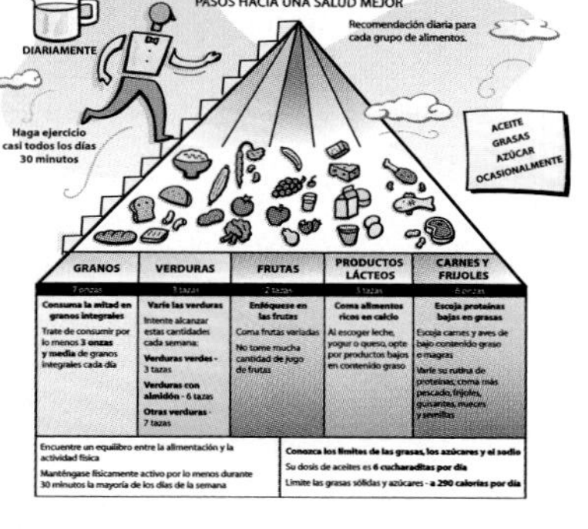

Vocabulario útil

Recomienda que...	Es importante que...
Es imprescindible que...	Es necesario que...

MODELO *Es importante que se coma bien.*

11·11 Lo que se sabe

¡Anda! Curso elemental, Capítulo 2, Los deportes y los pasatiempos, Apéndice 2.

¡Anda! Curso intermedio, Capítulo 2, Algunos deportes, pág. 68; Algunos pasatiempos, pág. 81.

Seguramente has visto en las revistas los artículos y las encuestas que te preguntan sobre lo que sabes de la salud. Con un/a compañero/a, completen las siguientes oraciones para mostrar lo que se sabe sobre la buena salud. Túrnense. ¿Qué calificación (*score*) se dan?

MODELO Para mantener un peso saludable, se tiene que...

Para mantener un peso saludable, se tiene que comer menos, alimentarse bien, hacer ejercicio y descansar.

1. Se necesita hacer por lo menos treinta minutos de actividad física moderada por lo menos cinco días a la semana. Se dice que cinco actividades buenas para el corazón, los pulmones y los músculos son...
2. Si se dedica a tener una rutina de ejercicio sin fallar, se necesita...
3. Si uno se quiere divertir, debe...
4. Si se ha estado inactivo/a durante mucho tiempo, se recomienda...
5. Se dice que las personas activas...

11•12 Un/a entrenador/a personal

Conseguiste el puesto de entrenador/a personal en el gimnasio Vida nueva. Con un/a compañero/a, hagan los papeles del/de la entrenador/a y su cliente. Túrnense.

MODELO E1 (CLIENTE): *¿Cómo se hace más fuerte el corazón y los pulmones?*
E2 (ENTRENADOR/A): *Se hace más fuerte el corazón y los pulmones haciendo ejercicios como correr o nadar.*

1. ¿Cómo / hacer / más fuerte / el corazón y los pulmones? ________	2. ¿Cómo / deber / proteger / los oídos / cuando / nadar? ________	3. ¿Cómo / adelgazar? ________
4. ¿Cuáles / ser / los ejercicios que / hacer / para aumentar los músculos? ________	5. ¿Cuántas veces al día / deber / comer? ________	6. ¿Cómo / quemar / más calorías al día? ________

miCOach, un innovador sistema de entrenamiento personal.

GRAMÁTICA 3 Las construcciones recíprocas: *nos* y *se*

The plural reflexive pronouns **nos** and **se** can be used to express reciprocal actions, conveyed in English by *each other* or *one another*.

Nosotros **nos habíamos comunicado** por e-mail todos los días.	*We had communicated with each other every day by e-mail.*
Ellos **se llamaban** cada mañana antes de levantarse.	*They called/used to call one another each morning before they got up.*
Los novios **van a verse** de nuevo este verano en Santo Domingo.	*The sweethearts are going to see each other again this summer in Santo Domingo.*

¡Se miran, y es amor a primera vista!

1. It is possible to have a sentence in which the pronoun can be interpreted as ***either reciprocal or reflexive.*** You must rely on context for the exact meaning.

   Fabiola y Beltrán **se están mirando** en el espejo. — *Fabiola and Beltrán are looking at each other in the mirror.* OR *Fabiola and Beltrán are looking at themselves in the mirror.*

2. When the context is not clear, the reciprocal can be clarified by the phrase **(el) uno a(l) otro** or **(los) unos a (los) otros.** Note that masculine forms are used unless both subjects are feminine, in which case it would be **(la) una a (la) otra** or **(las) unas a (las) otras.**

   Fabiola y Beltrán se están mirando **(el) uno a(l) otro.** — *Fabiola and Beltrán are looking at each other.*

11 • 13 El uno al otro

Miren los dibujos y describan lo que están haciendo las personas.

MODELO

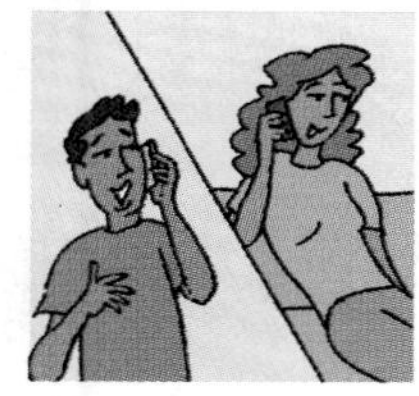

Se hablan.

Vocabulario útil	
abrazar *to hug*	**despedir (e-i-i)** *to say good-bye*
besar *to kiss*	**saludar** *to greet, to say hi*

1. 

2. 

3. 

4. 

5. 

11 • 14 La reciprocidad y los amigos

¿Cómo se comportan tus amigos y tú? Completa los siguientes pasos.

Paso 1 Indica qué cosas tus amigos y tú hacen los unos con los otros y con qué frecuencia.

ACCIONES RECÍPROCAS	FRECUENCIA	LAS RESPUESTAS DE TU COMPAÑERO/A
visitar unos a otros	*todos los días*	*lo mismo*
prestar dinero		
ayudar con los estudios		
contar sus problemas		
criticar unos a otros		
felicitarse por sus éxitos		

Estrategia

Use words that you know to express frequency, such as *de vez en cuando, a menudo, nunca,* and *jamás*.

Paso 2 Pregúntale a un/a compañero/a si hace las mismas cosas con sus amigos.

MODELO E1: *¿Se visitan tus amigos y tú?*

E2: *Sí, mis amigos de la universidad y yo nos visitamos mucho.*

E1: *¿Con qué frecuencia?*

E2: *Nos visitamos todos los días. En cambio, con los amigos de mi pueblo nos visitamos una vez cada dos meses. ¿Y tú? ¿Se visitan tus amigos y tú?*

11-15 La reciprocidad y la familia

En sus familias, ¿se llevan bien el uno con el otro?

Paso 1 Con un/a compañero/a, usando los siguientes verbos, túrnense para hablar de lo que ocurre entre ustedes y sus parientes. Deben decir por lo menos **cuatro acciones recíprocas** cada uno.

apoyar	criticar	entender	querer
ayudar	dar consejos	gritar	regalar
comunicar	decir mentiras/la verdad	pelear	respetar

MODELO *Mis primos y yo siempre nos apoyamos. Mis hermanos y yo nos criticamos mucho…*

Paso 2 Ahora, compartan sus respuestas con sus compañeros/as.

MODELO *Teri y sus primos siempre se apoyan, pero ella y sus hermanos se critican mucho…*

SAM 11-9 to 11-10

Notas culturales

La medicina tradicional o alternativa

Según la Organización Mundial de la Salud (OMS), el ochenta por ciento de la población mundial utiliza alguna forma de medicina tradicional regularmente. Por supuesto, la gente en los países hispanos tiene acceso a la atención médica y a diferentes expertos en el campo de la salud. Hay oficinas de consulta y hospitales con todo el equipo moderno para tratar cualquier problema que se presente. Además, hay farmacias de turno que están abiertas las veinticuatro horas del día, ofreciendo las medicinas necesarias.

Pero en muchos de estos países hay también una fuerte tradición de medicina alternativa. Las personas, particularmente en las zonas rurales de Latinoamérica, suelen emplear remedios caseros (*home remedies*), o tradicionales, en vez de buscar el consejo y la ayuda de los profesionales médicos, que a veces no se encuentran en estos lugares lejanos. En los mercados al aire libre se vende todo tipo de hierbas para curar cualquier dolor, enfermedad o condición dañina (*harmful*) para la salud.

Se debe mencionar también el curanderismo, otra tradición muy arraigada (*rooted*) en la cultura latina. Los curanderos suelen emplear las hierbas, el masaje y a veces los rituales para curar a sus pacientes física y espiritualmente.

Preguntas

1. ¿Qué tipos de cuidado de salud se mencionan aquí? ¿Con cuáles tienes experiencia?
2. ¿Quiénes usan formas alternativas de medicina? ¿Por qué crees que se usan?
3. ¿Qué tipos de remedios caseros o tradicionales conoces? ¿Qué opinas de la medicina alternativa?

11•16 ¿Cómo las contestan?

Después de un semestre entero juntos, se conocen bien, ¿no? Pues, ya veremos. Completa los siguientes pasos.

Paso 1 Contesta las siguientes preguntas como si fueras tu compañero/a.

Paso 2 Hazle las preguntas a tu compañero/a para saber las respuestas correctas. ¿Se conocen bien?

PREGUNTA	¿CÓMO CONTESTARÍA TU COMPAÑERO/A?	LA RESPUESTA CORRECTA SEGÚN TU COMPAÑERO/A
1. ¿Se hablan en persona tu mejor amigo/a y tú todas las noches?		
2. ¿Se compran regalos a menudo tus parientes? Explica.		
3. ¿Se ven todos los días tus amigos y tú? Cuando se ven, ¿qué hacen?		
4. ¿Se comunican con frecuencia tus padres, hermanos u otros parientes y tú? ¿Cuáles son los modos de comunicación más comunes para ustedes?		
5. En su tiempo libre, ¿dónde se encuentran tus amigos y tú?		
6. ¿Se dejan mensajes en Facebook o se mandan mensajes de texto tus compañeros/as y tú?		
7. ¿Cómo se saludan tus amigos y tú cuando se ven?		
8. ¿Se conocen tus padres y tus amigos de la universidad?		

ESCUCHA

11-11 to 11-12

ESTRATEGIA Commenting on what you heard

Sometimes it is not enough to just understand what you have heard. You may need to use the information you have just learned in some way in a real-world setting. For example, you may need to respond to something you have heard by taking some sort of action. Or you may want to make a comment to someone about what you have heard. Beyond simply reporting the facts, you also react by adding your own comments.

11•17 Antes de escuchar

Vas a escuchar un informe de la radio. Primero completa los siguientes pasos.

Paso 1 Mira la foto. Describe lo que ves en la foto.

Paso 2 Contesta las siguientes preguntas.

1. ¿Estás preocupado/a por tu salud?
2. ¿Sigues una dieta especial?
3. ¿Haces ejercicio?
4. ¿Tienes un entrenamiento (*training*) físico especial?

11•18

A escuchar

CD 4
Track 21

Lee toda la información en los siguientes pasos. Después, escucha el informe. La primera vez que lo escuches, completa el **Paso 1.** Escúchalo otra vez y completa el **Paso 2.**

Paso 1 Contesta las siguientes preguntas generales.

1. ¿Qué es el tema del informe?
2. Según el informe, ¿cuáles son los tres puntos más importantes para perder peso?

Paso 2 Apunta (*Jot down*) **cuatro** comentarios sobre el informe.

11•19

Después de escuchar

Comparte tus comentarios en grupos de tres o cuatro estudiantes. ¿Con quiénes estás de acuerdo? ¿Con quiénes de tu grupo no estás de acuerdo y por qué?

¿Cómo andas?

Having completed the first **Comunicación,** I now can…

	Feel Confident	Need to Review
• describe different parts of the body. (p. 426)	❑	❑
• express actions I do to myself and that others do to themselves. (p. 427)	❑	❑
• relate impersonal information. (p. 429)	❑	❑
• discuss reciprocal actions. (p. 432)	❑	❑
• discuss some forms of alternative medicine and health care in Hispanic countries. (p. 434)	❑	❑
• comment on what I hear. (p. 435)	❑	❑

Comunicación

- Describing ailments, medical attention, and treatment
- Indicating unplanned occurrences
- Expressing an action caused by someone or something

VOCABULARIO 4 La atención médica

SAM 11-13 to 11-14

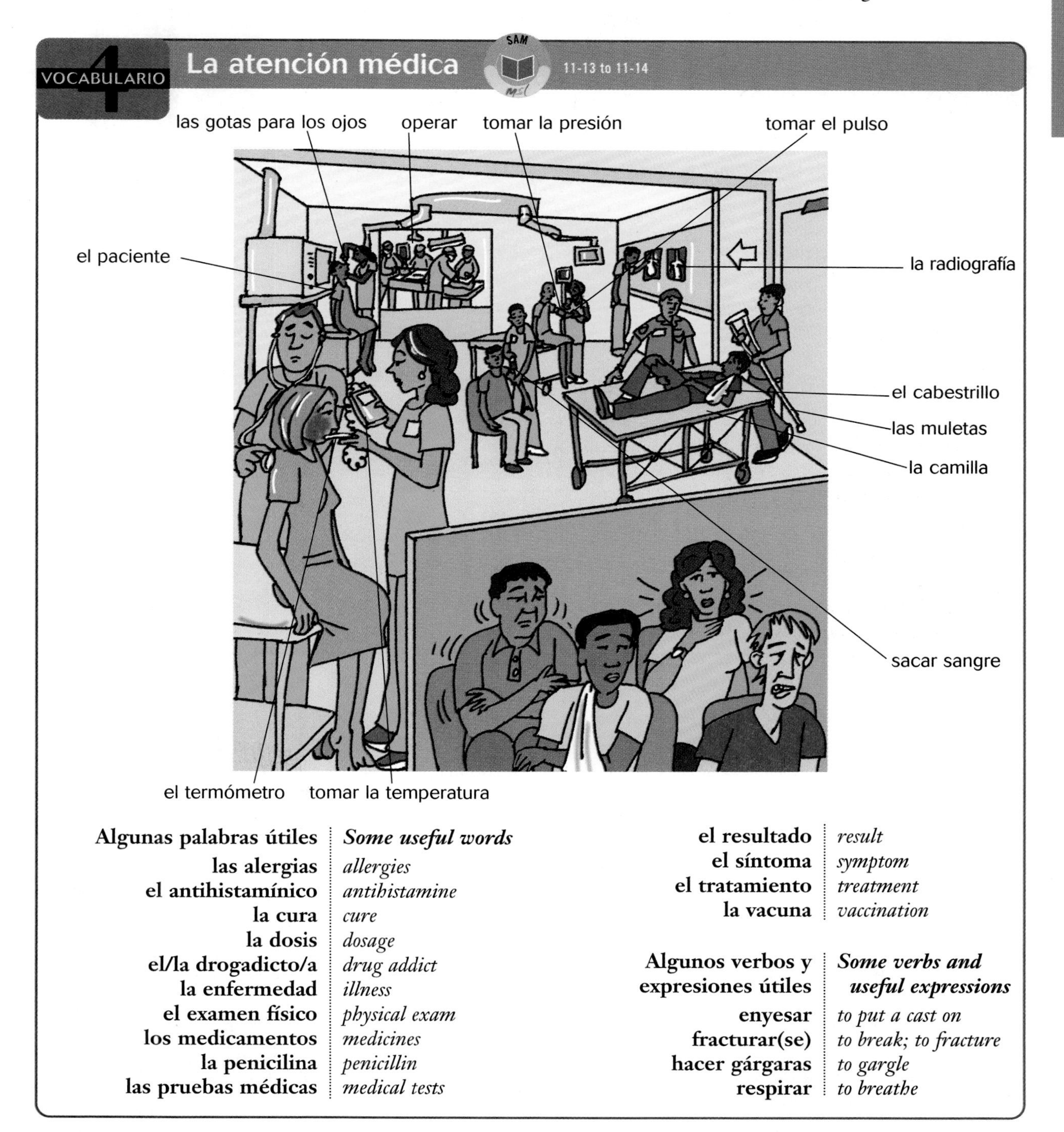

Algunas palabras útiles	***Some useful words***
las alergias	*allergies*
el antihistamínico	*antihistamine*
la cura	*cure*
la dosis	*dosage*
el/la drogadicto/a	*drug addict*
la enfermedad	*illness*
el examen físico	*physical exam*
los medicamentos	*medicines*
la penicilina	*penicillin*
las pruebas médicas	*medical tests*
el resultado	*result*
el síntoma	*symptom*
el tratamiento	*treatment*
la vacuna	*vaccination*

Algunos verbos y expresiones útiles	***Some verbs and useful expressions***
enyesar	*to put a cast on*
fracturar(se)	*to break; to fracture*
hacer gárgaras	*to gargle*
respirar	*to breathe*

El parloteo de Cisco

Tengo la gripe. Odio enfermarme. Si tomo algo, tal vez me sienta mejor. ¿Hay alguien que me pueda recomendar un buen médico? No conozco a ninguno.

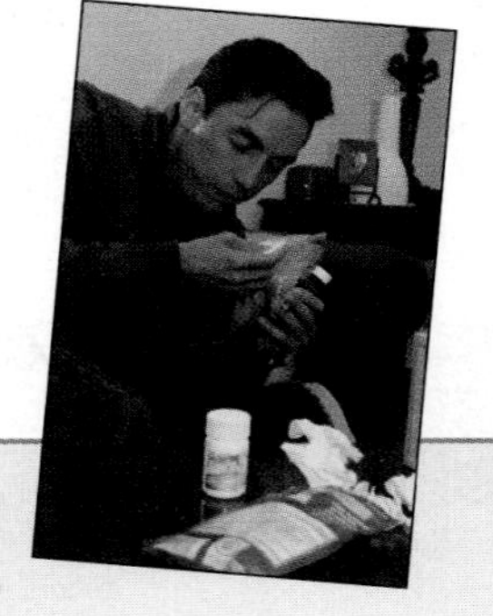

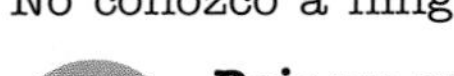

Deja un comentario para Cisco:

REPASO

11-15 to 11-16

Las expresiones afirmativas y negativas

In Cisco's blog, he writes **algo, alguien,** and **ninguno.** As you know, these are affirmative and negative expressions. The following is a brief review.

EXPRESIONES AFIRMATIVAS		EXPRESIONES NEGATIVAS	
a veces	*sometimes*	**jamás**	*never; not ever* (emphatic)
algo	*something/anything; somewhat*	**nada**	*nothing; not at all*
alguien	*someone*	**nadie**	*no one, nobody*
algún	*some/any*	**ningún**	*none*
alguno/a/os/as	*some/any*	**ninguno/a/os/as**	*none*
siempre	*always*	**nunca**	*never*
o... o	*either... or*	**ni... ni**	*neither... nor*

For a complete review, refer to **Capítulo 4** of ***¡Anda! Curso elemental*** in Appendix 3.

11-20 Nunca va

Elijan la palabra o expresión que no va con las otras y expliquen por qué. Túrnense y traten de usar **expresiones afirmativas o negativas.**

MODELO las pruebas médicas, los síntomas, el tratamiento, la vacuna

E1: *"La vacuna" no va con las otras palabras. Nunca se usa una vacuna como tratamiento.*

E2: *Estoy de acuerdo. Las otras palabras tienen una progresión. Si alguien tiene unos síntomas, va para unas pruebas médicas y luego sigue un tratamiento.*

1. la penicilina, el antihistamínico, la camilla, la vacuna
2. respirar, sacar sangre, tomar la presión, tomar el pulso
3. la radiografía, las pruebas médicas, la cura, el examen físico
4. operar, el tratamiento, los medicamentos, el drogadicto

11-21 Están equivocados

Samuel y Rosario siempre dicen que no hay ningún beneficio en hacer ejercicio regularmente. Corrijan sus comentarios usando **expresiones afirmativas.**

MODELO Jamás ayuda a tratar la depresión.

Hacer ejercicio siempre ayuda a tratar la depresión.

1. No disminuye ningún riesgo de tener una enfermedad grave.
2. No reduce ningún efecto del envejecimiento (*aging*).
3. No aumenta nada la energía.
4. Nunca te ayuda a dormir mejor.
5. No alivia ni el estrés ni la ansiedad.
6. No ayuda nada a mantener los tendones y los ligamentos flexibles.

11-22 No, mil veces no

Túrnense para contestar las siguientes preguntas de manera negativa.

MODELO ¿Usas muletas a veces?
No, nunca uso muletas./No, no uso muletas nunca.

1. Entre la gente famosa, ¿conoces a alguien que sea drogadicto?
2. ¿Conoces a alguien que tenga una enfermedad grave?
3. ¿La enfermera siempre te toma la presión o el pulso?
4. ¿Necesitas alguna vacuna para el viaje?
5. ¿Siempre te duele algo?
6. Cada vez que vas al médico, ¿te hacen pruebas médicas?
7. ¿Alguien te opera mañana?
8. ¿Te han enyesado alguna parte del cuerpo?

11-23 Haciendo preguntas

¿Cuántas preguntas pueden crear? Completen los siguientes pasos.

Paso 1 Formen oraciones interrogativas con los elementos de las tres columnas más otras palabras necesarias. Formen sus oraciones interrogativas para que requieran unas repuestas más elaboradas que **sí** o **no.**

MODELO algunos síntomas el cáncer
¿Cuáles son algunos síntomas del cáncer?

COLUMNA 1	COLUMNA 2	COLUMNA 3
alguien	cura	el cáncer
alguno/a/os/as	resultados	el hueso del pie
siempre	síntomas	aquella enfermedad
alguna vez	fracturarse	las pruebas médicas
a veces	ocurrir	la máquina de radiografía
algo	sacar sangre	ser alérgico al medicamento
o… o	estar mal la dosis	tomar la presión

Paso 2 Ahora contesten las preguntas que crearon.

MODELO E1: *¿Cuáles son algunos síntomas del cáncer?*
E2: *Algunos síntomas incluyen el cansancio, el adelgazamiento…*

11-24 Un examen físico muy completo

¡Anda! Curso elemental, Capítulo 9, Unas enfermedades y tratamientos médicos, Apéndice 2.

Piensen en ocasiones en que fueron al médico para un examen físico y completen los siguientes pasos.

Paso 1 Hagan una lista de las acciones del/de la enfermero/a y del/de la médico/a durante un examen físico muy completo.

1. *preguntarle al paciente si tiene algunos problemas físicos*
2. *sacarle sangre…*

Paso 2 Piensen en los exámenes físicos que han tenido ustedes. Digan si los/las enfermeros/as y los/las médicos/as les han hecho estas cosas **siempre**, **a veces** o **nunca**.

MODELO E1: *Siempre me preguntan si tengo algún problema físico. ¿Y tú?*

E2: *A veces me preguntan si tengo problemas. ¿A ti siempre te miran el oído?…*

11-25 Encuentra a alguien que…

Circula por la clase para averiguar la frecuencia con que se han encontrado en las siguientes situaciones. Entrevista a tus compañeros/as. Luego, comparte los resultados con la clase.

MODELO fracturarse un pie

E1: *¿Te fracturaste un pie alguna vez?*

E2: *Sí, una vez me fracturé un pie.*

E1: *Firma aquí, por favor.*

Estrategia

Remember that when completing signature search activities like **11-25**, it is important to move quickly around the room, trying to get as many different signatures as possible while asking and answering all questions in Spanish.

	NUNCA	UNA VEZ	MÁS DE UNA VEZ	SIEMPRE
1. fracturarse un brazo o una pierna		*Josefina*		
2. hacer gárgaras				
3. tomar penicilina para una infección				
4. usar un termómetro por su propia cuenta (*by oneself*)				
5. tener alergias				
6. ponerse gotas en los ojos				
7. sacarte una radiografía				
8. tomar muchos medicamentos				
9. respirar de manera profunda				

El *se* inocente (*Se* for unplanned occurrences)

11-17 to 11-18

Al médico se le perdieron los papeles.

The passive **se** can also be used with certain verbs to indicate something ***unplanned, unexpected,*** and ***no one's fault.***

- In this use of **se:**

1. **Se** is invariable.
2. The indirect object pronoun refers to the person the action "happens to."
3. The subject (which comes at or toward the end of the sentence) and verb agree.
4. Optional nouns or pronouns can be used for clarification.

- The "formula" for this use of **se** is:

(Optional noun or pronoun) + se + Indirect Object Pronoun + Verb + Subject + (rest of sentence)

Note the following color-coded examples.

A Hortensia se le rompieron los lentes.	*Hortensia broke her glasses.*
Se me olvidaron las gotas para las alergias.	*I forgot the drops for my allergies.*
Se les quedó el dinero para pagar la factura del hospital en casa.	*They left the money to pay the hospital bill at home.*

- The following verbs frequently use this construction with **se:**

acabar	caer	escapar	ir	ocurrir	olvidar	perder	quedar	romper

Note: With the ***se*** of unplanned occurrences, a definite (**el, la, los, las**) or indefinite (**un, unos, una, unas**) article is used ***instead of*** a possessive adjective (**mi/s, tu/s, etc.**), as is the case in English.

¿Se te cayeron ***las*** muletas?	*Did* ***your*** *crutches fall?*
¿Se te ocurre ***un*** tratamiento?	*Does* ***a*** *treatment occur to you?*
Se me olvidó ***el*** termómetro.	*I forgot* ***my*** *thermometer.*
Se les perdieron ***las*** radiografías.	*They lost* ***their*** *X-rays.*

You may remember a similar usage of definite articles with body parts or clothing from **Capítulo 3.**

Se le rompieron ***los*** *brazos* en el accidente.	*He broke* ***his*** *arms in the accident.*
Se puso ***el*** *suéter* porque tenía frío.	*She put on* ***her*** *sweater because she was cold.*

Esteban se
Lucía y Beto se ~~les~~ le comieron helado.
Sra. Sanchez se le ~~rompió~~ cayeron los platos.

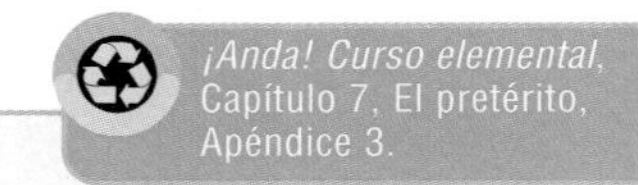
¡Anda! Curso elemental, Capítulo 7, El pretérito, Apéndice 3.

11-26 ¿Qué les pasó?

Miren los dibujos y descríbanlos, usando las siguientes palabras y el ***se* inocente.**

acabar	caer	escapar	olvidar	perder	romper

MODELO

Sonia

A Sonia se le olvidaron los lentes.

¡Anda! Curso intermedio, Capítulo 3, El pretérito, pág. 107.

1. 
Esteban

2. 

Lucía y Beto

3. 
Sra. Sánchez

4. 
Mateo

5. 
Lola

11-27 Un día muy malo para el Dr. Gómez

Lean sobre lo que le pasó ayer al Dr. Gómez y completen los pasos que siguen.

Ayer fue uno de los peores días que el Dr. Gómez, un médico nuevo del Hospital Universitario Virgen del Rocío en Sevilla, España, ha tenido jamás. Desde el primer momento, todo fue de mal en peor (*from bad to worse*). Para empezar se le olvidó poner el despertador y se levantó tarde. Tenía que estar en el hospital muy temprano porque iba a operar a un paciente a las siete. Salió de casa a eso de las siete menos cuarto. De camino al hospital, el coche se quedó parado porque se le acabó la gasolina. Llamó a *Mondial Assistance* y por fin lo rescataron (*they saved him*).

Cuando llegó al hospital, todo el mundo lo estaba esperando. ¡Qué vergüenza! No se le había ocurrido llamar a nadie para decirle lo que le había pasado y todos estaban muy preocupados. Les pidió perdón a todos y por fin entraron en la sala de operación. Cuando estaban a punto de empezar, se dieron cuenta de que se les habían perdido las radiografías. Buscaban por todas partes cuando una enfermera las encontró debajo de la bandeja (*tray*) de los instrumentos. ¿Qué más le podía ocurrir al médico joven? Pues, siempre puede haber algo peor... Al recoger las radiografías, la enfermera le dio a la bandeja con el codo y ¡se le cayeron todos los instrumentos al suelo! Con tres horas de retraso, empezaron la operación. Menos mal que eso les salió bien. El resto del día fue más o menos normal hasta el momento de irse el doctor a casa. Se cayó en el estacionamiento y se le rompió el tobillo. ¿Lo puedes creer?

Paso 1 Subrayen los usos del **se** inocente.

Paso 2 Sin volver a mirar el pasaje, traten de recordar todo lo que le pasó al Dr. Gómez aquel día. Túrnense para hacer una lista de todas las acciones imprevistas (*unforeseen*).

Paso 3 Revisen la lista para confirmar el orden cronológico. ¿Cuántas acciones imprevistas encontraron?

Fíjate

Mondial Assistance is an international road assistance company similar to AAA in the United States.

11-28 ¿Cómo responde el Dr. Gómez?

El jefe recibe una queja (*complaint*) y llama al Dr. Gómez para enterarse de lo que realmente ocurrió. Contesten como si fueran el Dr. Gómez. Túrnense.

MODELO ¿Por qué no me llamaste? (olvidar)
Lo siento. Se me olvidó llamarte.

1. ¿Por qué no llegaste a tiempo? (quedar)
2. ¿Por qué tuviste que llamar a la asistencia en carretera *Mondial Assistance*? (acabar)
3. ¿Por qué estaban preocupados todos tus compañeros? (olvidar)
4. ¿Por qué no pudieron empezar la operación en seguida? (perder/caer)
5. ¿Por qué no puedes trabajar mañana? (romper)

11-29 Leo

Nuestro amigo Leo siempre está entre el hospital y la casa; creemos que es hipocondríaco. Terminen sus oraciones, usando siempre el **se** inocente. Túrnense.

MODELO Vamos a la farmacia porque (acabar)...
Vamos a la farmacia porque se me acabaron los medicamentos.

1. Me tienen que hacer de nuevo todas las pruebas porque (perder)...
2. La enfermera me pidió perdón porque (olvidar)...
3. Las alergias son horribles hoy porque (quedar)...
4. No puedo tomarme la temperatura porque (caer)...
5. Mi médico tiene que hablar con unos especialistas porque no (ocurrir)...

¡Anda! Curso intermedio, Capítulo 1, El presente perfecto de indicativo, pág. 46.

11-30 ¿Qué nos ocurre?

Circula por la clase para encontrar a compañeros a quienes les han ocurrido las siguientes acciones imprevistas. Hay que usar **el presente perfecto** en las preguntas y es importante elaborar tus respuestas.

MODELO ocurrir una solución a un problema grande

TÚ: *¿Se te ha ocurrido una solución a un problema grande?*

MARTA: *Sí, se me ha ocurrido una solución a un problema grande. Tuve un accidente de carro y me costó mucho dinero reparar el carro. Se me ocurrió que sería una buena idea vender el coche y comprar algo más barato.*

ACCIÓN IMPREVISTA	COMPAÑERO/A
ocurrir una solución a un problema grande	*Marta*
romper una pierna	
perder las llaves	
quedar el coche sin gasolina en la autopista	
olvidar pagar una factura importante	
caer los libros en un charco (*puddle*)	
acabar el dinero antes de terminar el semestre	

Algunos síntomas, condiciones y enfermedades

11-19 to 11-20

Estrategia

Note how many of the words in this list are cognates. You may want to master these words first and then add those that are unfamiliar to you.

Algunas palabras útiles	***Some useful words***
el alcoholismo	*alcoholism*
la apendicitis	*appendicitis*
la artritis	*arthritis*
el ataque al corazón	*heart attack*
la bronquitis	*bronchitis*
el cáncer	*cancer*
la depresión	*depression*
la diabetes	*diabetes*
el dolor de cabeza	*headache*
los escalofríos	*chills*
la hipertensión	*high blood pressure*
la inflamación	*inflammation*
la jaqueca	*migraine; severe headache*
el mareo/los mareos	*dizziness*
la mononucleosis	*mononucleosis*
la narcomanía	*drug addiction*
las náuseas	*nausea*
la obesidad	*obesity*
las paperas	*mumps*
la presión alta/baja	*high/low (blood) pressure*
la quemadura	*burn*
el sarampión	*measles*
el SIDA	*AIDS*
la varicela	*chicken pox*

Algunos verbos útiles	***Some useful verbs***
dejar de fumar cigarrillos	*to quit smoking cigarettes*
desmayarse	*to faint*
hincharse	*to swell*
torcerse	*to sprain*
vomitar	*to vomit*

11-31 Algunos síntomas

¿Cuáles son las posibles enfermedades que corresponden a los siguientes síntomas?

MODELO ¡Qué dolor! No puedo ni pensar ni concentrarme en nada. La luz me molesta y también el ruido...
el dolor de cabeza

1. No me vacunaron y ahora me están saliendo unas manchitas rojas. También tengo fiebre...
2. Tengo dolores de estómago muy fuertes —tan fuertes que vomito a causa del dolor...
3. Me duele el pecho y cuando toso, tengo una tos profunda y productiva...
4. Me duelen las articulaciones (*joints*) de los dedos de la mano y las tengo hinchadas e inflamadas...
5. Siento un dolor fuerte de pecho que se extiende también por el hombro y el brazo izquierdo. Estoy sudando y tengo mareo...
6. Estaba corriendo por el parque y pisé una piedra bastante grande. Me caí y al caerme, escuché un ruido "pop" y sentí dolor. Tengo el tobillo hinchado...

11-32 Una condición común

¡Anda! Curso elemental, Capítulo 9, Unas enfermedades y tratamientos médicos, Apéndice 2.

¿Han tenido fascitis plantar o conocen a alguien que haya sufrido de esta irritación del pie?

Paso 1 Lean la descripción sobre esta enfermedad.

TODO MÉDICO

La fascitis plantar es una de las causas más comunes del dolor en la parte trasera del talón, del arco o de ambas áreas. La faja plantar es un ligamento grueso y fibroso en la parte trasera del pie que tiene muy poco estiramiento o flexibilidad. Este ligamento se une al talón y se estira a lo largo del pie hasta la bola. Los dolores causados por la fascitis plantar son bastante comunes en adultos, generalmente a partir de los veinte años, y en atletas.

Las dos indicaciones más comunes de esa condición son el dolor al caminar, sobre todo al levantarse, y la inflamación (que puede causar que esa parte del pie se hinche). Algunas posibles causas incluyen: aumento de peso; aumento repentino de actividades físicas que involucran movimientos forzados, golpes o mala técnica (como correr, tenis, fútbol y básquetbol); caminar descalzo°; tener una pierna más corta que la otra; estar de pie muchas horas a largo plazo; y usar zapatos que no soportan el arco, no amortiguan° bien o que no son lo suficientemente flexibles.

Como tratamiento, las recomendaciones incluyen:

- descansar el pie, o sea, hacer menos ejercicio que implique poner peso en esa parte del pie
- levantar el pie para reducir la hinchazón
- aplicar hielo en el talón y el arco por unos veinte minutos tres veces al día
- utilizar plantilla ortopédica en el zapato que amortigüe el talón
- estirar el pie con ejercicios específicos para aumentar la flexibilidad del plantar
- evitar ir descalzo

El tiempo que tarda en recuperarse de la fascitis plantar depende de las actividades o problemas que la causaron. Pueden pasar semanas o hasta meses de recuperación antes de que la fascitis plantar se sane° por completo. En casos más problemáticos, se recomiendan medicamentos antiinflamatorios y/o posibles inyecciones de esteroides.

descalzo: sin zapatos
amortiguan: *absorb shock*
se sane: *heals*

Fíjate

Hinchazón and the verb *hincharse* are from the same word family. Therefore, what do you think *hinchazón* means?

Paso 2 Escriban **cinco** quejas que una persona que sufra de esa condición pueda tener.

MODELO *No puedo llevar zapatos con tacones porque me duele demasiado el pie.*

Paso 3 Escriban **tres** quejas o síntomas que una persona pueda tener para **dos** de las siguientes condiciones o enfermedades:

la depresión **la hipertensión** **la diabetes**

11·33 ¿Adónde se va cuando...?

¡Anda! Curso elemental, Capítulo 9, Unas enfermedades y tratamientos médicos, Apéndice 2.

¿Adónde se va para curarse o buscar tratamiento para las siguientes condiciones?

Paso 1 Pon una equis (**X**) en la(s) columna(s) apropiada(s).

CONDICIÓN	A LA CAMA	A LA FARMACIA	AL CONSULTORIO DEL MÉDICO	AL HOSPITAL	A LA SALA DE URGENCIAS
1. una jaqueca	X	X			
2. inflamación de un dedo a causa de una herida					
3. un ataque al corazón					
4. la bronquitis					
5. los mareos y las náuseas					
6. una quemadura grave de la cara					
7. el sarampión					
8. los escalofríos					
9. un dolor de espalda					
10. ¿...?					
11. ¿...?					

Estrategia

Personalize the list with two additional medical conditions.

Paso 2 Comparte tus resultados con un/a compañero/a.

MODELO un catarro

E1: *Cuando se tiene catarro, primero se va a la farmacia y después a la cama para descansar.*

E2: *Estoy de acuerdo. Cuando tengo catarro, también voy primero a la farmacia y luego a la cama para descansar.*

¡Anda! Curso elemental, Capítulo 9, Unas enfermedades y tratamientos médicos, Apéndice 2.

11·34 ¿Que harían?

En grupos de cuatro, hablen de lo que ustedes harían en las siguientes situaciones.

¡Anda! Curso intermedio, Capítulo 8, El condicional, pág. 318; Capítulo 10, Cláusulas de *si* (Parte 2), pág. 402.

MODELO romperse el brazo

E1: *¿Qué harían si se les rompiera el brazo?*

E2: *Iría a la sala de urgencias.*

E3: *Yo también, pero primero llamaría a alguien para que me ayudara. Le diría que me pusiera un cabestrillo.*

E4: *Yo no. Un cabestrillo puede causar más daño, ¿no? Querría ir rápidamente a una clínica o al hospital y tomaría algo para el dolor.*

1. tener náuseas y estar vomitando
2. toser mucho y no poder respirar bien
3. quemarse con agua hirviente
4. torcerse la rodilla
5. tener fiebre alta, escalofríos y dolores en todo el cuerpo

Fíjate

In *Capítulo 4* you learned the verb *hervir (e-ie-i)*. Therefore, what is *agua hirviente?*

11-35 ¿Somos sanos?

Van a hablar de las condiciones y enfermedades que han tenido. Entrevístense usando las siguientes preguntas como guía, y creen **cinco preguntas adicionales.**

1. ¿Cuáles son las enfermedades que tuviste de niño/a?, ¿de adolescente?, ¿de mayor?
2. ¿Cuáles fueron los tratamientos que te dieron para esas enfermedades?
3. ¿Cuántas veces has sido paciente en un hospital?
4. ¿Cuántas veces has estado en una sala de urgencias?
5. ¿Cuántas veces al año sueles ir al médico?

La voz pasiva

Just as in English, Spanish has both the *active* and *passive* voice. Let's look at the construction in English first.

A. In an **active voice sentence,** the *subject does the acting* expressed by the verb, and the *direct object receives the action*:

subject (doer) + verb + object (recipient)

Tina **took** the medicine. *Tina **tomó** la medicina.*

Se fuman muchos cigarrillos en este país.

B. A **passive voice sentence** is the reverse of the active voice. That is, the *subject **receives** the action* and the *doer is expressed with a prepositional phrase* (by + doer):

subject (recipient) + to be (*ser*) + past participle + preposition + doer

The medicine **was taken** by Tina. *La medicina **fue tomada** por Tina.*

- As you can see, the passive voice construction in Spanish is similar to the English passive construction. The difference is that Spanish has **two ways** of expressing the **passive voice:**
  1. **Passive** with **ser,** as in the examples above, and
  2. **Passive *se*.**

C. The passive *se* is related to the **impersonal *se*** (see p. 429 of this chapter). In the passive *se* construction:

- **se** is considered an unchanging part of the verb.
- the ***thing*** being acted upon becomes the subject of the sentence.
- the ***thing*** will always necessitate either a ***third person singular*** or ***plural verb.***

The formula for the **passive *se*** is:

Se + third person singular or plural verb + the *thing* being acted upon

Se mandó dinero a los enfermos. *Money was sent to the sick people.*
Se compraron muchos medicamentos para curarlos. *A lot of medicine was purchased to cure them.*

D. What follows is an explanation of when you should use the **passive** with **ser** and when you should use **passive** *se.*

1. When the **passive** with **ser** is used, the doer of the action is usually either stated in the sentence, introduced by the preposition **por,** or strongly implied through context.
2. The **passive** with **ser** is not as commonly used in spoken Spanish as the **passive** *se*. **Passive** with **ser** is more common in writing, generally used to vary style.
3. When the doer is unknown or unimportant to the message, the **passive** *se* should be used.
4. In general, when the ***doer is known,*** the **active voice** is used in Spanish rather than the **passive** with **ser.**

Study the following examples.

1. The **passive** with **ser:**

El pulso **fue tomado** por la enfermera.	*The pulse was taken by the nurse.*
La presión **fue tomada** por el médico.	*The blood pressure was taken by the doctor.*
Los resultados **fueron escritos** por la cirujana.	*The results were written by the surgeon.*
Las recetas **fueron escritas** por el neurólogo.	*The prescriptions were written by the neurologist.*

2. The **passive** *se:*

Se tomó el pulso.	*The pulse was taken.*
Se tomó la presión.	*The blood pressure was taken.*
Se escribieron los resultados.	*The results were written.*
Se escribieron las recetas.	*The prescriptions were written.*

1. What are the nouns (*people, places, or things*) in the sample sentences of the **passive** with **ser?**
2. In the **passive** with **ser** sentences,
   a. what form (person: e.g., 1st, 2nd, 3rd) of the verb is used?
   b. what determines whether the verb is singular or plural?
   c. with what does the past participle **(-ado / -ido)** agree?
3. With the **passive** *se* sentences, do you still have the same subjects and objects as in the **passive** with **ser?**
4. What form of the verb is used with the **passive** *se?* What determines if that form is singular or plural?
5. Is the doer clear in the **passive** *se* sentences?

A Check your answers to the preceding questions in Appendix 1.

¡Anda! Curso elemental, Capítulo 7, El pretérito, Apéndice 3.

11-36 Práctica

Completa las siguientes oraciones con las formas apropiadas de los verbos en paréntesis para crear oraciones con el  **ser pasivo.** Después, comparte tus oraciones con un/a compañero/a.

MODELO Dijeron que los mareos (causar) principalmente por el dolor.
Dijeron que los mareos fueron causados principalmente por el dolor.

1. La inflamación (descubrir) por su médico.
2. Ayer las pruebas médicas (hacer) por esas enfermeras.
3. El drogadicto (detener) por la policía después de robar el banco.
4. El primer artículo sobre el SIDA, aún no nombrado, (escribir) por Michael Gottlieb en el año 1981.
5. En aquellos tiempos, mis grandes dolores de cabeza (causar) por mis hijos.

Fíjate

El SIDA is the Spanish acronym for AIDS. It stands for *el síndrome de inmunodeficiencia adquirida.*

Estrategia

Take advantage of activities like **11-37** to challenge yourself to go beyond a simple answer, providing as much pertinent information as you can.

11-37 Los beneficios

Dicen que los ejercicios de resistencia son tan importantes como los ejercicios aeróbicos. ¿Cuáles son los beneficios de hacer este tipo de ejercicio? Creen una oración con el ***se* pasivo** para cada beneficio mencionado. Túrnense.

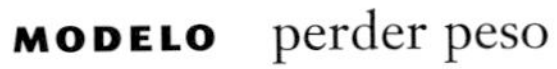

MODELO perder peso

Al hacer ejercicios de resistencia, se pierde peso.

1. aumentar la masa muscular
2. fortalecer los huesos
3. quemar grasa
4. aumentar la fuerza
5. mejorar la coordinación
6. perder peso

Estrategia

For *Paso 1*, you will use the passive *se.*

11-38 En el hospital

Siempre hay reglas para todos los lugares públicos. Generalmente, ¿qué cosas se pueden hacer y qué cosas no se pueden hacer en un hospital?

Paso 1 Hagan dos listas: una de las cosas que se hacen y otra de las cosas que no se hacen en un hospital.

MODELO

SE HACE(N)	NO SE HACE(N)
Se comen las verduras.	*No se fuman cigarrillos.*
Se escriben los resultados todos los días.	

Paso 2 Creen letreros para algunas acciones de las listas.

MODELO

Se permite comer en la cafetería.

No se permite fumar en el hospital.

Hospital de la Santa Creu i de Sant Pau, Barcelona, España

Estrategia

For *Paso 2*, you will use the impersonal *se.* To review the impersonal *se*, go to page 429.

11-39 Un hospital lleno de sonrisas

Miren el anuncio del Hospital Universitario Virgen del Rocío, y después contesten las siguientes preguntas.

MODELO ¿Qué se nota desde el primer momento?
Se nota una gran diferencia entre este hospital y los otros.

1. ¿Qué se recibe desde el primer momento?
2. ¿Cómo se describen a los profesionales del hospital?
3. ¿Cómo se trata a los pacientes?
4. ¿Dónde se encuentra el hospital?
5. ¿Cómo se pone en contacto con el hospital?

Hospital Universitario Virgen del Rocío

Un hospital lleno de sonrisas

Desde el primer momento en que usted entra a nuestro hospital, notará una gran diferencia. Recibirá la atención personal que usted merece de profesionales dedicados a cambiar vidas y apasionados por este compromiso. Creemos que un equipo contento y satisfecho resulta en pacientes contentos y satisfechos. Para nosotros, curar significa mucho más que tratar con medicamentos —tratamos al ser completo.

Hospital Universitario Virgen del Rocío

Ubicado en el corazón de Sevilla, usted nos puede encontrar en la Avenida Manuel Siurot s/n, SEVILLA.

Teléfonos: Centralita 955 012000
Atención al usuario 955 012125
Fax 955 013473

¡Anda! Curso intermedio, Capítulo 5, El subjuntivo con antecedentes indefinidos o que no existen, pág. 199.

11-40 Quiero ir a un hospital que...

Imagínense que ustedes o uno de sus parientes tienen que ingresar (*to be admitted*) en el hospital. ¿Cuáles son sus consideraciones al escoger el mejor hospital? Creen **seis** oraciones y usen **el subjuntivo** y **el *se* pasivo.**

MODELO *Buscamos un hospital en que se encuentren médicos excelentes.*

SAM 11-23 to 11-24

PERFILES

Algunas personas innovadoras en el campo de la medicina

Con la posibilidad de contagiarse de tantas enfermedades, es difícil cuidarse por completo. Cuando uno se enferma, es bueno recibir tratamiento médico. Estas tres personas han encontrado la cura para algunas enfermedades serias.

El Premio Nóbel de Fisiología y Medicina del año 1980 fue otorgado al **Doctor Baruj Benacerraf** y dos colegas por su trabajo sobre la estructura de las superficies (*surfaces*) celulares que son genéticamente determinadas y que afectan las reacciones inmunológicas. El patólogo nació en Venezuela en el año 1920 y es de herencia judeo-española.

El doctor colombiano **José Ignacio Barraquer** (1916–1998) se conoce como "el padre de la cirugía refractiva". Diseñó varios instrumentos para la cirugía de la córnea. Sus estudios e inventos fueron los precursores del procedimiento *Lasik* que se usa hoy en día. La "k" se deriva de su procedimiento *keratomileusis.*

El Doctor René Favaloro (1923–2000) fue cirujano e inventor de un procedimiento fenomenal. En el año 1962, viajó a la Clínica Cleveland donde se especializó en cirugía torácica y cardiovascular. En el año 1967, realizó con éxito la técnica del by-pass aorta coronaria. En el año 1971, volvió a su país natal de Argentina para trabajar.

Preguntas

1. Las invenciones de estas personas han cambiado mucho el campo de la medicina. ¿Cómo piensas que se les ocurrieron sus ideas?
2. En el **Capítulo 10,** aprendiste sobre varios individuos que han hecho una contribución positiva al planeta en el campo del medio ambiente. ¿Cómo se comparan los hechos (*deeds*) de esas personas con las que se presentan aquí?

¡Conversemos!

11-25 to 11-26

ESTRATEGIAS COMUNICATIVAS Pausing, suggesting an alternative, and expressing disbelief

There are times when communicating that you need to pause and take time to compose your thoughts. On still other occasions you may need to suggest an alternative or express disbelief.

Use these new expressions with the others you have learned in ***¡Anda! Curso intermedio*** to initiate and maintain conversations on a wide variety of topics!

Pausas	*Pauses*
A ver...	*Let's see...*
Bueno...	*Well.../OK...*
Este...	*Well.../Um...*
La verdad es que...	*The truth is...*
O sea...	*That is....*
Pues...	*Um.../Well...*
Sabes...	*You know...*

Para sugerir una alternativa	*To suggest an alternative*
¿No cree(s)(n) que...?	*Don't you think that...?*
Propongo que...	*I propose that...*
Sería mejor...	*It would be better to...*
Recomiendo que...	*I recommend that...*
Sugiero que...	*I suggest that...*

Para expresar incredulidad	*To express disbelief*
¿De veras?	*Really?*
¿En serio?	*Seriously?*
Lo dudo.	*I doubt it.*
¡No me diga(s)!	*You don't say!/No way!*
No lo creo.	*I don't believe it./think so.*
¡No puede ser!	*It can't be!*
Parece mentira.	*It's hard to believe.*

CD 4
Track 22

11-41 Diálogo

Gregorio llegó a la casa de su amigo y se encontró con una sorpresa. ¡Carlos había tenido un accidente! Escucha para descubrir qué pasó y contesta las siguientes preguntas.

1. ¿Quién usa más pausas, Gregorio o Carlos? ¿Por qué?
2. ¿Cuáles son algunas de las expresiones que Gregorio utiliza para expresar su incredulidad?

¡Anda! Curso elemental, Capítulo 9, Unas enfermedades y tratamientos. Apéndice 2.

11-42 Doctor, me duele...

Hagan los papeles de un/a médico/a y un/a paciente.

Paso 1 Si haces el papel del paciente, completa el formulario y haz una lista de tus síntomas.

Paso 2 Si haces el papel del/de la médico/a, haz una lista de tus preguntas.

Paso 3 Al final, el/la médico/a debe darle al/a la paciente sus conclusiones y recomendar un tratamiento.

Para cada "visita al médico" el/la paciente y el/la médico/a deben decir por lo menos **ocho** oraciones cada uno. Túrnense.

HOSPITAL GENERAL DE MÉXICO

Por favor complete este formulario con la mayor precisión posible. Toda la siguiente información es confidencial y será utilizada en caso de emergencia. Escriba legiblemente, por favor.

NOMBRE ____________
DIRECCIÓN ____________

1. ¿Está bajo tratamiento por alguna enfermedad? Explique. ____________
2. ¿Toma algún tipo de medicamento? ____________
3. ¿Qué medicinas tomas? ____________

CONDICIONES MÉDICAS
Indique cualquier enfermedad que haya tenido en el pasado, poniendo la fecha en que comenzó.

____ alergias	____ cáncer	____ mononucleosis
____ apendicitis	____ diabetes	____ náuseas
____ artritis	____ glaucoma	____ presión alta/baja
____ ataque cardíaco	____ jaqueca	____ sarampión
____ bronquitis	____ mareos	____ varicela

¿Ha tenido otra condición que no se menciona aquí? ____________

11·43 Investigaciones criminales

Son científicos forenses como en el programa de televisión *CSI.* Investiguen los siguientes casos y creen diálogos entre ustedes para hacer hipótesis sobre los siguientes casos.

a. el cuerpo de un adolescente masculino encontrado en el parque principal debajo de un árbol
b. el cuerpo de un anciano encontrado en su casa
c. los cuerpos de una mujer y un hombre en el arrecife
d. el cuerpo de una mujer en un valle cerca del desierto

11·44 Las radiografías

Un médico de otra ciudad quiere consultar con ustedes sobre los siguientes casos. Miren las radiografías y creen un diálogo sobre las posibles condiciones o enfermedades y los tratamientos necesarios.

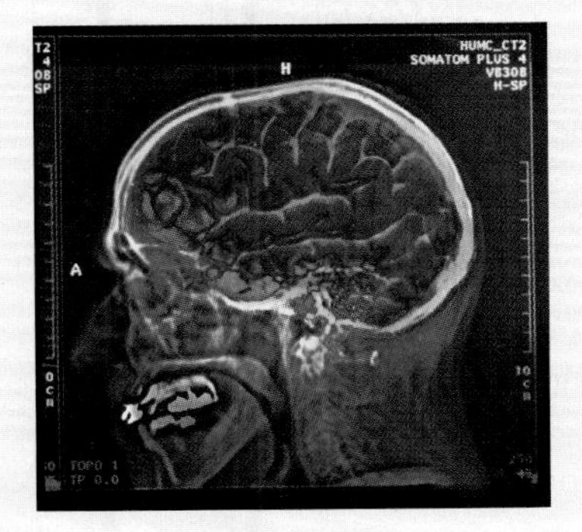

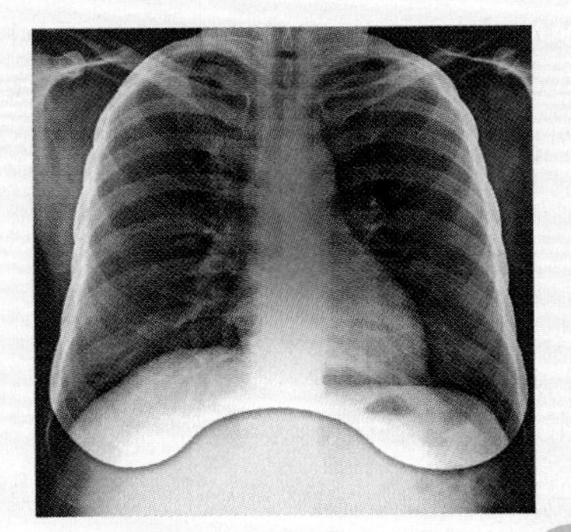

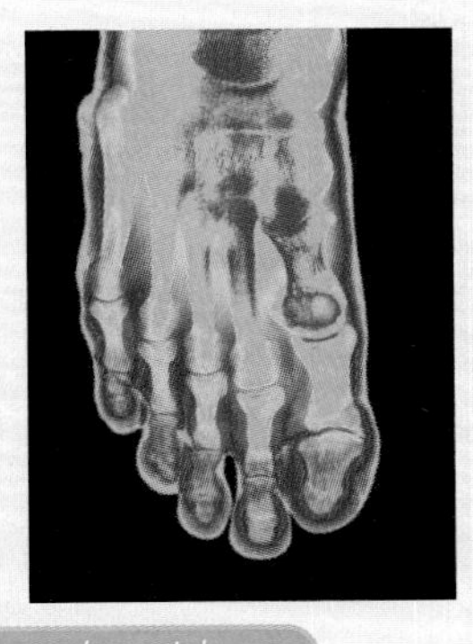

¡Anda! Curso elemental, Capítulo 11, Los animales. Apéndice 2.

11·45 Los animales nos necesitan también

Imaginen que trabajan en una oficina veterinaria con animales domésticos o en el campo con animales salvajes. Hagan los papeles de los veterinarios para determinar las enfermedades de los animales.

Fíjate

What follows are useful words that are specific to animals.

el ala	*wing*
la cola	*tail*
la garra	*claw*
la pata	*foot, paw*
el pico	*beak*

11·46 Médicos sin fronteras

Fundado en el año 1971, *Médicos sin fronteras* es una organización humanitaria que provee ayuda a más de setenta países mundiales. Vayan a la página web de ***¡Anda! Curso intermedio*** para investigarla, y comuniquen lo que encuentren. Escriban por lo menos **ocho** oraciones sobre lo que aprenden.

ESCRIBE

11-27 to 11-28

ESTRATEGIA Determining audience and purpose

As a writer, you must decide on a purpose and select the audience for whom you are writing.

Your purpose is your goal for writing. For example, do you want to convince or inform?

After determining your purpose, you need to consider your audience. Is your writing directed to a friend, to someone you do not know, or to the general public? Is it a narration or is it intended as a directive to someone? If your audience is of a more formal nature, you will need to use a formal style to convey your message.

11•47 Antes de escribir

Vas a escribir un guión para un cortometraje. El tema es la atención médica.

1. Primero, decide el tema sobre la atención médica y el propósito (*purpose*) del video.
2. Entonces, piensa en el público objetivo del video, o sea ¿será el público otros estudiantes de tu universidad o el público en general?
3. Después, organiza tus ideas y haz una lista de los detalles que quieres precisar.

11•48 A escribir

Al escribir tu guión, considera lo siguiente:

1. Piensa en las otras estrategias de escritura de los capítulos anteriores como "conectando tus oraciones".
2. Emplea la gramática y el vocabulario que has aprendido no sólo en este capítulo, sino también durante este semestre y los anteriores.
3. Considera usar un "editor" de tu clase (*peer editor*).

Sample Peer-Editing Guide/Worksheet

I. Clarity of expression

1. What is the main idea (purpose) of the narration and who is the audience? State it in your own words; then verify with the author.
   ____
   ____
2. My favorite part is:
   ____
   ____
3. Something I do not understand:
   ____
   ____

II. Grammar and punctuation

The peer editor should check for the following:

1. Agreement/*Concordancia*
   _____ subject/verb agreement
   _____ noun/adjective agreement
2. _____ Usage of the preterit and the imperfect, where appropriate
3. _____ Usage of subjunctive, where appropriate
4. _____ Spelling and accent marks

11•49 Después de escribir

Preséntale tu guión a la clase. Si hay tiempo, improvisa y rueda tu cortometraje.

¿Cómo andas?

Having completed the second **Comunicación,** I now can...

	Feel Confident	Need to Review
• relate information regarding medical attention. (p. 437)	❑	❑
• make affirmative and/or negative statements. (p. 438)	❑	❑
• discuss unplanned occurrences. (p. 441)	❑	❑
• share information about ailments and their symptoms. (p. 444)	❑	❑
• share what is or was caused by someone or something. (p. 447)	❑	❑
• identify three well-known Hispanics in the medical profession and what they developed. (p. 451)	❑	❑
• pause, suggest an alternative, and express disbelief. (p. 452)	❑	❑
• determine audience and purpose for writing. (p. 454)	❑	❑

Vistazo cultural

SAM
11-29 to 11-30

Vistas culturales

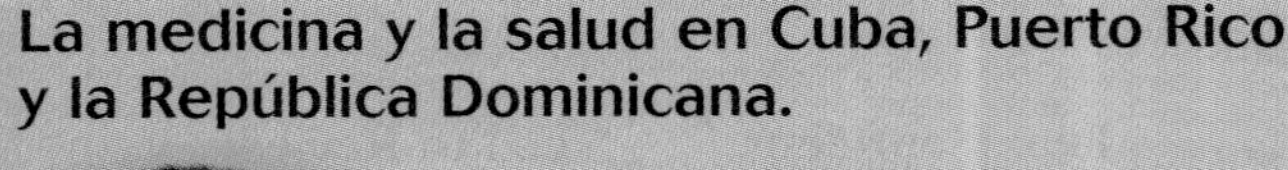

La medicina y la salud en Cuba, Puerto Rico y la República Dominicana.

Estudio para obtener mi bachillerato en Educación con concentración en Educación Física en la Universidad de Puerto Rico, en el recinto de Arecibo. Quisiera ser maestra de Educación Física en un colegio secundario; creo que es importante mantenerse en buena forma.

Victoria Colón Soto, estudiante de Educación Física

Un médico y científico cubano

El Doctor Carlos Juan Finlay (1833–1915) fue un médico y científico cubano. Se le atribuye el descubrimiento que el mosquito era el agente transmisor de la enfermedad de la fiebre amarilla. Sus teorías engendraron una controversia médica que duró veinte años hasta que sus ideas fueron comprobadas por un equipo de médicos estadounidenses.

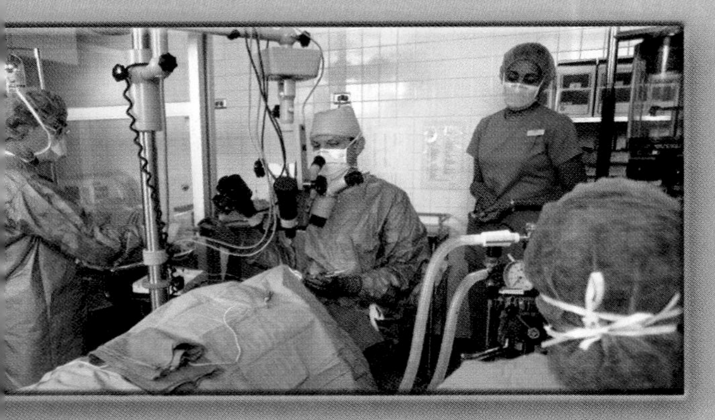

El cuidado médico cubano

El cuidado médico cubano tiene fama de ser gratis y de alta calidad; existen hospitales con personal de buena formación y de costos muy bajos. Pero hay personas que dicen que esta asistencia médica de buena reputación no está disponible para los cubanos, sino que sólo es para los extranjeros.

Puerto Rico: un líder en la industria farmaceútica

Desde el año 1957, cuando se abrió la primera fábrica farmacéutica, Puerto Rico ha sido un líder mundial en la industria que fabrica y prepara los productos químicos medicinales. Todas las compañías principales de esta industria mantienen plantas en la isla y se aprovechan del sistema favorable de impuestos e incentivos ofrecidos.

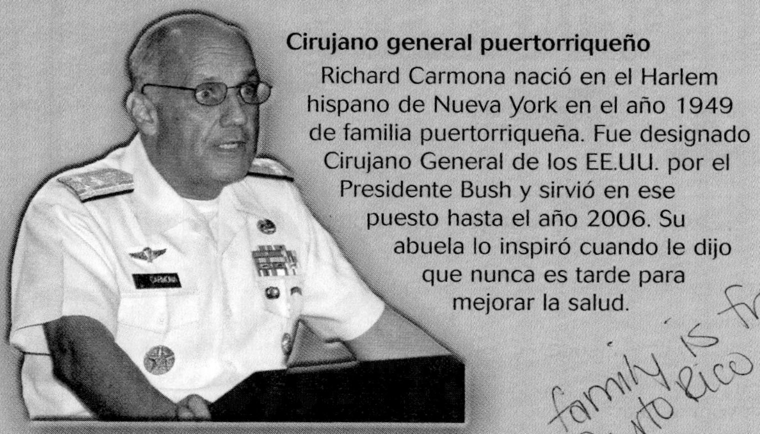

Cirujano general puertorriqueño

Richard Carmona nació en el Harlem hispano de Nueva York en el año 1949 de familia puertorriqueña. Fue designado Cirujano General de los EE.UU. por el Presidente Bush y sirvió en ese puesto hasta el año 2006. Su abuela lo inspiró cuando le dijo que nunca es tarde para mejorar la salud.

Medicinas herbales y tradiciones dominicanas

El uso de las medicinas herbales y tradicionales prevalece en la República Dominicana, como en otros países hispanohablantes, sobre todo en las áreas rurales donde la gente no tiene acceso ni a la tecnología ni a los servicios modernos de la medicina. Se dice que el conocimiento dominicano de estas medicinas se parece al de los indígenas.

Activista dominicana

Después de ser infectada con el virus del SIDA, la actriz dominicana Ilka Tanya Payán (1943–1996) se convirtió en una activista en la lucha contra esta enfermedad. En marzo del año 2002, un parque en la ciudad de Nueva York fue dedicado en su honor.

Anamú: planta medicinal

Anamú es una planta herbácea perenne tropical que se usa para los tratamientos médicos en Cuba, Puerto Rico y la República Dominicana, entre otros países. Tiene fuerte olor a ajo y se le atribuyen propiedades que ayudan con la inflamación, el dolor de cabeza y hasta con los tumores causados por el cáncer.

Preguntas

1. Identifica los *vistazos* que representan la medicina moderna y los que representan la medicina del pasado: la medicina tradicional y la medicina alternativa. ¿En qué son similares y en qué son diferentes?
2. ¿Cómo se considera la medicina alternativa entre las personas que conoces? ¿Cuál es tu opinión sobre los tratamientos alternativos o tradicionales?
3. ¿Por qué es importante considerar el cuerpo entero cuando se trata de curar una enfermedad? ¿Cuáles son las dimensiones que hay que tratar?

Laberinto peligroso

lectura

11-31 to 11-33

ESTRATEGIA Assessing a passage, responding, and giving an opinion

When reading critically, you need to assess a passage for clarity of presentation, credibility of evidence offered, and logic of examples. Questions to ask yourself may be:

1. Are you persuaded and/or convinced by the author's point of view?
2. Are all sides of an issue represented?
3. If all sides are not represented, do you agree or disagree with the side presented?

Situations arise when you are asked to respond and give your opinion. To help you respond and give your opinion, try the following technique. Underline the portions of the passage with which you agree or disagree, then state why. Give additional supporting details if possible.

11-50 Antes de leer Todavía hay muchas preguntas para las que no tenemos respuestas. Antes de empezar a leer el texto, completa los siguientes pasos.

1. Piensa en algunas preguntas de las que todavía no sabes la respuesta o en algunos asuntos de la narrativa que no se han resuelto todavía. Escribe todas las preguntas y los asuntos que puedas.
2. Compara tus preguntas y asuntos con los de uno/a de tus compañeros/as de clase.
3. Con tu compañero/a, habla sobre las posibles respuestas y soluciones a las preguntas que han escrito.
4. Leer de forma analítica requiere que prestes mucha atención a la credibilidad y la lógica de un texto. Piensa en las posibles respuestas de las que has hablado con tu compañero/a. Hablen sobre la credibilidad y la lógica de las ideas que han compartido.
5. Mientras lees el texto, presta atención a las ideas y opiniones presentadas y apunta en una columna las ideas con las que estás de acuerdo y en otra, las ideas con las que no estás de acuerdo. Intenta justificar tus propias perspectivas de forma lógica y convincente.

ESTOY DE ACUERDO		NO ESTOY DE ACUERDO	
IDEA/OPINIÓN	MI JUSTIFICACIÓN	IDEA/OPINIÓN	MI JUSTIFICACIÓN

CD 4
Track 23

¿Caso cerrado?

Los detectives que habían trabajado duro en la investigación sobre los mapas y la crónica desaparecidos se alegraron de que por fin se hubiera resuelto ese caso. Sin embargo, después de terminar con las entrevistas con todas las personas involucradas en la investigación, se dieron cuenta de que todavía había muchas preguntas para las que todavía no tenían ninguna respuesta. Empezaron a preguntarse si en algún momento realmente iban a saber toda la verdad sobre el asunto. Aunque realmente querían descubrir toda esa verdad, por las características del caso, dudaban mucho de que fuera posible.

El detective Ramos estaba preocupado por todo lo que la Srta. Cortez le había contado sobre cómo se había sentido tan enferma. Estaba convencido de que ella había sido envenenada. Era la única forma de explicar las náuseas que había sufrido, y el hecho de que se había desmayado. También podía servir para explicar los mensajes amenazantes que le habían enviado. Sabía que era posible que hubiera sido episodios aislados, sin ninguna conexión ni importancia. Pero si eso fuera cierto, serían muchas casualidades,° y los detectives no pueden permitirse el lujo° de creer en las casualidades. Todo tiene que tener su explicación y su lógica.

coincidences/ luxury

Al detective también le preocupaba la situación del Dr. Huesos. ¿Era suyo el cuerpo que habían encontrado en Guatemala cerca del volcán? Y si no era su cuerpo, ¿dónde estaba el Dr. Huesos? ¿Por qué había desaparecido? Y ¿quién era el muerto? Le molestaba no poder saber nada con seguridad hasta que llegaran los resultados de los análisis de ADN.

Otro interrogante que le quedaba tenía que ver con el laboratorio donde había trabajado Cisco. ¿Por qué lo habían cerrado tan abruptamente? ¿Tenía alguna relación el Sr. A. Menaza con ese lugar? Pensaba que tenía que haber una relación directa, pero nadie había podido establecer esa relación. Y la pregunta fundamental de todo el caso: ¿dónde estaba ese hombre? No iba a poder considerar el caso realmente cerrado hasta que las autoridades lo encontraran y lo detuvieran. Quería dedicar todo su esfuerzo a eso, pero sabía que no iba a ser posible. Aunque no sabía exactamente dónde estaba, era evidente que ya no estaba en la ciudad, quizá ni siquiera estuviera en el país. Estuviera donde estuviera, el Sr. A. Menaza ya era un problema para otras personas inocentes, para otros detectives. El detective Ramos sabía que en algún momento ese hombre iba a cometer un error y que iba a acabar en la cárcel°. Sólo esperaba que eso ocurriera antes de que Menaza tuviera la oportunidad de llevar a cabo sus planes de violencia y destrucción.

jail

Finalmente, el detective —quizá por pura curiosidad o quizá por la compasión y empatía que habían inspirado en él —se preguntó también por los destinos de las diferentes personas que había conocido, especialmente la bibliotecaria y aquellos dos periodistas. ¿Cuánto tiempo tendría que pasar la pobre bibliotecaria en la cárcel? ¿Habrá aprendido esa mujer tan ingenua° de sus graves errores? ¿Qué pasaría con esos periodistas tan audaces y tan buenos investigadores? ¿Se darían cuenta por fin de que se quieren?

naive

11-51 Después de leer Contesta las siguientes preguntas.

1. ¿Qué pensaba el detective Ramos que le pasaba a Celia en la conferencia y en el café?
2. ¿Quién creía el detective Ramos que le mandó los mensajes misteriosos a Celia?
3. ¿Quién creía el detective Ramos que fue la persona que murió en Guatemala?
4. ¿Pensaba el detective Ramos que había alguna relación entre el Sr. Menaza y el laboratorio?
5. Para el detective Ramos, ¿cuál era la pregunta más importante del caso?
6. ¿Cuáles eran las otras preguntas que se hacía el detective?

video

11-52 Antes del video En la lectura de este capítulo, has empezado a explorar algunos de los asuntos de *Laberinto peligroso* que no se han resuelto. En el video, vas a ver la resolución de esos asuntos. Antes de ver el video, contesta las siguientes preguntas.

1. ¿Crees que Celia fue envenenada o crees que fueron episodios aislados? ¿Por qué?
2. ¿Quién crees que le mandó a Celia los mensajes misteriosos? ¿Por qué?
3. ¿Qué crees que pasó con el Dr. Huesos? ¿Crees que se murió en Guatemala? ¿Por qué?
4. ¿Crees que el Sr. Menaza tenía algo que ver con el laboratorio donde trabajaba Cisco? ¿Por qué?
5. ¿Dónde crees que está el Sr. Menaza? ¿Qué crees que está haciendo?
6. ¿Qué crees que va a pasar entre Celia y Cisco en el futuro? ¿Por qué?

¿Envenenaron a Celia durante la recepción?

¿Por qué llevaba el Sr. Menaza un cuchillo el primer día de clases?

¿Creen ustedes que Cisco y Celia están enamorados y van a comenzar una relación?

Episodio 11

Atando cabos

Relájate y disfruta el video.

11-53 Después del video Contesta las siguientes preguntas.

1. ¿Cuál fue la causa de la náusea y el desmayo de Celia?
2. ¿Quién puso el mensaje misterioso en el bolso de Celia?
3. ¿Qué pasó con el cuerpo que se descubrió en Guatemala y con el Dr. Huesos?
4. ¿Por qué llevaba el Sr. Menaza un cuchillo?
5. ¿Qué relación tenía el Sr. Menaza con el laboratorio?
6. ¿Qué pasó con la bibliotecaria?
7. ¿Qué pasó entre Celia y Cisco?
8. ¿Dónde está el Sr. Menaza?

Y por fin, ¿cómo andas?

Having completed this chapter, I now can...

	Feel Confident	Need to Review
Comunicación		
• describe different parts of the body. (p. 426)	❑	❑
• express actions I do to myself and others do to themselves. (p. 427)	❑	❑
• relate impersonal information. (p. 429)	❑	❑
• discuss reciprocal actions. (p. 432)	❑	❑
• comment on what I hear. (p. 435)	❑	❑
• share information regarding medical attention. (p. 437)	❑	❑
• make affirmative and/or negative statements. (p. 438)	❑	❑
• indicate unplanned occurrences. (p. 441)	❑	❑
• identify symptoms, conditions, and illnessess. (p. 444)	❑	❑
• relate what is or was caused by someone or something. (p. 447)	❑	❑
• pause, suggest an alternative, and express disbelief. (p. 452)	❑	❑
• determine audience and purpose for writing. (p. 454)	❑	❑
Cultura		
• discuss health issues and medical care in Latin America. (p. 434)	❑	❑
• identify three famous Hispanic physicians. (p. 451)	❑	❑
• share information about health care as well as conventional and alternative medicine in Cuba, Puerto Rico, and the Dominican Republic. (p. 456)	❑	❑
Laberinto peligroso		
• assess a passage and then respond and give my opinion. (p. 458)	❑	❑
• hypothesize about unresolved issues in *Laberinto peligroso*. (p. 459)	❑	❑
• discover the answers to unresolved issues in *Laberinto peligroso* from the point of view of the author. (p. 460)	❑	❑

VOCABULARIO ACTIVO

CD 4
Tracks 24-30

La cara — *The face*

la ceja	*eyebrow*
la frente	*forehead*
el labio	*lip*
la lengua	*tongue*
la mejilla	*cheek*
el oído	*inner ear*
la pestaña	*eyelash*
la piel	*skin*

El cuerpo humano — *The human body*

la cadera	*hip*
el cerebro	*brain*
el codo	*elbow*
la costilla	*rib*
el hombro	*shoulder*
el hueso	*bone*
la muñeca	*wrist*
el músculo	*muscle*
el muslo	*thigh*
el trasero	*buttocks*
los nervios	*nerves*
el pulmón	*lung*
la rodilla	*knee*
el talón	*heel*
el tobillo	*ankle*
la uña	*nail*
las venas	*veins*

La atención médica — *Medical attention*

el antihistamínico	*antihistamine*
el cabestrillo	*sling*
la camilla	*stretcher*
la cura	*cure*
la dosis	*dosage*
las gotas para los ojos	*eyedrops*
las muletas	*crutches*
el paciente	*patient*
la penicilina	*penicillin*
la radiografía	*X-ray*
el resultado	*result*
el síntoma	*symptom*
el termómetro	*thermometer*
la vacuna	*vaccination*

Algunos verbos y expresiones útiles — *Some useful verbs and expressions*

enyesar	*to put a cast on*
fracturar(se)	*to break; to fracture*
hacer gárgaras	*to gargle*
operar	*to operate*
respirar	*to breathe*
sacar sangre	*to draw blood*
tomar la presión	*to take someone's blood pressure*
tomar el pulso	*to take someone's pulse*
tomar la temperatura	*to check someone's temperature*

Algunas palabras útiles — *Some useful words*

las alergias	*allergies*
el/la drogadicto/a	*drug addict*
la enfermedad	*illness*
el examen físico	*physical exam*
los medicamentos	*medicines*
las pruebas médicas	*medical tests*
el tratamiento	*treatment*

Algunos síntomas, condiciones y enfermedades	*Some symptoms, conditions, and illnesses*
el alcoholismo	*alcoholism*
la apendicitis	*appendicitis*
la artritis	*arthritis*
el ataque al corazón	*heart attack*
la bronquitis	*bronchitis*
el cáncer	*cancer*
la depresión	*depression*
la diabetes	*diabetes*
el dolor de cabeza	*headache*
los escalofríos	*chills*
la hipertensión	*high blood pressure*
la inflamación	*inflammation*
la jaqueca	*migraine; severe headache*
el mareo/los mareos	*dizziness*
la mononucleosis	*mononucleosis*
la narcomanía	*drug addiction*
las náuseas	*nausea*
la obesidad	*obesity*
las paperas	*mumps*
la presión alta/baja	*high/low (blood) pressure*
la quemadura	*burn*
el sarampión	*measles*
el SIDA	*AIDS*
la varicela	*chicken pox*

Algunos verbos útiles	*Some useful verbs*
dejar de fumar cigarrillos	*to quit smoking cigarettes*
desmayarse	*to faint*
hincharse	*to swell*
torcerse	*to sprain*
vomitar	*to vomit*

12

Y por fin, ¡lo sé!

OBJETIVOS

Comunicación

- To express ideas on topics such as shopping and commerce, professions and the world of business, visual and performing arts, the environment and its impact on animals and their habitats, and health-related issues
- To convey ideas about what is or has been going on
- To share information about what will take place or what will have taken place
- To relate what would take place or what would have taken place
- To express wishes, wants, hopes, desires, and opinions on a variety of topics
- To make cause and effect statements

Cultura

- To share information about Chile, Paraguay, Argentina, Uruguay, Peru, Bolivia, Ecuador, Venezuela, Colombia, Cuba, the Dominican Republic, and Puerto Rico
- To compare and contrast the countries and people you learned about in *Capítulos 7–11*

This final chapter is designed for you to see just how much Spanish you have acquired thus far. The *major points* of *Capítulos 7–11* are recycled here, and no new vocabulary is presented.

All learners are different in terms of what they have mastered and what they still need to practice. Therefore, take the time with this chapter to determine what you feel confident with and what you personally need to work on. And remember, language learning is a process. Like any skill, learning Spanish requires practice, review of the basics, and then more practice!

Before we begin revisiting the important grammar concepts, go to the end of each chapter, to the *Vocabulario activo* summary sections, and review the vocabulary that you have learned. Doing so now will help you successfully and creatively complete the following recycling activities. Continue to consult the *Vocabulario activo* summary pages frequently as you progress through this chapter.

Organizing Your Review

Successful language learners use certain processes for reviewing a world language. What follows are tips to help you organize your review. There is no one correct way to study, but these are some strategies that will best utilize your time and energy.

1 Reviewing Strategies

1. Make a list of the *major* topics you have studied and need to review, dividing them into categories: *vocabulary, grammar,* and *culture.* These are the topics on which you need to focus the majority of your time and energy.

   Note: The two-page chapter openers for each chapter can help you determine the major topics.
2. Allocate a minimum of an hour each day over a period of days to review. Budget the majority of your time for the major topics. After beginning with the major grammar and vocabulary topics, review the secondary/supporting grammar topics and the culture. Cramming the night before an exam is *not* an effective way to review and retain information.
3. Many educational researchers suggest that you start your personal review with the most recent chapter or, for this review, with **Capítulo 11.** The most recent chapter is the freshest in your mind, so you tend to remember the concepts better, and you will experience quick success in your review. Go over all the chapters and concepts *before* you begin the activities in **Capítulo 12.** Your personal review will give you an overview before you begin to follow this chapter's organized approach to putting it all together.
4. Spend the largest amount of time on concepts where you determine *you* need to improve. Revisit the self-assessment tool **Y por fin, ¿cómo andas?** in each chapter to see how you rated yourself. This tool is designed to help you become good at self-assessing what *you* need to work on the most.

2 Reviewing Grammar

1. When reviewing grammar, begin with the *major* points. In intermediate Spanish, the major points are the *present* and *imperfect subjunctive* and their uses. Yes, you have had other grammar points over the course of this semester and your previous Spanish studies that merit attention such as the *future* and *conditional,* but the subjunctive is where you should focus the majority of your attention. Once you feel confident using the subjunctive, then proceed with the additional grammar points and review them. These would include not only the new grammar such as the *future* and *conditional* tenses, but also the **Repaso** grammar points such as the *preterit* and the *imperfect.*
2. Good ways to review include redoing activities in your textbook, redoing activities in your **Student Activities Manual,** and (re)doing activities on **MySpanishLab™**.

3 Reviewing Vocabulary

When studying vocabulary, there is a variety of techniques that you will find useful.

1. It is helpful to group words thematically. Use the drawings from each vocabulary presentation to create sentences, using all of the vocabulary words possible.
2. Attempt to define words in Spanish.
3. For some vocabulary, it may be most helpful to look at the English word, and then say or write the word in Spanish.
4. Make a special list of words that are difficult for you to remember, writing them in a small notebook. Pull out the notebook every time you have a few minutes (between classes, waiting in line at the grocery store, etc.) to review the words.
5. The **Vocabulario activo** summary pages at the end of each chapter will help you organize the most important words of each chapter.
6. Saying vocabulary (which includes verbs) out loud helps you retain the words better and incorporate them into your personal active vocabulary.

4 Overall Review Techniques

1. Get together with someone with whom you can practice speaking Spanish. It is always good to structure your oral practice. One way of doing this is to take the composite art pictures from ***¡Anda! Curso intermedio*** and say as many things as you can about each picture. Have a friendly challenge to see who can make more complete sentences or create the longest story about the pictures. You can also structure the practice by creating solely *subjunctive* sentences, for example, or expressing *if/then* ideas as you speak. This practice will help you build your confidence and practice stringing sentences together to speak in paragraphs.
2. Yes, it is important for you to know "mechanical" pieces of information such as verb endings for tenses. *But it is much more important* for you to be able to take those mechanical pieces of information and put them all together, communicating in a meaningful and creative way in your speaking and writing on the themes of *Capítulos 7–11*. Also remember that *Capítulos 7–11* are built upon previous knowledge that you acquired in the beginning chapters of ***¡Anda! Curso intermedio.***
3. Learning a language is like learning any other skill, such as playing a musical instrument, playing a sport, cooking, or doing a craft. It takes practice to perfect such a skill. For example, musicians may spend hours and hours practicing scales or arpeggios. We also learn from our mistakes. For example, golfers analyze their swings and baseball pitchers analyze their pitches when they are not satisfied with their performance. Learning Spanish is the same. You will need to practice the basics—such as using the subjunctive correctly—in context. Repeat activities in the **Student Activities Manual** or on **MySpanishLab™**, or create dialogues in your head or with a friend where you consciously use the new structures or vocabulary. You will also need to analyze your personal errors so that you can learn from them in an attempt not to repeat the same mistakes.
4. You are on the road to success when you can demonstrate that you can speak and write in paragraphs that express the present, past, and future tenses. Along with expressing ideas in the three major time frames, it is important to demonstrate the richness of your vocabulary, employing a wide variety of verbs and other types of words. Keep up the good work!

Comunicación

12-1 to 12-5

Capítulo 7

¡Anda! Curso intermedio, Capítulo 7, Algunas tiendas y algunos lugares en la ciudad, pág. 274; Capítulo 7, *Ser* y *estar*, pág. 275; Capítulo 7, El subjuntivo en cláusulas adverbiales, pág. 279.

12-1 Turistas

Unas familias bolivianas de Rurrenabaque llegaron a su ciudad para pasar unas semanas. Organicen una gira por su pueblo/ciudad para orientarlos, mostrándoles por lo menos **diez** tiendas y lugares y cómo llegar allí.

Estrategia

Before beginning each activity, make sure that you have carefully reviewed the identified recycled concepts so that you are able to move seamlessly through the activities as you put it all together.

Paso 1 Hagan un mapa con las tiendas y los lugares. Si no existe un lugar, por ejemplo, si no hay una pescadería, recomiéndenles otro lugar donde se puede comprar pescado.

Paso 2 Repasen las conjunciones que se usan con **el subjuntivo** (por ejemplo: **a menos que, antes de que,** etc.) o que no se usan con el subjuntivo (por ejemplo: **ahora que, puesto que,** etc.) o que dependen del contexto (por ejemplo: **a pesar de que, hasta que, tan pronto como**). Hagan una lista de las tres categorías de conjunciones. Si necesitan ayuda, consulten la página 280.

Paso 3 Describan las tiendas o lugares, cómo se llega allí y qué cosas se encuentran en cada tienda. Usen por lo menos **ocho** de las conjunciones. Túrnense.

Estrategia

Before beginning actividad **12-1,** you may wish to make yourself a chart of the conjunctions (*connecting words*) that use the subjunctive, the ones that do not, and the ones that use the subjunctive sometimes, depending on the circumstance. Put this chart in a handy place where you can access it to study.

Estrategia

Another way to approach actividad **12-1** is to do *Paso 3* as if you were talking on the phone. That way, you can practice your communicative strategies from p. 294.

¡Anda! Curso intermedio, Capítulo 7, Algunos artículos en las tiendas, pág. 287; Capítulo 7, Los tiempos progresivos: el imperfecto: *andar, continuar, seguir, ir* y *venir*, pág. 291.

¡Anda! Curso elemental, Capítulo 4, Los lugares, Apéndice 2; Capítulo 5, Los pronombres de complemento directo, Apéndice 3.

12-2 Túrnense

La visita de las familias de la actividad **12-1** fue un éxito. Para agradecerles su ayuda, ellos los invitaron a su ciudad, Rurrenabaque, Bolivia. Después de que llegaron, sus anfitriones (*hosts*) les dieron un mapa de "Rurre", como los residentes llaman esta ciudad. Como ustedes van a quedarse unas semanas, necesitan comprar unas cosas.

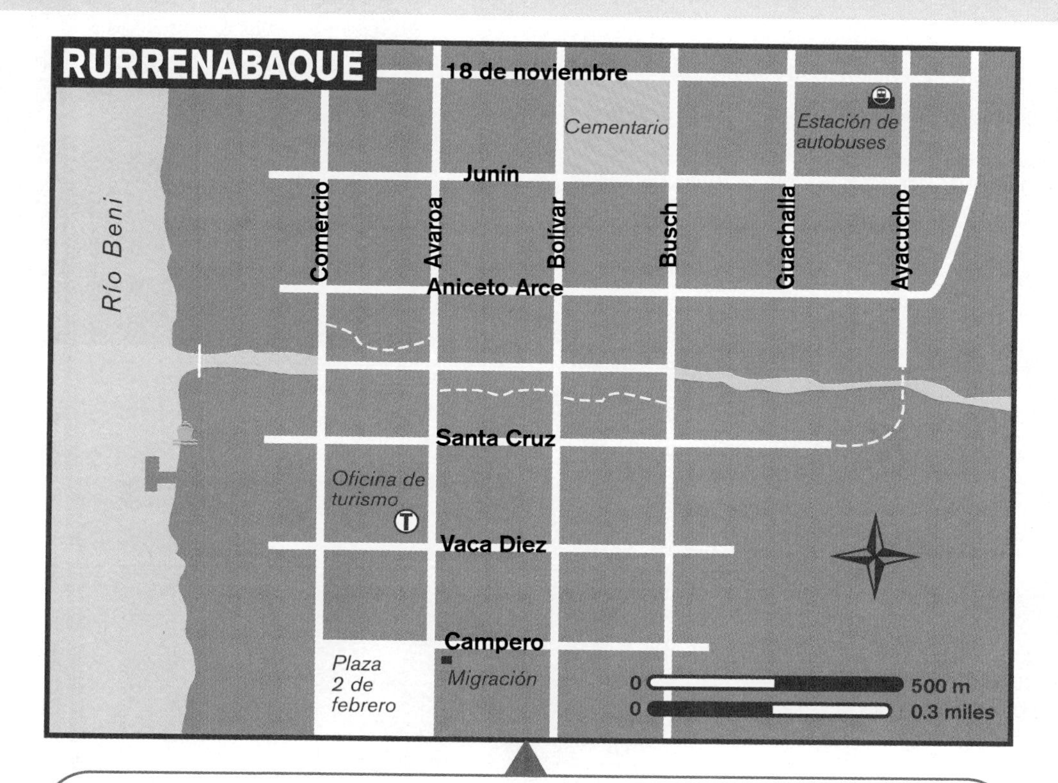

Estrategia

You may wish to review the *Estrategias comunicativas* in *Capítulo 4*, on p. 166, for giving directions.

Paso 1 Hagan una lista de las cosas que necesitan o que quieren comprar.

Paso 2 Pregúntenles a sus anfitriones dónde pueden comprar cada cosa. Pueden empezar sus preguntas con "Ando buscando"...

Paso 3 Túrnense haciendo los papeles del/de la turista norteamericano/a y del/de la anfitrión/anfitriona boliviano/a. Si haces el papel del/de la boliviano/a, dile a tu compañero/a cómo se llega a cada tienda o lugar, usando el mapa de Rurre.

Estrategia

Organize your thoughts in chronological order, and use transitions in your paragraphs. Consider words such as *primero, segundo, tercero, luego, después*, and *finalmente*.

MODELO E1 (TURISTA): *Ando buscando unas pilas. Las necesito para que funcione mi despertador. ¿Dónde puedo comprarlas?*
E2 (ANFITRIONA): *Las tienen en la ferretería. Hay una ferretería en...*

Estrategia

Focus on being creative with actividad **12-2**, thinking of as many instances as possible where you could use the *subjunctive* as well as using the richest possible vocabulary.

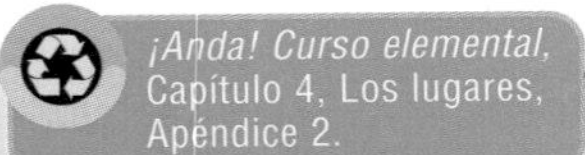

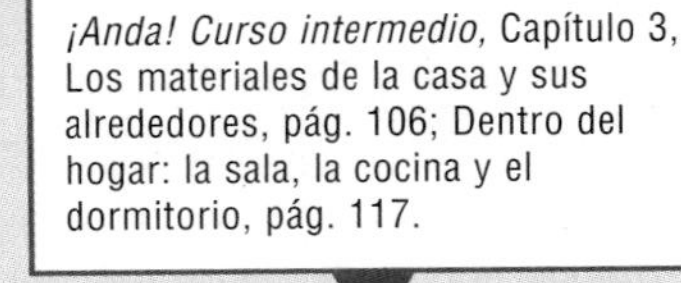

12-3 Una ciudad verde

Es importante vivir una vida "verde" para proteger el planeta, no sólo para nosotros sino también para las futuras generaciones. Si pudieras planear la ciudad ideal de una manera verde, ¿cómo sería? También piensa en las cosas que usamos diariamente o que queremos como lujo (*luxury*). ¿Cómo caben en un mundo verde?

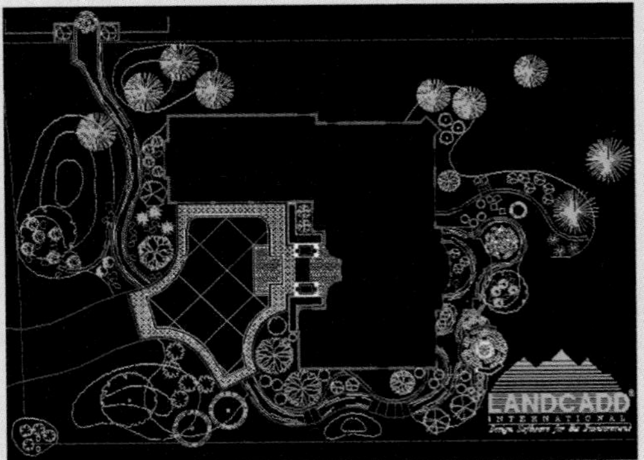

Paso 1 Planea tu ciudad verde. Dibuja dónde se encuentran los edificios y los lugares. Haz un cartel o una presentación de PowerPoint describiendo tu ciudad.

Paso 2 Describe la construcción de las casas y de los edificios.

Paso 3 ¿Qué cosas tienen o no tienen las familias que viven en tu comunidad? Por ejemplo, ¿se usan las bombillas "verdes"?

Paso 4 Comparte tu presentación con tus compañeros.

¡Anda! Curso intermedio, Capítulo 3, Dentro del hogar: la sala, la cocina y el dormitorio, pág. 117.

¡Anda! Curso elemental, Capítulo 3, La casa: Los muebles y otros objetos de la casa; Capítulo 8, La ropa, Apéndice 2.

12-4 ¿Eres diseñador/a?

Sami Hayek (hermano de la actriz Salma Hayek) es un diseñador mexicano de muebles y otras cosas para la casa. Parte de su misión es respetar el medio ambiente con su modo de empaquetar su mercancía.

Manolo Blahnik es otro diseñador famoso. Es español (nació en las Islas Canarias) y diseña zapatos, esmaltes de uñas para Estée Lauder y otros productos.

Sami Hayek (n. 1973)

Manolo Blahnik (n. 1942)

Paso 1 Escoge a uno de los diseñadores famosos con quien te gustaría trabajar.

Paso 2 Escribe un perfil personal donde te presentes. Explica quién eres, qué trabajo estás haciendo, qué cosas son importantes para ti, etc. Debes incluir por lo menos **diez** oraciones. Piensa en los usos del **subjuntivo** y **los tiempos progresivos.**

Paso 3 Prepara una presentación oral diciendo por qué mereces trabajar con Sami o Manolo. También presenta algunas de tus ideas para crear productos nuevos. Debes incluir por lo menos **diez oraciones.** De nuevo, ten en cuenta los usos del **subjuntivo** y **los tiempos progresivos.**

Paso 4 Comparte tu perfil y tu presentación oral con un/a compañero/a.

Estrategia

In this chapter you will encounter a variety of rubrics to self-assess how well you are doing. Using them will help you track your progress.

All aspects of our lives benefit from self-reflection and self-assessment. Learning Spanish is an aspect of our academic and future professional lives that benefits greatly from just such a self-assessment. Also coming into play is the fact that as college students, you are personally being held accountable for your learning and are expected to take ownership for your performance. Having said that, we instructors can assist you greatly by letting you know what we expect of you. It will help you determine how well you are doing with the recycling of **Capítulo Preliminar B** and **Capítulo 7.** This rubric is meant first and foremost for you to use as a self-assessment, but you also can use it to peer-assess. Your instructor may use the rubric to assess your progress as well.

Rúbrica

Estrategia

You and your instructor can use this rubric to assess your progress for actividades **12-1** through **12-4**.

	3 Exceeds Expectations	2 Meets Expectations	1 Approaches Expectations	0 Does Not Meet Expectations
Duración y precisión	• Has at least 10 sentences and includes all the required information. • May have errors, but they do not interfere with communication.	• Has 7–9 sentences and includes all the required information. • May have errors, but they rarely interfere with communication.	• Has 4–7 sentences and includes some of the required information. • Has errors that interfere with communication.	• Supplies fewer sentences and little of the required information in *Approaches Expectations.* • If communicating at all, has frequent errors that make communication limited or impossible.
Gramática nueva del *Capítulo 7*	• Makes excellent use of the **subjunctive with conjunctions** and the **progressive tenses,** and uses a variety of verbs when appropriate.	• Makes good use of the **subjunctive with conjunctions** and the **progressive tenses,** and uses a variety of verbs when appropriate.	• Makes infrequent use of the **subjunctive with conjunctions** and the **progressive tenses.** Does use a variety of verbs when appropriate.	• Uses rarely, if at all, the **subjunctive with conjunctions** and the **progressive tenses.**
Vocabulario nuevo del *Capítulo 7*	• Uses many of the new **stores, places,** and other new vocabulary words of the chapter.	• Uses a variety of the new **stores, places,** and other new vocabulary words of the chapter.	• Uses some of the new **stores, places,** and other new vocabulary words of the chapter.	• Uses little, if any, new vocabulary that pertains to **stores** and **places.**
Gramática y vocabulario del repaso/ reciclaje del *Capítulo 7*	• Does an excellent job using review grammar (such as using **ser** and **estar**) and vocabulary to support what is being said. • Uses a wide array of review verbs. • Uses some review vocabulary but predominantly focuses on new vocabulary.	• Does a good job using review grammar (such as using **ser** and **estar**) and vocabulary to support what is being said. • Uses an array of review verbs. • Uses some review vocabulary but predominantly focuses on new vocabulary.	• Does an average job using review grammar (such as using **ser** and **estar**) and vocabulary to support what is being said. • Uses some review verbs. • Uses some review vocabulary and some new vocabulary.	• If speaking at all, relies almost completely on vocabulary from beginning Spanish course. • Verbs are almost solely in the present tense.
Esfuerzo	• Clearly the student made his/her best effort.	• The student made a good effort.	• The student made an effort.	• Little or no effort went into the activity.

12-6 to 12-10

• Capítulo 8 •

12-5 ¿Qué harán?

¿Puedes ver el futuro? Imagina que tienes una bola de cristal y puedes ver el futuro. Para cada persona en los siguientes imágenes, imagina una profesión o trabajo que harán y dale pistas a tu compañero/a para que lo adivine. Usa el **futuro.** Túrnense.

¡Anda! Curso intermedio, Capítulo 8, Algunas profesiones, pág. 308; Más profesiones, pág. 316; El futuro, pág. 312.

1. 

2. 

3. 

4. yo 

MODELO E1: *El niño que aparece en la primera foto, con la camiseta azul, trabajará con las manos. Coserá. Hará diseños para la ropa de hombres y mujeres. Será como un artista. ¿Qué piensas que hará la niña que aparece en la primera foto con la camiseta blanca?*

E2: *Trabajará en la industria de la moda…*

12-6 Mi recomendación sería...

Tienes la oportunidad de trabajar como consejero profesional. Tienes clientes que quieren empezar su carrera profesional y otros que quieren cambiar de profesión.

¡Anda! Curso intermedio, Capítulo 2, El subjuntivo para expresar pedidos, mandatos y deseos, pág. 86; Capítulo 8, Algunas profesiones, pág. 308; Más profesiones, pág. 316; El condicional, pág. 318.

Paso 1 Para poder hacer tus recomendaciones, haz las preguntas de este cuestionario que le vas a dar a tu "cliente" para que responda.

MODELO E1: *¿Es necesario que trabajes con las manos?*
E2: *No, detesto trabajar con las manos. Quiero trabajar en una oficina…*

PREGUNTA: ¿ES NECESARIO QUE…?	ME ENCANTA	ME MOLESTA	ME DA IGUAL (*IT'S ALL THE SAME TO ME*)
trabajar con las manos			
trabajar con la gente			
trabajar solo/a			
escribir			
usar tecnología			
viajar			
ser el/la jefe/a			
leer e investigar cosas científicas			
arreglar cosas			
trabajar con animales			
estar al aire libre			
estar en una oficina			
tener una rutina			

Paso 2 Haz tus recomendaciones basadas en las respuestas del cuestionario. Usa **el condicional** en tus recomendaciones.

MODELO *Veo que escribiste que te molesta trabajar con las manos. Entonces no sería buena idea considerar los trabajos de mecánico o granjero…*

Estrategia

Make sure you review the formation of the conditional on page 318 before doing *Paso 2* of **12-6** and actividad **12-7**.

¡Anda! Curso elemental, Capítulo 8, La ropa, Apéndice 2.

¡Anda! Curso intermedio, Capítulo 3, Dentro del hogar: la sala, la cocina y el dormitorio, pág. 117; Capítulo 5, Viajando por coche, pág. 185; Capítulo 7, Algunos artículos en las tiendas, pág. 287.

12-7 ¿Qué o quién serías?

Quizás hayas ido a una fiesta donde han jugado *Si pudieras ser cualquier persona o cosa, ¿quién o qué serías y por qué?* Juega con un/a compañero/a. Usa por lo menos **seis** razones en tu descripción. Usa **el condicional.** Túrnense y diviértanse.

Si fuera...

1. un tipo de zapato

2. un aparato eléctrico

3. un mueble

4. un medio de transporte

5. una comida

MODELO *Si fuera un zapato, sería un zapato con tacón alto. El tacón tendría diamantes, y la piel sería fina y suave. Caminaría en los hoteles de lujo...*

¡Anda! Curso intermedio, Capítulo 8, Una entrevista, pág. 323; El mundo de los negocios, pág. 328.

12-8 ¿Qué habrás hecho?

Es el año 2020. ¿Qué habrán hecho tú y tus amigos profesionalmente? Dile a tu compañero/a **ocho** cosas que habrán hecho.

MODELO *Habré solicitado un trabajo y me habré entrevistado para varios puestos. Me habrán contratado en una compañía buena. Mis amigos habrán hecho lo mismo; algunos se habrán mudado a otros estados…*

Estrategia

What do *Habré solicitado* and *se habrán mudado* mean in the *modelo?* What is the rule for forming *I, you, they, etc., will have -ed?*

¡Anda! Curso intermedio, Capítulo 3, Los materiales de la casa y sus alrededores, pág. 106; Dentro del hogar: la sala, la cocina y el dormitorio, pág. 117.

¡Anda! Curso elemental, Capítulo 3, La casa; Los muebles y otros objetos de la casa; Los colores, Apéndice 2.

12-9 Si hubieran tenido más…

¡Esta casa necesita mucho trabajo! Si las personas que vivían allí hubieran tenido más dinero y más tiempo, ¿qué habrían hecho? Descríbesela a un/a compañero/a en por lo menos **diez** oraciones, incluyendo todos los detalles posibles (muebles, colores, etc.). Túrnense.

Si hubiera(n) tenido más dinero y tiempo…

MODELO *Si aquella familia hubiera tenido más tiempo, habría renovado la cocina. Probablemente, las personas habrían pintado la cocina de color amarillo…*

Rúbrica

Estrategia

You and your instructor can use this rubric to assess your progress for actividades **12-5** through **12-9.**

	3 Exceeds Expectations	2 Meets Expectations	1 Approaches Expectations	0 Does Not Meet Expectations
Duración y precisión	• Has at least 8 sentences and includes all the required information. • May have errors, but they do not interfere with communication.	• Has 5–7 sentences and includes all the required information. • May have errors, but they rarely interfere with communication.	• Has 4 sentences and includes some of the required information. • Has errors that interfere with communication.	• Supplies fewer sentences and little of the required information in *Approaches Expectations*. • If communicating at all, has frequent errors that make communication limited or impossible.
Gramática nueva del *Capítulo 8*	• Makes excellent use of the **future, conditional, future perfect, conditional perfect,** and ***si* clauses** when appropriate.	• Makes good use of the **future, conditional, future perfect, conditional perfect,** and ***si* clauses** when appropriate.	• Makes use of the **future, conditional, future perfect, conditional perfect,** and ***si* clauses** when appropriate.	• Uses little, if any, of the **future, conditional, future perfect, conditional perfect,** and ***si* clauses.**
Vocabulario nuevo del *Capítulo 8*	• Uses many new vocabulary words pertaining to the **world of work.**	• Uses a variety of new vocabulary pertaining to the **world of work.**	• Uses some of the new vocabulary pertaining to the **world of work.**	• Uses little, if any, of the new vocabulary pertaining to the **world of work.**
Gramática y vocabulario del repaso/reciclaje del *Capítulo 8*	• Does an excellent job using review grammar and vocabulary to support what is being said. • Uses some review vocabulary but predominantly focuses on new vocabulary.	• Does a good job using review grammar and vocabulary to support what is being said. • Uses some review vocabulary but predominantly focuses on new vocabulary.	• Does an average job using review grammar and vocabulary to support what is being said. • Uses mostly review vocabulary and some new vocabulary.	• If speaking at all, relies almost completely on vocabulary and grammar from beginning Spanish course. • Vocabulary is almost solely review vocabulary.
Esfuerzo	• Clearly the student made his/her best effort.	• The student made a good effort.	• The student made an effort.	• Little or no effort went into the activity.

12-11 to 12-16

Capítulo 9

¡Anda! Curso intermedio, Capítulo 3, El subjuntivo para expresar sentimientos, emociones y dudas, pág. 121; Capítulo 9, El arte visual, pág. 348; La artesanía, pág. 358.

12-10 Es posible que...

Los artistas trabajan en un mundo muy creativo. Imaginen cómo son sus vidas. Creen **ocho** oraciones sobre las posibilidades de sus vidas. Usen **el subjuntivo.** Túrnense.

MODELO E1: *Es posible que el alfarero use un barro local.*

E2: *El artista no quiere que llueva para poder pintar un paisaje.*

12-11 El arte nos inspira

Dicen que el famoso artista mexicano Diego Rivera dijo: *—Sueño mucho. Pinto más cuando no estoy pintando. Está en el subconsciente—.* Completen los siguientes pasos para ver cómo el arte ocupa una parte importante de nuestras vidas.

Estrategia

Before beginning actividad **12-11** review the vocabulary on pp. 348 and 358 in *Capítulo 9,* and incorporate as many of the words as possible in your responses.

Diego Rivera

La elaboración de un fresco (1931), un mural de Diego Rivera

Paso 1 Selecciona a un artista visual o de la artesanía. Puedes seleccionar entre los siguientes artistas:

Diego Velázquez	Oswaldo Guayasamín	José Clemente Orozco
Pablo Picasso	Carmen Lomas Garza	Fernando Botero
Frida Kahlo	Diego Rivera	Manuel Jiménez

Fíjate

Manuel Jiménez is a Mexican wood carver of *alebrijes.*

Paso 2 Describe una de sus obras de arte. Utiliza por lo menos **catorce oraciones,** usando **el subjuntivo.**

Paso 3 Habla sobre tu artista con un/a compañero/a. Incluye en tu informe una foto del/de la artista y una foto de una de sus obras de arte.

Estrategia

You and your partner may wish to structure actividad **12-11** as a conversation between two of the artists. Or you could have a conversation with one of the artists, where either you or your partner plays the role of the artist.

12-12 ¡Adivinanza!

¡Anda! Curso elemental, Capítulo 5, El mundo de la música, Apéndice 2.

Piensa en algunas personas o en cosas asociadas con la música o el teatro. Crea pistas para que tu compañero/a pueda adivinar quién o qué es.

MODELO E1: *Es un tipo de música de México. Los instrumentos incluyen las cuerdas y los instrumentos de metal. Si quieres escuchar esta música, puedes comprar un CD del Trío Pancho. ¿Qué tipo de música es?*

E2: *¿Será el mariachi?*

E1: *¡Correcto!*

12-13 ¿Supiste lo que pasó?

¡Anda! Curso elemental, Capítulo 5, El mundo del cine, Apéndice 2.

¿Te gustan las películas o prefieres la televisión?

Paso 1 Descríbele detalladamente a un/a compañero/a una película o un programa de televisión que hayas visto últimamente o que te gustaría ver porque dicen que es bueno/a. Usa **el vocabulario del mundo del cine y de la televisión,** usando por lo menos **diez** oraciones y **las cláusulas de *si* en el presente.**

Estrategia

It is rare that a person remembers *everything* he or she hears! It is important that you feel comfortable asking someone to repeat information or requesting clarification.

Paso 2 Explícale a la clase lo que te dijo tu compañero/a.

Rúbrica

Estrategia

You and your instructor can use this rubric to assess your progress for actividades **12-10** through **12-13**.

	3 Exceeds Expectations	2 Meets Expectations	1 Approaches Expectations	0 Does Not Meet Expectations
Duración y precisión	• Has at least 8 sentences and includes all the required information. • May have errors, but they do not interfere with communication.	• Has 5–7 sentences and includes all the required information. • May have errors, but they rarely interfere with communication.	• Has 4 sentences and includes some of the required information. • Has errors that interfere with communication.	• Supplies fewer sentences and little of the required information in *Approaches Expectations.* • If communicating at all, has frequent errors that make communication limited or impossible.
Gramática nueva del *Capítulo 9*	• Makes excellent use of the **subjunctive.**	• Makes good use of the **subjunctive.**	• Makes use of the **subjunctive.**	• Uses little if any of the **subjunctive.**
Vocabulario nuevo del *Capítulo 9*	• Uses many new **art, music,** and **film** vocabulary words.	• Uses a variety of the new **art, music,** and **film** vocabulary words.	• Uses some of the new **art, music,** and **film** vocabulary words.	• Uses little, if any, of the new vocabulary.
Gramática y vocabulario del repaso/reciclaje del *Capítulo 9*	• Does an excellent job using review grammar and vocabulary to support what is being said. • Uses some review vocabulary but predominantly focuses on new vocabulary.	• Does a good job using review grammar and vocabulary to support what is being said. • Uses some review vocabulary but predominantly focuses on new vocabulary.	• Does an average job using review grammar and vocabulary to support what is being said. • Uses mostly review vocabulary and some new vocabulary.	• If speaking at all, relies almost completely on vocabulary and grammar from beginning Spanish course. • Vocabulary is almost solely review vocabulary.
Esfuerzo	• Clearly the student made his/her best effort.	• The student made a good effort.	• The student made an effort.	• Little or no effort went into the activity.

12-17 to 12-20

• Capítulo 10 •

¡Anda! Curso intermedio, Capítulo 10, El medio ambiente, pag. 386; Algunos animales, pag. 398; Algunos términos geográficos, pág. 404.

¡Anda! Curso elemental, Capítulo 11, E1 medio ambiente, Apéndice 2.

12-14 Reportando...

Imagina que eres un/a periodista como Celia, Cisco o Javier de *Laberinto peligroso* y que escribiste uno de los siguientes artículos sobre el medio ambiente.

Paso 1 Escoge uno de los temas y cuéntale a tu compañero/a lo que reportaste en el artículo. Usa **el imperfecto de subjuntivo** o **el pluscuamperfecto de subjuntivo** cuando sea apropiado. Túrnense.

Paso 2 Ahora escojan juntos otro tema/artículo. En el mundo de las noticias, los detalles siempre son importantes. ¿Quién de ustedes dos puede decir más oraciones sobre el tema? De nuevo, usa **el imperfecto** o **el pluscuamperfecto de subjuntivo** cuando sea apropiado.

Estrategia

You may wish to review the imperfect subjunctive on p. 391 and the pluperfect subjunctive on p. 394 to assist you with actividad **12-14.**

12-15 Un cortometraje

Creen un cortometraje sobre el mundo de los animales y cómo les afectan los cambios del medio ambiente.

Paso 1 Escojan entre **cinco** y **ocho** animales.

Paso 2 Investiguen cómo han cambiado sus hábitats a causa de los cambios del medio ambiente.

Paso 3 Incluyan por lo menos **dos** oraciones que empiecen con **Si hubieran hecho/conservado/no destruido...**

Paso 4 Su cortometraje debe tener por lo menos **quince** oraciones.

Rúbrica

Estrategia

You and your instructor can use this rubric to assess your progress for actividades **12-14** and **12-15**.

	3 Exceeds Expectations	2 Meets Expectations	1 Approaches Expectations	0 Does Not Meet Expectations
Duración y precisión	• Has at least 12 sentences and includes all the required information. • May have errors, but they do not interfere with communication.	• Has 8–11 sentences and includes all the required information. • May have errors, but they rarely interfere with communication.	• Has 5–7 sentences and includes some of the required information. • Has errors that interfere with communication.	• Supplies fewer sentences and little of the required information in *Approaches Expectation.* • If communicating at all, has frequent errors that make communication limited or impossible.
Gramática nueva del *Capítulo 10*	• Makes excellent use of the **imperfect** and **past perfect subjunctive** as well as employs the **sequence of tenses.**	• Makes good use of the **imperfect** and **past perfect subjunctive** as well as employs the **sequence of tenses.**	• Makes use of the **imperfect** and **past perfect subjunctive** as well as employs the **sequence of tenses.**	• Uses little, if any, of the **imperfect** and **past perfect subjunctive;** employs the **sequence of tenses** infrequently, if at all.
Vocabulario nuevo del *Capítulo 10*	• Uses many new **environmental, animal,** and **geographic** vocabulary words.	• Uses a variety of the new **environmental, animal,** and **geographic** vocabulary words.	• Uses some of the new **environmental, animal,** and **geographic** vocabulary words.	• Uses little, if any, of the new vocabulary.
Gramática y vocabulario del repaso/reciclaje del *Capítulo 10*	• Does an excellent job using review grammar and vocabulary to support what is being said. • Uses some review vocabulary but predominantly focuses on new vocabulary.	• Does a good job using review grammar and vocabulary to support what is being said. • Uses some review vocabulary but predominantly focuses on new vocabulary.	• Does an average job using review grammar and vocabulary to support what is being said. • Uses mostly review vocabulary and some new vocabulary.	• If speaking at all, relies almost completely on vocabulary and grammar from beginning Spanish course. • Vocabulary is almost solely review vocabulary.
Esfuerzo	• Clearly the student made his/her best effort.	• The student made a good effort.	• The student made an effort.	• Little or no effort went into the activity.

12-21 to 12-26

• Capítulo 11 •

12-16 Ayudándolos

El 2 de mayo del 2008, después de 9.000 años de silencio, el volcán Chaitén de Chile hizo erupción de una manera a la vez espectacular y peligrosa. La Oficina Nacional de Emergencia (ONE) anunció que había granjeros y animales en peligro. Si hubieras estado allí, ¿qué habrías hecho para ayudarlos?

Paso 1 Como parte del equipo médico, haz una lista de las partes del cuerpo que habrías examinado.

Paso 2 Después de hacer tu lista de las partes del cuerpo que habrían necesitado atención, ¿qué habrías hecho? Dile a tu compañero/a por lo menos **doce** oraciones sobre lo que se habría podido hacer. Usa **se** cuando sea necesario. Túrnense.

12-17 Nuestras prioridades

Por todo el mundo se encuentran dificultades a la hora de establecer prioridades en la salud pública. Con recursos económicos limitados, los políticos y otros profesionales tratan de establecer cuáles deben ser sus prioridades.

Paso 1 Con un/a compañero/a, pongan la lista de enfermedades de la página 444 en su orden de prioridad.

Paso 2 Justifiquen sus decisiones.

Paso 3 ¿Fue difícil hacer la lista de prioridades? ¿Por qué? Comparen su lista con las de otros estudiantes.

12-18 Un lema para todo

El mercadeo y los políticos nos bombardean con lemas. Ahora te toca a ti.

Paso 1 Crea **cinco** lemas para la salud, usando **se** y **la voz pasiva.**

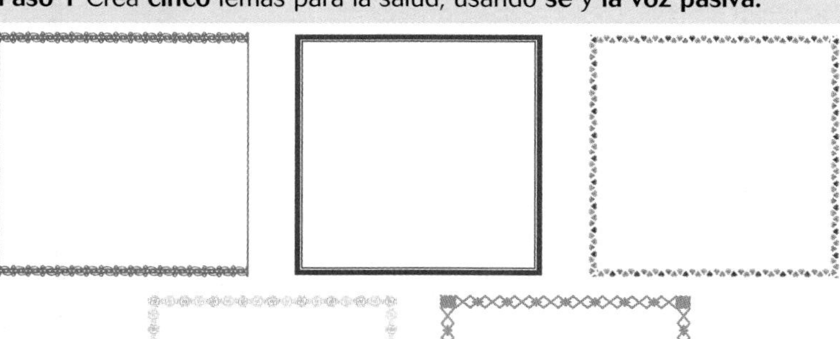

Paso 2 Comparte tus lemas con tres compañeros.

Paso 3 Seleccionen los **tres** mejores lemas de tu grupo para compartir con sus compañeros.

Rúbrica

Estrategia

You and your instructor can use this rubric to assess your progress for actividades **12-16** through **12-18**.

	3 Exceeds Expectations	2 Meets Expectations	1 Approaches Expectations	0 Does Not Meet Expectations
Duración y precisión	• Has at least 8 sentences and includes all the required information. • May have errors, but they do not interfere with communication.	• Has 5–7 sentences and includes all the required information. • May have errors, but they rarely interfere with communication.	• Has 4 sentences and includes some of the required information. • Has errors that interfere with communication.	• Supplies fewer sentences and little of the required information in *Approaches Expectations.* • If communicating at all, has frequent errors that make communication limited or impossible.
Gramática nueva del *Capítulo 11*	• Makes excellent use of ***se*** and the **passive voice.**	• Makes good use of ***se*** and the **passive voice.**	• Makes use of ***se*** and the **passive voice.**	• Makes little or no use of ***se*** and the **passive voice.**
Vocabulario nuevo del *Capítulo 11*	• Uses many new **health-related words.**	• Uses a variety of the new **health-related words.**	• Uses some of the new **health-related words.**	• Uses little, if any, of the new vocabulary.
Gramática y vocabulario del repaso/reciclaje del *Capítulo 11*	• Does an excellent job using review grammar and vocabulary to support what is being said. • Uses some review vocabulary but predominantly focuses on new vocabulary.	• Does a good job using review grammar and vocabulary to support what is being said. • Uses some review vocabulary but predominantly focuses on new vocabulary.	• Does an average job using review grammar and vocabulary to support what is being said. • Uses mostly review vocabulary and some new vocabulary.	• If speaking at all, relies almost completely on vocabulary and grammar from beginning Spanish course. • Vocabulary is almost solely review vocabulary.
Esfuerzo	• Clearly the student made his/her best effort.	• The student made a good effort.	• The student made an effort.	• Little or no effort went into the activity.

12-27 to 12-31

Un poco de todo

12-19 Nuestro medio ambiente y aún más

¡Son famosos! Descubrieron que tu compañero/a y tú son expertos en uno de los siguientes temas y los invitaron a presentar sus investigaciones en los programas de *Oprah* y *Cristina*.

Paso 1 Creen juntos un reportaje para la televisión sobre uno de los siguientes temas:

1. el medio ambiente, los animales y el mundo "verde"
2. cómo prepararse para la jubilación
3. la salud y cómo cuidarse
4. el arte, la música, el cine y la televisión

Paso 2 Preséntenles su reportaje a sus compañeros de clase.

12.20 ¡Mentiras!

Escribe **diez** oraciones falsas sobre *Laberinto peligroso.* Tu compañero/a tiene que corregirlas. Dale un punto por cada oración que haya corregido. ¿Quién gana?

12.21 Descripciones

¡Anda! Curso intermedio, Capítulo 1, El aspecto físico y la personalidad, pág. 32; Otras características personales, pág. 33.

Piensa en las características físicas y las personalidades de los personajes de *Laberinto peligroso* y completa los siguientes pasos.

Paso 1 Escribe descripciones de los personajes de *Laberinto peligroso.* Cada descripción debe tener por lo menos **diez** oraciones.

Paso 2 Comparte tus descripciones con unos compañeros para que adivinen de qué personajes se tratan.

Paso 3 Ahora comparte tus descripciones con compañeros de otros grupos. ¿Pueden adivinar quiénes son?

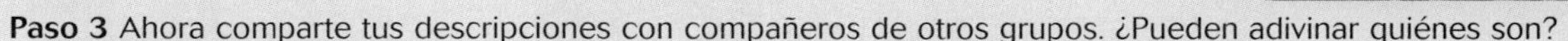

12.22 Tus propios laberintos peligrosos

¡Ahora te toca a ti! Puedes seleccionar entre las siguientes actividades basadas en *Laberinto peligroso.*

1. Imagina que eres como Oprah o Cristina y que tienes la oportunidad de entrevistar a los actores de *Laberinto peligroso.* Prepara la entrevista con un/a compañero/a.
2. Escribe tu propia versión reducida de *Laberinto peligroso.* ¿Termina igual que el original? Compara tu versión con la de un/a compañero/a.
3. Escribe y filma *Laberinto peligroso II.* Al final, ¿qué pasa con el Sr. A. Menaza y con la bibliotecaria? Preséntale tu película a la clase.

Cultura

12-23 ¿Sabías que...?

Completa los siguientes pasos.

Paso 1 Escribe una o dos cosas interesantes que no sabías antes pero que aprendiste sobre cada uno de los siguientes países.

CHILE	PARAGUAY	ARGENTINA	URUGUAY
1.	1.	1.	1.
2.	2.	2.	2.

PERÚ	BOLIVIA	ECUADOR	COLOMBIA
1.	1.	1.	1.
2.	2.	2.	2.

VENEZUELA	CUBA	LA REPÚBLICA DOMINICANA	PUERTO RICO
1.	1.	1.	1.
2.	2.	2.	2.

Paso 2 Compara la información con el lugar donde tú vives, el estado o el país. ¿En qué son similares y en qué son diferentes?

12-24 Los símbolos nacionales

Escoge **tres** países distintos. Luego escoge un símbolo que represente cada uno de los tres países. Describe estos símbolos que has escogido para cada nación y habla de cómo y por qué son representativos de los países. Después, haz una comparación entre los países y sus símbolos.

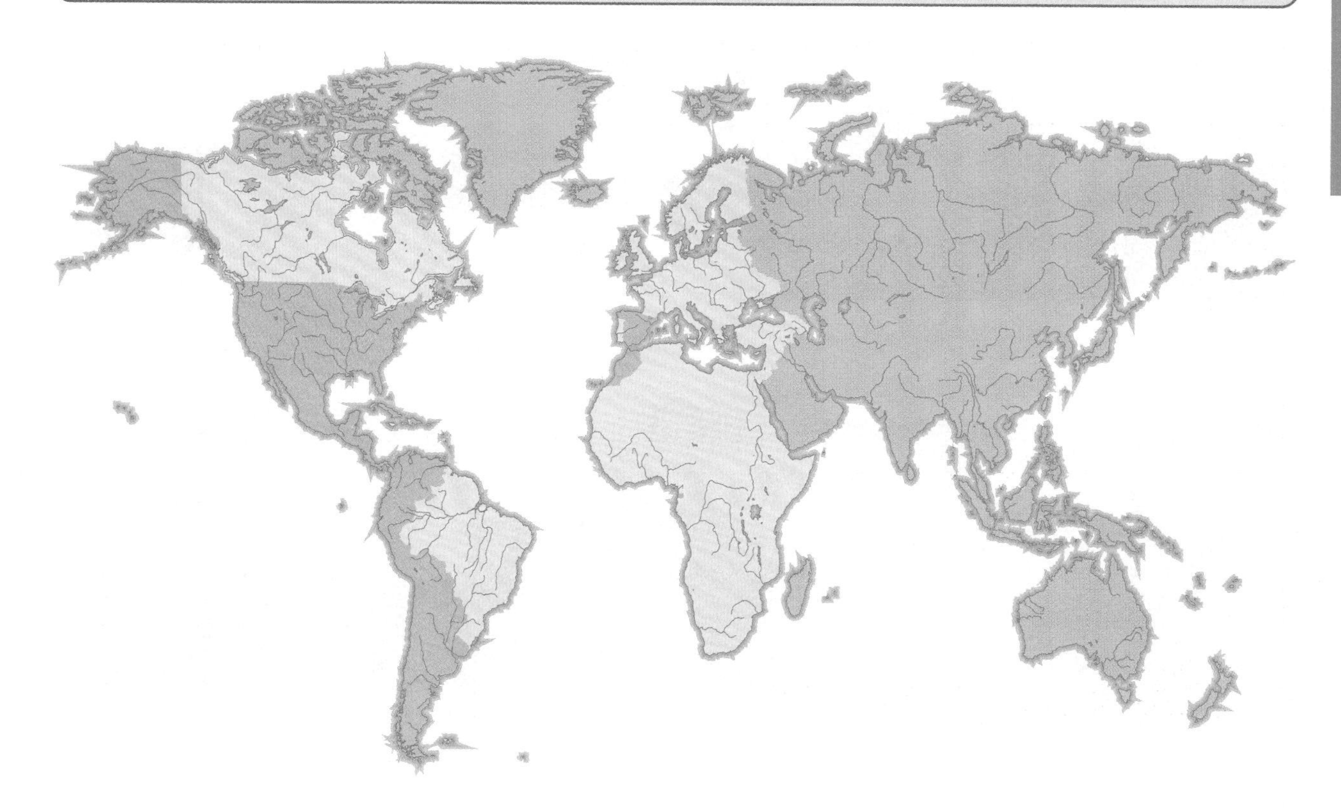

12-25 ¿El ecoturismo o una expedición científica?

¡Qué suerte! Recibiste la distinción de ser el/la mejor estudiante de español y puedes elegir entre un viaje de ecoturismo o una expedición antropológica en Latinoamérica.

Paso 1 Piensa en lo que aprendiste de cada país y decide adónde quieres ir para divertirte e investigar más.

Paso 2 Describe el lugar específico que vas a visitar y explica por qué, cómo, cuándo, etc. Si hay dos países con lugares similares, compáralos e indica por qué seleccionaste uno en particular.

Paso 3 Selecciona a algunas personas de aquel país a quienes te gustaría conocer. Si están muertos, ¿por qué te habría gustado conocerlos?

12·26 ¿Qué más quieres saber?

Has conocido un poco a algunas personas distinguidas de los países que estudiamos en los capítulos anteriores. ¿Qué más quieres saber de ellos? Escribe por lo menos **diez** preguntas que quieres hacerles. Si se han muerto, ¿qué te habría gustado preguntarles? Usa **el subjuntivo** y **la gramática** de este semestre.

Pío Pico

Jennifer López y Marc Anthony

Rafael Nadal

Sandra Taruella e Isabel López

Patricia Quintana

Franklin Díaz-Chang

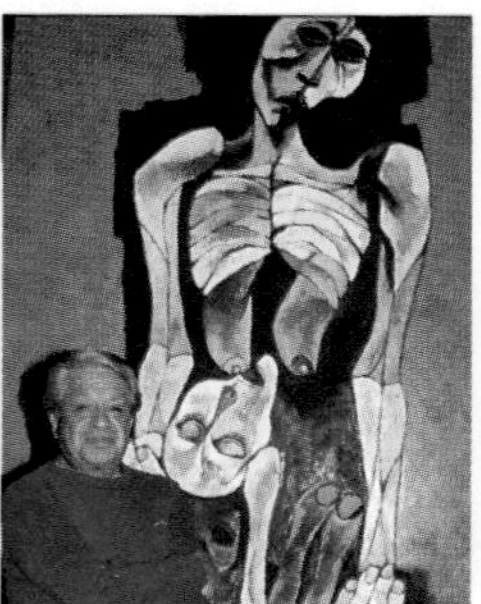

Oswaldo Guayasamín

Paloma Picasso

Las hermanas Koplowitz: Esther y Alicia

Carlos Slim

Julio Bocca

Mario José Molina Henríquez

12-27 Querido/a autor/a

Escríbele una carta a uno de los autores de las selecciones de *Letras*. Dile lo que más te gusta de su obra y posiblemente lo que no te gusta o lo que no entiendes muy bien. Compara su escritura con la de otro/a autor/a que leíste.

Y por fin, ¿cómo andas?

Having completed this chapter, I now can...

	Feel Confident	Need to Review
Comunicación		
• convey ideas about what is or has been going on.	❑	❑
• share information about what will take place or what will have taken place.	❑	❑
• relate what would take place or what would have taken place.	❑	❑
• express wishes, wants, hopes, desires, and opinions on a variety of topics.	❑	❑
• make cause and effect statements.	❑	❑
• express ideas on topics such as shopping and commerce, professions and the world of business, visual and performing arts, the environment and its impact on animals and their habitats, and health and related issues.	❑	❑
Cultura		
• share information about Chile, Paraguay, Argentina, Uruguay, Peru, Bolivia, Ecuador, Venezuela, Colombia, Cuba, the Dominican Republic, and Puerto Rico.	❑	❑
• compare and contrast the countries and people I learned about in *Capítulos 7–11*.	❑	❑

CAPÍTULO 9

2. Repaso del subjuntivo: en cláusulas sustantivas, adjetivales y adverbiales

El subjuntivo en cláusulas sustantivas

Having studied the preceding examples of the subjunctive, answer the following questions to complete your review:

1. How many verbs are in each sentence?

   two

2. Which verb is in the **indicative?**

   the one in the main clause/before (in front of) *que*

3. Which verb is in the **subjunctive?**

   the verb in the subordinate clause/after (to the right of) *que*

4. Is there a different subject for each verb?

   yes

5. What word joins the two distinct parts of the sentence?

   que

6. State a rule for the use of the subjunctive to express **volition and will, feelings and emotions, doubt, uncertainty,** and **probability.**

   When the verb in the main clause expresses doubt, uncertainty, influence, opinion, feelings, hope, wishes, or desires and there is a change of subject, the verb in the second (subordinate) clause must be in the subjunctive.

El subjuntivo con antecedentes indefinidos o que no existen

Having read the previous examples,

1. What kinds of verbs tell you that there is a possibility that something or someone is uncertain or nonexistent?

   verbs such as *buscar, no conocer,* and *dudar*

2. If you know that something or someone exists, do you use the indicative or the subjunctive?

   If the person, place, or thing being talked about exists in the mind of the speaker, then the indicative is used. If not, the subjunctive is needed.

El subjuntivo en cláusulas adverbiales

Having studied the previous examples, answer the following questions to complete your review:

1. Which conjunctions **always** use the subjunctive?

   The *subjunctive* is always used after these conjunctions: *a menos que, en caso (de) que, antes (de) que, para que, con tal (de) que,* and *sin que.* After *aunque, a pesar de que, cuando, en cuanto, tan pronto como,* and *después que,* you use the subjunctive if the action has not yet occurred.

2. Which conjunctions **never** use the subjunctive?

   The indicative is always used after these conjunctions: *ahora que, puesto que,* and *ya que.* After *aunque, a pesar de que, cuando, en cuanto, tan pronto como,* and *después que,* you use the indicative if the action has already occurred.

3. Which conjunctions **sometimes** use the subjunctive? What question do you ask yourself with these types of conjunctions?

   Aunque, a pesar de que, cuando, en cuanto, tan pronto como,* and *después que* sometimes use the subjunctive. With these conjunctions, you must ask yourself whether the action has already occurred. If so, the indicative is used; if not, the subjunctive is used. Always use the indicative after *ahora que, puesto que,* and *ya que.* Always use the subjunctive after *a menos que, en caso (de) que, antes (de) que, para que, con tal (de) que,* and *sin que.

CAPÍTULO 11

7. La voz pasiva

1. What are the nouns (*people, places, or things*) in the sample sentences of **passive** with **ser?**

   a. pulso (subject), enfermera (object of preposition)
   b. presión (subject), médico (object of preposition)
   c. resultados (subject), cirujana (object of preposition)
   d. recetas (subject), neurólogo (object of preposition)

2. In the **passive** with **ser** sentences,

   a. what form (person: e.g., 1st, 2nd, 3rd) of the verb is used?

      3rd person

   b. what determines whether the verb is singular or plural?

      the subject

   c. with what does the past participle **(-ado/-ido)** agree?

      the subject

3. With the **passive *se*** sentences, do you still have the same subjects and objects as in the **passive** with **ser?**

   no, only subjects (recipients)

4. What form of the verb is used with the **passive *se?***

   What determines if that form is singular or plural?

   3rd person; must agree with the subject

5. Is the doer clear in the **passive *se*** sentences?

   no

CAPÍTULO 7 DE ¡ANDA! CURSO ELEMENTAL

Las carnes y las aves	*Meat and poultry*
las aves	*poultry*
el bistec	*steak*
la carne	*meat*
la hamburguesa	*hamburger*
el jamón	*ham*
el perro caliente	*hot dog*
el pollo	*chicken*

El pescado y los mariscos	*Fish and seafood*
el atún	*tuna*
los camarones (*pl.*)	*shrimp*
el pescado	*fish*

Las frutas	*Fruit*
la banana/el plátano	*banana*
el limón	*lemon*
la manzana	*apple*
el melón	*melon*
la naranja	*orange*
la pera	*pear*
el tomate	*tomato*

Las verduras	*Vegetables*
la cebolla	*onion*
el chile	*chili pepper*
la ensalada	*salad*
los frijoles (*pl.*)	*beans*
la lechuga	*lettuce*
el maíz	*corn*
la papa /la patata	*potato*
las papas fritas (*pl.*)	*french fries; potato chips*
la verdura	*vegetable*

Los postres	*Desserts*
los dulces	*candy; sweets*
las galletas	*cookies; crackers*
el helado	*ice cream*
el pastel	*pastry; pie*
el postre	*dessert*
la torta	*cake*

Las bebidas	*Beverages*
el agua (con hielo)	*water (with ice)*
el café	*coffee*
la cerveza	*beer*
el jugo	*juice*
la leche	*milk*
el refresco	*soft drink*
el té (helado/caliente)	*tea (iced/hot)*
el vino	*wine*

Más comidas	*More foods*
el arroz	*rice*
el cereal	*cereal*
el huevo	*egg*
el pan	*bread*
el queso	*cheese*
la sopa	*soup*
la tostada	*toast*

Las comidas	*Meals*
el almuerzo	*lunch*
la cena	*dinner*
la comida	*food; meal*
el desayuno	*breakfast*
la merienda	*snack*

Verbos	*Verbs*
almorzar (ue)	*to have lunch*
andar	*to walk*
beber	*to drink*
cocinar	*to cook*
conducir	*to drive*
cenar	*to have dinner*
desayunar	*to have breakfast*
merendar (ie)	*to have a snack*

Los condimentos y las especias	*Condiments and spices*
el aceite	*oil*
el azúcar	*sugar*
la mantequilla	*butter*
la mayonesa	*mayonnaise*
la mermelada	*jam; marmalade*
la mostaza	*mustard*
la pimienta	*pepper*
la sal	*salt*
la salsa de tomate	*ketchup*
el vinagre	*vinegar*

Unos términos de cocina	*Cooking terms*
a la parrilla	*grilled*
al horno	*baked*
asado/a	*roasted; grilled*
bien cocido/a	*well done*
bien hecho/a	*well cooked*
caliente	*hot (temperature)*
cocido/a	*boiled; baked*
crudo/a	*rare; raw*
duro/a	*hard-boiled*
fresco/a	*fresh*
frito/a	*fried*
helado/a	*iced*
hervido/a	*boiled*
picante	*spicy*
poco hecho/a	*rare*
término medio	*medium*

En el restaurante	*In the restaurant*
el/la camarero/a	*waiter/waitress*
el/la cliente/a	*customer; client*
el/la cocinero/a	*cook*
la cuchara	*soup spoon; tablespoon*
la cucharita	*teaspoon*
el cuchillo	*knife*
la especialidad de la casa	*specialty of the house*
el mantel	*tablecloth*
el menú	*menu*
el plato	*plate; dish*
la propina	*tip*
la servilleta	*napkin*
la tarjeta de crédito	*credit card*
la taza	*cup*
el tenedor	*fork*
el vaso	*glass*

Verbos	*Verbs*
pagar	*to pay*
pedir (i)	*to order*
reservar una mesa	*to reserve a table*

Otras palabras útiles	*Other useful words*
anoche	*last night*
anteayer	*the day before yesterday*
el año pasado	*last year*
ayer	*yesterday*
barato/a	*cheap*
¡Buen provecho!	*Enjoy your meal!*
caro/a	*expensive*
cerca (de)	*near*
debajo (de)	*under; underneath*
encima (de)	*on top (of); above*
el fin de semana pasado	*last weekend*
el... (jueves) pasado	*last... (Thursday)*
La cuenta, por favor.	*The check, please.*
la semana pasada	*last week*
más tarde que	*later than*
más temprano que	*earlier than*

CAPÍTULO 8 DE *¡ANDA! CURSO ELEMENTAL*

La ropa	*Clothing*
el abrigo	*overcoat*
la bata	*robe*
la blusa	*blouse*
el bolso	*purse*
las botas (*pl.*)	*boots*
los calcetines (*pl.*)	*socks*
la camisa	*shirt*
la camiseta	*T-shirt*
la chaqueta	*jacket*
el cinturón	*belt*
el conjunto	*outfit*
la corbata	*tie*
la falda	*skirt*
la gorra	*cap*
los guantes	*gloves*
el impermeable	*raincoat*
los jeans (*pl.*)	*jeans*
las medias (*pl.*)	*stockings; hose*
los pantalones (*pl.*)	*pants*
los pantalones cortos (*pl.*)	*shorts*
el paraguas	*umbrella*
el pijama	*pajamas*
la ropa interior	*underwear*
las sandalias (*pl.*)	*sandals*
el sombrero	*hat*
la sudadera	*sweatshirt*
el suéter	*sweater*
los tenis (*pl.*)	*tennis shoes*
el traje	*suit*
el traje de baño	*swimsuit; bathing suit*
el vestido	*dress*
las zapatillas (*pl.*)	*slippers*
los zapatos (*pl.*)	*shoes*

Las telas y los materiales	*Fabrics and materials*
el algodón	*cotton*
el cuero	*leather*
la lana	*wool*
el poliéster	*polyester*
la seda	*silk*
la tela	*fabric*

Unos adjetivos	*Some adjectives*
ancho/a	*wide*
atrevido/a	*daring*
claro/a	*light (colored)*
cómodo/a	*comfortable*
corto/a	*short*
de cuadros	*checked*
de lunares	*polka-dotted*
de rayas	*striped*
elegante	*elegant*
estampado/a	*print; with a design or pattern*
estrecho/a	*narrow; tight*
formal	*formal*
informal	*casual*
largo/a	*long*
liso/a	*solid-colored*
oscuro/a	*dark*

Unos verbos	*Some verbs*
llevar	*to wear; to take; to carry*
llevar puesto	*to wear; to have on*
quedar bien/mal	*to fit well/poorly*

Otras palabras útiles	*Other useful words*
la moda	*fashion; style*
el/la modelo	*model*

Unos verbos como *gustar*	*Verbs similar to* gustar
encantar	*to love; delight*
fascinar	*to fascinate*
hacer falta	*to need; to be lacking*
importar	*to matter; to be important*
molestar	*to bother*

Unos verbos reflexivos	*Some reflexive verbs*
acordarse de (o → ue)	*to remember*
acostarse (o → ue)	*to go to bed*
afeitarse	*to shave*
arreglarse	*to get ready*
bañarse	*to bathe*
callarse	*to get/keep quiet*
cepillarse (el pelo, los dientes)	*to brush (one's hair, teeth)*
despertarse (e → ie)	*to wake up; to awaken*
divertirse (e → ie → i)	*to enjoy oneself; to have fun*
dormirse (o → ue → u)	*to fall asleep*
ducharse	*to shower*
irse	*to go away; to leave*
lavarse	*to wash oneself*
levantarse	*to get up; to stand up*
llamarse	*to be called*
maquillarse	*to put on makeup*
peinarse	*to comb one's hair*
ponerse (la ropa)	*to put on (one's clothes)*
ponerse (nervioso/a)	*to get (nervous)*
quedarse	*to stay; to remain*
quitarse (la ropa)	*to take off (one's clothes)*
reunirse	*to get together; to meet*
secarse	*to dry off*
sentarse (e → ie)	*to sit down*
sentirse (e → ie → i)	*to feel*
vestirse (e → i → i)	*to get dressed*

CAPÍTULO 9 DE *¡ANDA! CURSO ELEMENTAL*

El cuerpo humano	*The human body*
la boca	*mouth*
el brazo	*arm*
la cabeza	*head*
la cara	*face*
la cintura	*waist*
el corazón	*heart*
el cuello	*neck*
el cuerpo	*body*
el dedo (de la mano)	*finger*
el dedo (del pie)	*toe*
el diente	*tooth*
la espalda	*back*
el estómago	*stomach*
la garganta	*throat*
la mano	*hand*
la nariz	*nose*
el oído	*inner ear*
el ojo	*eye*
la oreja	*ear*
el pecho	*chest*
el pelo	*hair*
el pie	*foot*
la pierna	*leg*

Unos verbos	*Some verbs*
doler (ue)	*to hurt*
estar enfermo/a	*to be sick*
estar sano/a; saludable	*to be healthy*
ser alérgico/a (a)	*to be allergic (to)*

Otras palabras útiles	*Other useful words*
la salud	*health*
la sangre	*blood*

Unas enfermedades y tratamientos médicos	*Illnesses and medical treatments*
el antiácido	*antacid*
el antibiótico	*antibiotic*
la aspirina	*aspirin*
el catarro/el resfriado	*cold*
la curita	*adhesive bandage*
el/la doctor/a	*doctor*
el dolor	*pain*
el/la enfermero/a	*nurse*
el estornudo	*sneeze*
el examen físico	*physical exam*
la farmacia	*pharmacy*
la fiebre	*fever*
la gripe	*flu*
la herida	*wound; injury*
el hospital	*hospital*
la inyección	*shot*
el jarabe	*cough syrup*
el/la médico/a	*doctor*
la náusea	*nausea*
las pastillas	*pills*
la receta	*prescription*
la sala de urgencias	*emergency room*
la tos	*cough*
la venda/el vendaje	*bandage*

Unos verbos	*Some verbs*
acabar de + (infinitive)	*to have just finished + (doing something)*
cortar(se)	*to cut (oneself)*
curar	*to cure*
curar(se)	*to be cured*
enfermar(se)	*to get sick*
estornudar	*to sneeze*
evitar	*to avoid*
guardar cama	*to stay in bed*
lastimar(se)	*to get hurt*
mejorar(se)	*to improve; to get better*
ocurrir	*to occur*
quemar	*to burn*

quemar(se)	*to get burned*
romper(se)	*to break*
tener...	
alergia (a)	*to be allergic (to)*
(un) catarro, resfriado	*to have a cold*
(la/una) gripe	*to have the flu*
una infección	*to have an infection*
tos	*to have a cough*
un virus	*to have a virus*
tener dolor de...	*to have a...*
cabeza	*headache*
espalda	*backache*
estómago	*stomachache*
garganta	*sore throat*
toser	*to cough*
tratar de	*to try to*
vendar(se)	*to bandage (oneself); to dress (a wound)*

CAPÍTULO 10 DE *¡ANDA! CURSO ELEMENTAL*

El transporte	*Transportation*
el autobús	*bus*
el avión	*airplane*
la bicicleta	*bicycle*
el camión	*truck*
el carro/el coche	*car*
el metro	*subway*
la moto(cicleta)	*motorcycle*
el taxi	*taxi*
el tren	*train*

Otras palabras útiles	*Other useful words*
la autopista	*highway; freeway*
el boleto	*ticket*
la calle	*street*
la cola	*line (of people)*
la estación de servicio	*gas station*
el estacionamiento	*parking*
la licencia (de conducir)	*driver's license*
la multa	*traffic ticket; fine*
la parada	*bus stop*
el peatón	*pedestrian*
el policía	*policeman*
el ruido	*noise*
el semáforo	*traffic light*
el tráfico	*traffic*

Unas partes de un vehículo	*Parts of a vehicle*
el aire acondicionado	*air conditioning*
el baúl	*trunk*
la calefacción	*heat*
el limpiaparabrisas	*windshield wiper*
la llanta	*tire*
la llave	*key*
el motor	*motor; engine*
el parabrisas	*windshield*
el tanque	*gas tank*
el volante	*steering wheel*

Unos verbos útiles	*Some useful verbs*
arreglar/hacer la maleta	*to pack a suitcase*
bajar (de)	*to get down (from); to get off (of)*
cambiar	*to change*
caminar, ir a pie	*to walk; to go on foot*
dejar	*to leave*
doblar	*to turn*
entrar	*to enter*
estacionar	*to park*
funcionar	*to work; to function*
ir de vacaciones	*to go on vacation*
ir de viaje	*to go on a trip*
irse del hotel	*to leave the hotel; to check out*
llenar	*to fill*
manejar/conducir	*to drive*
prestar	*to loan; to lend*
registrarse (en el hotel)	*to check in*
revisar	*to check; to overhaul*
sacar la licencia	*to get a driver's license*
salir	*to leave; to go out*
subir (a)	*to go up; to get on*
viajar	*to travel*
visitar	*to visit*
volar (o → ue)	*to fly; to fly away*

El viaje	*The trip*
el aeropuerto	*airport*
la agencia de viajes	*travel agency*
el/la agente de viajes	*travel agent*
el barco	*boat*
el boleto de ida y vuelta	*round-trip ticket*
la estación (de tren, de autobús)	*(train, bus) station*
el extranjero	*abroad*
la maleta	*suitcase*
el pasaporte	*passport*
la reserva	*reservation*
el sello	*postage stamp*
la tarjeta postal	*postcard*
las vacaciones	*vacation*
los viajeros	*travelers*
el vuelo	*flight*

El hotel	*The hotel*
el botones	*bellman*
el cuarto doble	*double room*
el cuarto individual	*single room*
la recepción	*front desk*

Unos lugares	*Some places*
el lago	*lake*
las montañas	*mountains*
el parque de atracciones	*theme park*
la playa	*beach*

CAPÍTULO 11 DE *¡ANDA! CURSO ELEMENTAL*

Unos animales	*Some animals*
el caballo	*horse*
el cerdo	*pig*
el conejo	*rabbit*
el elefante	*elephant*
la gallina	*chicken, hen*
el gato	*cat*
la hormiga	*ant*
el insecto	*insect*
el león	*lion*
la mosca	*fly*
el mosquito	*mosquito*
el oso	*bear*
el pájaro	*bird*
el perro	*dog*
el pez (*pl.*, los peces)	*fish*
la rana	*frog*
la rata	*rat*
el ratón	*mouse*
la serpiente	*snake*
el toro	*bull*
la vaca	*cow*

Unos verbos	*Some verbs*
cuidar	*to take care of*
montar (a caballo)	*to ride a horse*
preocuparse por	*to worry about; to concern oneself with*

Las cuestiones políticas	*Political issues*
el bienestar	*well-being; welfare*
la defensa	*defense*
la delincuencia	*crime*
el desempleo	*unemployment*
la deuda (externa)	*(foreign) debt*
el impuesto	*tax*
la inflación	*inflation*

Otras palabras útiles	*Other useful words*
un animal doméstico	*a domesticated animal; pet*
un animal en peligro de extinción	*an endangered species*
un animal salvaje	*a wild animal*
el árbol	*tree*
el bosque	*forest*
la cueva	*cave*
la finca	*farm*
la granja	*farm*
el hoyo	*hole*
el lago	*lake*
la montaña	*mountain*
el océano	*ocean*
peligroso/a	*dangerous*
el río	*river*
la selva	*jungle*

El medio ambiente	*The environment*
el aluminio	*aluminum*
la botella	*bottle*
la caja (de cartón)	*(cardboard) box*
la contaminación	*pollution*
el derrame de petróleo	*oil spill*
el huracán	*hurricane*
el incendio	*fire*
la inundación	*flood*
la lata	*can*
el papel	*paper*
el periódico	*newspaper*
el plástico	*plastic*
el sunami	*tsunami*
el terremoto	*earthquake*
la tormenta	*storm*
el tornado	*tornado*
el vidrio	*glass*

Unos verbos	*Some verbs*
apoyar	*to support*
botar	*to throw away*
combatir	*to fight; to combat*
contaminar	*to pollute*
cuidar	*to take care of*
elegir (i → i)	*to elect*
estar en huelga	*to be on strike*
evitar	*to avoid*
hacer daño	*to (do) damage; to harm*
llevar a cabo	*to carry out*
luchar	*to fight; to combat*
matar	*to kill*
meterse en política	*to get involved in politics*
plantar	*to plant*
preocuparse por	*to worry about; to concern oneself with*
proteger	*to protect*
reciclar	*to recycle*
reforestar	*to reforest*
rehusar	*to refuse*
resolver (o → ue)	*to resolve*
sembrar (e → ie)	*to sow*
volver	*to return*
votar	*to vote*

La política	*Politics*
el alcalde/la alcaldesa	*mayor*
el/la candidato/a	*candidate*
el/la dictador/a	*dictator*
el/la diputado/a	*deputy; representative*
el/la gobernador/a	*governor*
la guerra	*war*
la huelga	*strike*
el/la presidente/a	*president*
el rey/la reina	*king/queen*
el/la senador/a	*senator*

Las preposiciones	*Prepositions*
a	*to; at*
a la derecha de	*to the right of*
a la izquierda de	*to the left of*
acerca de	*about*
(a)fuera de	*outside of*
al lado de	*next to*
antes de	*before (time/space)*
cerca de	*near*
con	*with*
de	*of; from; about*
debajo de	*under; underneath*
delante de	*in front of*
dentro de	*inside of*
desde	*from*
después de	*after*
detrás de	*behind*
en	*in*
encima de	*on top of*
enfrente de	*across from; facing*
entre	*among; between*
hasta	*until*
lejos de	*far from*
para	*for; in order to*
por	*for; through; by; because of*
según	*according to*
sin	*without*
sobre	*over; about*

Las administraciones y los regímenes	*Administrations and regimes*
el congreso	*congress*
la democracia	*democracy*
la dictadura	*dictatorship*
el estado	*state*
el gobierno	*government*
la ley	*law*
la monarquía	*monarchy*
la presidencia	*presidency*
la provincia	*province*
la región	*region*
el senado	*senate*

Las elecciones	*Elections*
la campaña	*campaign*
el discurso	*speech*
la encuesta	*survey; poll*
el partido político	*political party*
el voto	*vote*

Otras palabras útiles	*Other useful words*
el aire	*air*
la basura	*garbage*
la calidad	*quality*
la capa de ozono	*ozone layer*
el cielo	*sky; heaven*
el desastre	*disaster*
la destrucción	*destruction*
la ecología	*ecology*
el efecto invernadero	*global warming*
la lluvia ácida	*acid rain*
la naturaleza	*nature*
el planeta	*planet*
puro/a	*pure*
el recurso natural	*natural resource*
la selva tropical	*jungle; (tropical) rain forest*
la Tierra	*Earth*
la tierra	*land; soil*
la tragedia	*tragedy*
el vertedero	*dump*
vivo/a	*alive; living*

APPENDIX 3

CAPÍTULO 7 DE *¡ANDA! CURSO ELEMENTAL*

El pretérito

To express something you did or something that occurred in the past, you can use the **pretérito** (*preterit*).

Los verbos regulares

*Note the endings for regular verbs in the **pretérito** below.

	-ar: comprar	-er: comer	-ir: vivir
yo	compr**é**	com**í**	viv**í**
tú	compr**aste**	com**iste**	viv**iste**
él, ella, Ud.	compr**ó**	com**ió**	viv**ió**
nosotros/as	compr**amos**	com**imos**	viv**imos**
vosotros/as	compr**asteis**	com**isteis**	viv**isteis**
ellos/as, Uds.	compr**aron**	com**ieron**	viv**ieron**

Pablo se **afeitó** la barba y el bigote. — *Pablo shaved his beard and mustache.*

¿Ah, sí? Su novia **llegó** ayer y seguramente **se quejó.** — *Oh yeah? His girlfriend arrived yesterday and she must have complained.*

Precisamente. **Empezó** a llamarlo "Oso". — *Exactly. She started to call him "Bear."*

Algunos verbos irregulares en el pretérito

Remember that the following verbs are irregular in the **pretérito;** they follow a pattern of their own. Study the verb charts to refresh your memory regarding the similarities and differences among the forms.

	andar	estar	tener
yo	and**uve**	est**uve**	**tuve**
tú	and**uviste**	est**uviste**	**tuviste**
él, ella, Ud.	and**uvo**	est**uvo**	**tuvo**
nosotros/as	and**uvimos**	est**uvimos**	**tuvimos**
vosotros/as	and**uvisteis**	est**uvisteis**	**tuvisteis**
ellos/as, Uds.	and**uvieron**	est**uvieron**	**tuvieron**

El verano pasado **anduvimos** mucho por la playa. — *Last summer we walked on the beach a lot.*

¿En qué bar **estuvieron** Uds.? — *In which bar were you all?*

Juan **tuvo** muy buena suerte —¡**ganó** la lotería! — *Juan was really lucky—he won the lottery!*

	conducir	traer	decir
yo	cond**uje**	tra**je**	**dije**
tú	cond**ujiste**	tra**jiste**	**dijiste**
él, ella, Ud.	cond**ujo**	tra**jo**	**dijo**
nosotros/as	cond**ujimos**	tra**jimos**	**dijimos**
vosotros/as	cond**ujisteis**	tra**jisteis**	**dijisteis**
ellos/as, Uds.	cond**ujeron**	tra**jeron**	**dijeron**

Conduje el coche nuevo de mi padre anoche. — *I drove my father's new car last night.*

Rubén **trajo** a su madre a la fiesta. — *Rubén brought his mother to the party.*

¿**Dijeron** la verdad sobre el accidente? — *Did they tell the truth about the accident?*

	ir	ser
yo	fui	fui
tú	fuiste	fuiste
él, ella, Ud.	fue	fue
nosotros/as	fuimos	fuimos
vosotros/as	fuisteis	fuisteis
ellos/as, Uds.	fueron	fueron

Ayer **cené** con Ana. — *I had dinner with Ana yesterday.*

La cena **fue** deliciosa. — *The dinner was delicious.*

Fuimos al mercado para comprar mariscos. — *We went to the market to buy seafood.*

La gente del mercado **fue** muy amable. — *The people at the market were very kind.*

	dar	ver	venir
yo	di	vi	**vine**
tú	diste	viste	viniste
él, ella, Ud.	**dio**	vio	**vino**
nosotros/as	dimos	vimos	vinimos
vosotros/as	disteis	visteis	vinisteis
ellos/as, Uds.	dieron	vieron	vinieron

	hacer	querer
yo	**hice**	quis**e**
tú	hic**iste**	quis**iste**
él, ella, Ud.	**hizo**	**quiso**
nosotros/as	hic**imos**	quis**imos**
vosotros/as	hic**isteis**	quis**isteis**
ellos/as, Uds.	hic**ieron**	quis**ieron**

	poder	poner	saber
yo	**pude**	**puse**	**supe**
tú	**pud**iste	**pus**iste	**sup**iste
él, ella, Ud.	**pudo**	**puso**	**supo**
nosotros/as	**pud**imos	**pus**imos	**sup**imos
vosotros/as	**pud**isteis	**pus**isteis	**sup**isteis
ellos/as, Uds.	**pud**ieron	**pus**ieron	**sup**ieron

Juan me **dio** un regalo. *Juan gave me a gift.*

Vimos a mucha gente rara en la fiesta. *We saw many strange people at the party.*

¿**Vinieron** sus tíos también? *Did his aunt and uncle come as well?*

No **pudieron. Tuvieron** que trabajar. *They couldn't. They had to work.*

¿Qué **hizo** Juan después de la fiesta? *What did Juan do after the party?*

Verbos con cambio de raíz

1. With **stem-changing verbs,** the first letters in parentheses after the infinitives represent the *present-tense* spelling changes. **Most stem-changing verbs (o-ue) and (e-ie) are regular in the preterit.**

Common stem-changing verbs are:

(e → ie)

cerrar *to close*
despertar(se) *to wake up*
entender *to understand*
recomendar *to recommend*

(o → ue)

perder *to lose*
sentar(se) *to sit, sit down*
costar *to cost*
encontrar *to find*
mostrar *to show*
recordar *to remember*
volver *to return*

2. The **-ir** stem changing verbs are irregular in the **él** and **ellos** forms of the **pretérito.** Note in the following chart how the spelling change is indicated.

	dormir (o → ue → u)	**pedir** (e → i → i)	**preferir** (e → ie → i)
yo	dormí	pedí	preferí
tú	dormiste	pediste	preferiste
él, ella, Ud.	d**u**rmió	p**i**dió	pref**i**rió
nosotros/as	dormimos	pedimos	preferimos
vosotros/as	dormisteis	pedisteis	preferisteis
ellos/as, Uds.	d**u**rmieron	p**i**dieron	pref**i**rieron

(o → ue → u)

morir *to die*

(e → i → i)

repetir *to repeat*
servir *to serve*
seguir *to follow*
vestir(se) *to dress, get dressed*

(e → ie → i)

divertirse *to have a good time*
mentir *to lie*
sentir(se) *to feel*

Anoche los niños **durmieron** por primera vez en su dormitorio nuevo. *Last night the children slept in their new bedroom for the first time.*

Mi madre nos **sirvió** la comida en el comedor y usó los platos especiales. *My mother served us the meal in the dining room and used the special dishes.*

Mis primos hicieron la fiesta en el jardín y todos **se divirtieron** mucho. *My cousins had the party in the garden and everyone had a great time.*

3. Verbs that end in **-car** (buscar, sacar), **-zar** (comenzar, almorzar, empezar), and **-gar** (pagar, jugar) have spelling changes in the **yo** form of the preterit.

	bus**car** c → qu	comen**zar** z → c	pa**gar** g → gu
yo	bus**qué**	comen**cé**	pa**gué**
tú	buscaste	comenzaste	pagaste
él, ella, Ud.	buscó	comenzó	pagó
nosotros/as	buscamos	comenzamos	pagamos
vosotros/as	buscasteis	comenzasteis	pagasteis
ellos/as, Uds.	buscaron	comenzaron	pagaron

Note:

- **c** changes to **qu** to preserve the sound of the hard **c** of the infinitive
- **g** changes to **gu** to preserve the sound of the hard **g** (**g** before **e** or **i** sounds like the **j** sound in Spanish)

Te **busqué** en la cocina, pero no te encontré.	*I looked for you in the kitchen but didn't find you.*
Pagué $500 por el sofá.	*I paid $500 for the sofa.*
Ayer **comencé** a redecorar el comedor.	*Yesterday I began to redecorate the dining room.*

4. Verbs that end in **-eer** (creer, leer) and **-uir** (construir, contribuir) have a *y* in the **él** and **ellos** forms.

	creer	construir
yo	creí	construí
tú	creiste	construiste
él, ella, Ud.	cre**yó**	constru**yó**
nosotros/as	creimos	construimos
vosotros/as	creisteis	construisteis
ellos/as, Uds.	cre**yeron**	constru**yeron**

Mis hermanos **leyeron** las instrucciones para montar el estante, pero no las **pudieron** comprender.	*My brothers read the directions for putting together the bookcase but could not understand them.*

CAPÍTULO 8 DE *¡ANDA! CURSO ELEMENTAL*

Los pronombres de complemento indirecto

The indirect object indicates *to whom* or *for whom* an action is done. Note these examples:

Los pronombres de complemento indirecto

me	*to/for me*
te	*to/for you*
le	*to/for him, her, you* (Ud.)
nos	*to/for us*
os	*to/for you all* (vosotros)
les	*to/for them, you all* (Uds.)

Mi madre	**me**	compra mucha ropa.
Mi madre	**te**	compra mucha ropa.
Mi madre	**le**	compra mucha ropa a mi hermano.
Mi madre	**nos**	compra mucha ropa.
Mi madre	**os**	compra mucha ropa.
Mi madre	**les**	compra mucha ropa a mis hermanos.

¿**Me** traes la falda de rayas?	*Will you bring me the striped skirt?*
Su novio **le** regaló la chaqueta de cuero.	*Her boyfriend gave her the leather jacket.*
Mi hermana **me** compró la blusa de seda.	*My sister bought me the silk blouse.*
Nuestra compañera de cuarto **nos** lavó la ropa.	*Our roommate washed our clothes for us.*

Some things to remember:

1. Like direct object pronouns, indirect object pronouns *precede* the verb and can also be *attached to infinitives and present participles* (**-ando, -iendo**).

¿**Me** quieres dar el dinero? ¿Quieres dar**me** el dinero?	*Do you want to give me the money?*
¿**Me** vas a dar el dinero? ¿Vas a dar**me** el dinero?	*Are you going to give me the money?*
¿**Me** estás dando el dinero? ¿Estás dándo**me** el dinero?	*Are you giving me the money?*
Manolo **te** puede comprar la gorra en la tienda. Manolo puede comprar**te** la gorra en la tienda.	*Manolo can buy you the hat at the store.*
Su hermano **le** va a regalar una camiseta. Su hermano va a regalar**le** una camiseta.	*Her brother is going to give her a T-shirt.*

2. To clarify or emphasize the indirect object, a prepositional phrase (**a** + *prepositional pronoun*) can be added, as in the following sentences. Clarification of **le** and **les** is especially important because they can refer to different people (*him, her, you, them, you all*).

Le presto el abrigo **a él**, pero no **le** presto nada **a ella.**	*I'm loaning him my coat, but I'm not loaning her anything.* (clarification)
¿**Me** preguntas **a mí**?	*Are you asking me?* (emphasis)

3. As you have seen, indirect object pronouns are used without the indirect object noun when the person to/for whom the action is being done is known.

Gustar y verbos como *gustar*

As you already know, the verb **gustar** is used to express likes and dislikes. **Gustar** functions differently from other verbs.

- The person, thing, or idea that is liked is the *subject* (S) of the sentence.
- The person who likes the other person, thing, or idea is the *indirect object* (IO).

Consider the chart below:

(A mí)	**me**	gusta el traje.	*I like the suit.*
(A ti)	**te**	gusta el traje.	*You like the suit.*
(A él)	**le**	gusta el traje.	*He likes the suit.*
(A ella)	**le**	gusta el traje.	*She likes the suit.*
(A Ud.)	**le**	gusta el traje.	*You like the suit.*
(A nosotros/as)	**nos**	gusta el traje.	*We like the suit.*
(A vosotros/as)	**os**	gusta el traje.	*You (all) like the suit.*
(A ellos/as)	**les**	gusta el traje.	*They like the suit.*
(A Uds.)	**les**	gusta el traje.	*You (all) like the suit.*

Note:

1. The construction **a** + *pronoun* (**a mí, a ti, a él,** etc.) or **a** + *noun* is optional most of the time. It is used for clarification or emphasis. Clarification of **le gusta** and **les gusta** is especially important because the indirect object pronouns **le** and **les** can refer to different people (*him, her, you, them, you all*).

A él le gusta llevar ropa cómoda. (clarification)	*He likes to wear comfortable clothes.*
A Ana le gusta llevar ropa cómoda. (clarification)	*Ana likes to wear comfortable clothes.*
Me gustan esos pantalones de lunares.	*I like those pants with the polka dots.*
A mí me gustan más ésos de rayas (emphasis).	*I like those striped ones even more.*

2. Use the plural form **gustan** when what is liked (the subject of the sentence) is plural.

Me gusta **el traje.**	→	Me gusta**n los trajes.**
I like the suit.		*I like the suits.*

3. To express the idea that one likes *to do* something, **gustar** is followed by an infinitive. In that case, you always use the singular **gusta,** even when you use more than one infinitive in the sentence:

Me gusta ir de compras por la mañana.	*I like to go shopping in the morning.*
A Pepe **le gusta leer** revistas de moda y **llevar** ropa atrevida.	*Pepe likes to read fashion magazines and wear daring clothing.*
Nos gusta hacer ejercicio y **andar** antes de ir a clase.	*We like to exercise and walk before going to class.*

The verbs listed below function in the same way as **gustar:**

encantar	*to love; delight*
fascinar	*to fascinate*
hacer falta	*to need; be lacking*
importar	*to matter; be important*
molestar	*to bother*

Me encanta ir de compras.	*I love to go shopping. (Shopping delights me.)*
A Doug y a David **les fascina** la tienda de ropa Rugby.	*The Rugby clothing store fascinates (is fascinating to) Doug and David.*
¿**Te hace falta** dinero para comprar el vestido?	*Do you need (are you lacking) money to buy the dress?*
A Juan **le importa** el precio de la ropa, no la moda.	*The price of the clothing, not the style, matters (is important) to Juan.*
Nos molestan las personas que llevan sandalias en invierno.	*People who wear sandals in the winter bother us.*

Los pronombres de complemento directo e indirecto usados juntos

Note how direct and indirect object pronouns are used together in the same sentence. In the following sample sentences, the indirect object pronoun precedes the direct object pronoun.

La profesora **nos** está devolviendo **los exámenes.**	→	La profesora **nos los** está devolviendo.
The professor is giving us back the exams.		*The professor is giving them back to us.*
¡Ella no **nos** regala **las notas**!	→	¡Ella no **nos las** regala!
She does not give away grades!		*She does not give them to us!*
Tatiana **me** pide **dinero** ahora.	→	Tatiana **me lo** pide ahora.
Tatiana is asking me for money now.		*Tatiana is asking me for it now.*
Mi novio **me** trae **la comida.**	→	Mi novio **me la** trae.
My boyfriend brings me food.		*My boyfriend brings it to me.*

¡Ojo! A change occurs when you use **le** or **les** along with a direct object pronoun that begins with *l* (**lo, la, los, las**): **le** or **les** changes to **se.**

le → se

Tatiana **le** pide **un favor a él.**	→	Tatiana **se lo** pide a él.
Memo **le** lleva **comida a su novia.**	→	Memo **se la** lleva a su novia.
La profesora no **le** regala **la nota al estudiante.**	→	La profesora no **se la** regala al estudiante.

les → se

La profesora **les** devuelve **los exámenes a ellos.**	→	La profesora **se los** devuelve a ellos.
Ella **les** da **buenas notas a todos los estudiantes.**	→	Ella **se las** da a todos los estudiantes.
Yo no **le** pido **un favor al profesor.**	→	Yo no **se lo** pido al profesor.

Direct and indirect object pronouns may also be attached to infinitives and present participles. Note that when the pronouns are attached, an accent is placed over the final vowel of the infinitive and the next-to-last vowel of the participle.

¿Aquel abrigo? Mi madre **me lo** va a comprar.

¿Aquel abrigo? Mi madre va a comprár**melo.**

That coat over there? My mother is going to buy it for me.

Me lo está comprando ahora.

Está comprándo**melo** ahora.

She is buying it for me now.

Las construcciones reflexivas

Los verbos reflexivos

When the subject both performs and receives the action of the verb, a reflexive verb and pronoun are used. Look at the chart that follows; the reflexive pronouns are boldfaced.

	despertarse	*to wake up*
yo	**me** despierto	*I wake (myself) up*
tú	**te** despiertas	*you wake (yourself) up*
él, ella, Ud.	**se** despierta	*he/she/you wake (him/her/yourself) up*
nosotros/as	**nos** despertamos	*we wake (ourselves) up*
vosotros/as	**os** despertáis	*you all wake (yourselves) up*
ellos/as, Uds.	**se** despiertan	*they/you wake (themselves/yourselves) up*

Reflexive pronouns follow the same rules for position as other object pronouns.

Reflexive pronouns:

1. precede a conjugated verb.
2. can be attached to infinitives and present participles (**-ando, -iendo**).

Te vas a **duchar.** — *You are going to shower.*

Vas a **ducharte.**

¿Se van a **duchar** esta noche? — *Are they going to shower tonight?*

¿Van a **ducharse** esta noche?

¿Se están **duchando** ahora? — *Are they showering now?*

¿Están **duchándose** ahora?

* Note that some verbs change their meaning slightly between nonreflexive and reflexive forms. For example: *dormir* (to sleep) and *dormirse* (to fall asleep); *ir* (to go) and *irse* (to leave).

El imperfecto

The **imperfecto** expresses habitual or ongoing past actions, provides descriptions, and describes conditions.

	pintar	componer	construir
yo	pint**aba**	compon**ía**	constru**ía**
tú	pint**abas**	compon**ías**	constru**ías**
él, ella, Ud.	pint**aba**	compon**ía**	constru**ía**
nosotros/as	pint**ábamos**	compon**íamos**	constru**íamos**
vosotros/as	pint**abais**	compon**íais**	constru**íais**
ellos/as, Uds.	pint**aban**	compon**ían**	constru**ían**

Mis hermanos y yo **pintábamos** la cerca todos los veranos. — *My brothers and I used to paint the fence every summer.*

Mi padres **componían** los juguetes que rompíamos. — *My father would repair the toys that we broke.*

Construía castillos en la arena y pescaba en la orilla. — *I built castles in the sand and fished on the shore.*

There are *only three irregular verbs* in the imperfect: **ir, ser,** and **ver.**

	ir	ser	ver
yo	iba	era	veía
tú	ibas	eras	veías
él, ella, Ud.	iba	era	veía
nosotros/as	íbamos	éramos	veíamos
vosotros/as	ibais	erais	veíais
ellos/as, Uds.	iban	eran	veían

Todos los viernes **íbamos** a fiestas en casa de nuestros primos. — *Every Friday we would go to parties at our cousins' house.*

Eran siempre magníficas con mucha música, comida increíble y buenos amigos. — *They were always magnificent/great, with a lot of music, incredible food, and good friends.*

No nos **veíamos** mucho durante la semana, pero **nos divertíamos** juntos los fines de semana. — *We did not see each other much during the week, but we had fun together on the weekends.*

1. **To provide background information, set the stage, or express a condition that existed**

Llovía mucho. — *It was raining a lot.*

Era una noche oscura y nublada. — *It was a dark, cloudy night.*

Estábamos en el segundo año de la universidad. — *We were in the second year of college.*

2. **To describe habitual or often-repeated actions**

Trabajábamos en la construcción de casas todos los veranos. — *We worked (used to work) in construction every summer.*

Cuando **era** pequeña, Cristina **diseñaba** ropa para sus muñecas. — *When she was little, Cristina designed (used to design) clothing for her dolls.*

Cada año mi padre **hacía** un presupuesto para la familia. — *Every year my father made a budget for the family.*

Some words or expressions for describing habitual and repeated actions are:

a menudo	*often*
casi siempre	*almost always*
frecuentemente	*frequently*
generalmente	*generally*
mientras	*while*
muchas veces	*many times*
mucho	*a lot*
normalmente	*normally*
siempre	*always*
todos los días	*every day*

3. **To express *was* or *were* ___*ing***

¿**Reparabas** la puerta?	*Were you repairing the door?*
Hablaban con el arquitecto cuando yo llegué.	*They were talking to the architect when I arrived.*
Alberto **pagaba** las facturas mientras Alicia **guardaba** los libros.	*Alberto was paying bills while Alicia was putting away books.*

4. **To tell time in the past**

Era la una y yo todavía **buscaba** los azulejos perfectos.	*It was 1:00 and I was still looking for the perfect tiles.*
Eran las siete y media y el contratista **hablaba** con sus obreros.	*It was 7:30 and the contractor was talking to his workers.*

CAPÍTULO 9 DE *¡ANDA! CURSO ELEMENTAL*

Un resumen de los pronombres de complemento directo, indirecto y reflexivos

Here is a summary of the forms, functions, and positioning of the *direct* and *indirect object pronouns,* as well as the *reflexive pronouns:*

LOS PRONOMBRES DE COMPLEMENTO **DIRECTO**		LOS PRONOMBRES DE COMPLEMENTO **INDIRECTO**		LOS PRONOMBRES **REFLEXIVOS**	
Direct object pronouns tell *what* or *who* receives the action of the verb. They replace direct object nouns and are used to avoid repetition.		Indirect object pronouns tell *to whom* or *for whom* something is done or given.		Reflexive pronouns indicate that the *subject* of a sentence or clause *receives the action of the verb.*	
me	*me*	**me**	*to/for me*	**me**	*myself*
te	*you*	**te**	*to/for you*	**te**	*yourself*
lo, la	*him/her/ you/it*	**le (se)**	*to/for him/ her/you*	**se**	*himself/ herself/yourself*
nos	*us*	**nos**	*to/for us*	**nos**	*ourselves*
os	*you (all)*	**os**	*to/for you (all)*	**os**	*yourselves*
los, las	*them/you*	**les (se)**	*to/for them/ you*	**se**	*themselves/ yourselves*
Felipe va a comprar un Porche hoy. **Lo** compra por cincuenta mil dólares. Dice que quiere regalárse**lo** a su esposa. *Felipe is buying a Porche today. He is buying it for $50,000. He says that he wants to give it to his wife.*		**Le** compra el coche ahora. **Le** va a regalar el coche para su cumpleaños; es muy gastador. *He is buying her the car now. He is going to give her the car for her birthday; he is very extravagant.*		**Se** afeita el bigote y la barba. Ahora **se** parece a Matt Damon. *He is shaving his moustache and beard. Now he looks like Matt Damon.*	

Position

- **Object pronouns and reflexive pronouns come *before* the verb.**

Su esposo **le** compra una peluca nueva.	*Her husband is buying her a new wig.*
Después **se la** va a poner antes de maquillar**se.**	*Then she is going to put it on before she puts on her makeup.*

- **Object pronouns and reflexive pronouns can also be attached to the end of:**

infinitives

La peluquera **le** va a cortar el pelo a las cuatro.	*The hairdresser is going to cut his hair at four o'clock.*
La peluquera va a cortar**le** el pelo a las cuatro.	
Después **se** va a reunir con sus amigos.	*Then he will meet with his friends.*
Después va a reunir**se** con sus amigos.	

present participles (-ando, -iendo)

La está leyendo ahora.	*He is reading it now.*
Está leyéndo**la** ahora.	
Se está poniendo histérico.	*He is becoming hysterical.*
Está poniéndo**se** histérico.	

Sequence

- **When a direct (DO) and indirect object (IO) pronoun are used together, the *indirect object precedes the direct object.***

- **If both the direct and the indirect object pronoun begin with the letter *l*,** the indirect object pronoun changes from **le** or **les** to **se,** as in the next example.

Quiero mandar la carta al director ahora mismo.	*I want to send the letter to the director right now.*
Se la quiero mandar ahora mismo.	*I want to send it to him right now.*
Quiero mandár**sela** ahora mismo.	

La "a" personal

You may recall that **a** is sometimes known as the **personal a.** When direct objects refer to *people*, you must use the personal **a.** Review the following examples.

PEOPLE	THINGS
Veo **a** *Jorge*, el chico callado.	Veo *el coche* de Jorge, el chico callado.
Tenemos que ver **a** *nuestros padres*.	Tenemos que ver *el tatuaje de mi padre*.
¿**A** qué *actores* conoces?	¿Qué *ciudades* conoces?

¡Qué! y ¡cuánto!

You have used **qué** and **cuánto** as interrogative words, but these words can also be used in exclamatory sentences.

—Felipe, ¡**qué** anillo!	*Felipe, what a ring!*
—María, ¡**cuánto** te quiero!	*María, I love you so much!*
—Mi cabeza, ¡**qué** dolor!	*My head—what pain!*
—**Cuánto** lo siento.	*I'm so sorry. (How sorry I am.)*
—¡**Qué** susto! ¡Se cortó el dedo!	*What a scare! He cut his finger!*
—Se ve muy mal. ¡**Qué** feo!	*It looks really bad. How awful! (It looks awful/ugly.)*
—¡**Qué** doctor! Le salvó la vida. —**Cuánto** se lo agradezco.	*What a doctor! He saved his life. I'm so thankful. (How grateful I am.)*

* Note that in the examples above, **cuánto** accompanies *verbs* and is masculine and singular. When **cuánto** accompanies *nouns*, it must agree with them in gender and number:

—¡**Cuántas** recetas y todavía estoy tosiendo!	*So many prescriptions and I am still coughing!*
—Sí, y ¡**cuántos** estudiantes con la misma cosa!	*Yes, and so many students with the same thing!*

El pretérito y el imperfecto

The preterit and the imperfect are two past tenses that are not interchangeable. The point of view of the speaker is important in choosing between the two. If the speaker views a particular action as *completed*, then the *preterit* is needed. If, for the speaker, the action is *incomplete*, *in progress*, or *ongoing*, the *imperfect* is needed. The uses of the two tenses are contrasted below.

PRETÉRITO	IMPERFECTO
1. To relate an event or occurrence that refers to **one specific time in the past** **Fuimos** a una boda en Santiago el año pasado. *We went to a wedding in Santiago last year.* El día antes de la boda, **comimos** en el restaurante La Puerta del Sol y nos gustó mucho. *The night before the wedding, we ate at La Puerta del Sol restaurant and we liked it a lot.*	1. To express **habitual** or **often-repeated actions** **Íbamos** a Santiago todos los veranos. *We used to go to Santiago every summer.* **Comíamos** en el restaurante La Puerta del Sol todos los lunes. *We used to eat at La Puerta del Sol restaurant every Monday.*
2. To relate an act **begun or completed in the past** **Empezó** a llover. *It started to rain.* **Se casaron** el sábado pasado. *They got married last Saturday.* La boda **comenzó** a las cinco. *The wedding began at 5:00.*	2. To express ***was* or *were* ______*ing*** **Llovía** sin parar. *It rained without stopping.* En la Capilla del Mar las bodas **ocurrían** todos los sábados. *In the Capilla del Mar weddings occurred every Saturday.* **Comenzaba** la boda cuando llegamos. *The wedding was beginning when we arrived.*

3. To relate a **sequence of events**, each completed and each one moving the narrative along toward its conclusion El novio **llegó** tarde, se vistió rápidamente y entró en la capilla. *The groom arrived late, dressed quickly, and entered the chapel.* Al día siguiente **salieron** en su luna de miel. *The next day they left on their honeymoon.* **Fueron** a Macchu Picchu y allí **vieron** muchos ejemplos de la magnífica arquitectura inca. Después **anduvieron** un poco por el camino de los incas. Se **divirtieron** mucho. *They went to Macchu Picchu, and there they saw many examples of the magnificent Incan architecture. Afterward they walked a bit on the Incan road. They had a great time.*	3. To provide **background** information, set the stage, or express a pre-existing condition **Era** un día magnífico. El sol **brillaba** en un cielo azul claro. *It was a magnificent day. The sun was shining in a bright blue sky.* Los recién casados **llevaban** pantalones cortos y lentes de sol. *The newlyweds were wearing shorts and sunglasses.* El camino **era** estrecho y **había** muchos turistas. *The path was narrow and there were many tourists.*
4. To relate an action that took place within a **specified or specific amount (segment) of time** Aquella noche **bailaron** (por) dos horas. *That night they danced for two hours.* **Celebramos** (por) cinco horas. *We celebrated for five hours.* Después **estuvieron** en la playa por tres días. *Afterwards they were at the beach for three days.* **Vivimos** en Punta Arenas (por) seis años. *We lived in Punta Arenas for six years.*	4. To **tell time** in the past **Era** la una. *It was 1:00.* **Eran** las tres y media. *It was 3:30.* **Era** muy tarde. *It was very late.* **Era** la medianoche. *It was the middle of the night (midnight).*
WORDS AND EXPRESSIONS THAT COMMONLY SIGNAL:	
PRETERIT	**IMPERFECT**
anoche anteayer ayer de repente (*suddenly*) el fin de semana pasado el mes pasado el lunes pasado/el martes pasado, etc. esta mañana una vez, dos veces, etc. siempre (when an end point is obvious)	a menudo cada semana/mes/año con frecuencia de vez en cuando (*once in a while*) muchas veces frecuentemente todos los lunes/martes/etc. todas las semanas todos los días/meses/años siempre (when an event is repeated with no particular end point)

* Note that the preterit and imperfect can be used in the same sentence:

Cantaban cuando **llegaron** los novios. — *They were singing when the bride and groom arrived.*

Terminaba la ceremonia cuando ella **se despidió.** — *He was finishing the ceremony when she said good-bye.*

What follows are additional uses of the preterit and the imperfect: preterit versus the imperfect in simultaneous and recurrent actions.

- When recurrent actions or conditions are described, the preterit indicates that the actions or conditions have already taken place and are viewed as completed; the imperfect emphasizes habitual or repeated past actions or conditions.

El verano pasado **fuimos** a la playa, donde **tomamos** el sol en la orilla y **descansamos** bajo una sombrilla. — *Last summer we went to the beach, where we sunbathed by the shore and rested under an umbrella.*

En el verano **íbamos** a la playa, donde **tomábamos** el sol en la orilla y **descansábamos** bajo una sombrilla. — *In the summer we would go to the beach, where we used to sunbathe by the shore and rest under an umbrella.*

Cuando **estuvimos** en el extranjero, **cambiamos** mucho el itinerario y **visitamos** lugares que no habíamos pensado visitar antes.	*When we were abroad, we changed the itinerary a lot and visited places we hadn't planned on visiting before/ previously.*
Cuando **estábamos** en el extranjero, **cambiábamos** mucho el itinerario y **visitábamos** lugares que no **pensábamos** visitar antes.	*When we were abroad, we would change the itinerary a lot and would visit places that we didn't plan on visiting before.*

- When two or more past events or conditions are mentioned together, it is common to use the imperfect in one clause to describe the setting, conditions, or actions in progress while using the preterit in the other to tell what happened.

Cuando el avión **aterrizó** en San Juan, **eran** las cinco de la tarde y **llovía** a cántaros.	*When the plane landed in San Juan, it was five o'clock and raining cats and dogs.*
El recepcionista **hablaba** con el portero cuando **llegamos** al hotel.	*The receptionist was talking to the doorman when we arrived at the hotel.*
El huésped **buscaba** sus llaves cuando **entró** la camarera.	*The guest was looking for his keys when the maid entered.*

Expresiones con *hacer*

The verb **hacer** means *to do* or *to make*. It also appears in idiomatic expressions dealing with weather.

There are some additional special constructions with **hacer** that deal with time. **Hace** is used:

1. to discuss an action that began in the past but is still going on in the present.

hace + *period of time* + **que** + *verb in the present tense*

Hace diez años **que** no como carne.	*I haven't eaten meat in ten years.*
Hace un mes **que** busco esos ingredientes exóticos.	*I've been looking for those exotic ingredients for a month.*
Hace dos semanas **que** tengo el nuevo libro de recetas.	*I've had the new cookbook for two weeks.*

2. to ask how long something has been going on.

cuánto (tiempo) + **hace** + **que** + *verb in present tense*

¿Cuántos años **hace que** coleccionas estas recetas?	*How many years have you been collecting these recipes?*
¿Cuánto tiempo **hace que** buscan un nuevo cocinero?	*How long have they been looking for a new cook?*
¿Cuántas semanas **hace que** trabajas en este restaurante?	*How many weeks have you been working in this restaurant?*

3. in the preterit to tell how long ago something happened.

hace + *period of time* + **que** + *verb in the preterit*

Hace un mes **que** empecé a preparar panqueques para mis hijos ¡y les encantan!	*I began to make pancakes for my children a month ago, and they love them!*
Hace dos días **que** fuimos al mercado de aire libre.	*We went to the open-air market two days ago.*
Hace dos semanas **que** vi el programa.	*I saw the program two weeks ago.*

or

verb in the preterit + **hace** + *period of time*

Empecé a preparar panqueques para mis hijos **hace** un mes ¡y les encantan!	*I began to make pancakes for my children a month ago, and they love them!*
Fuimos al mercado de aire libre **hace** dos días.	*We went to the open-air market two days ago.*
Vi el programa **hace** dos semanas.	*I saw the program two weeks ago.*

* Note that in this construction **hace** can either precede or follow the rest of the sentence. When it follows, **que** is not used.

4. to ask how long ago something happened.

cuánto (tiempo) + **hace** + **que** + *verb in preterit*

¿Cuánto tiempo **hace que** empezaste a preparar panqueques para tus hijos?	*How long ago did you begin to make pancakes for your children?*
¿Cuánto tiempo **hace que** limpiaste la cocina?	*How long has it been since you cleaned the kitchen?*

CAPÍTULO 10 DE *¡ANDA! CURSO ELEMENTAL*

Los mandatos informales

When you need to give instructions, advise, or ask people to do something, you use commands. If you are addressing a friend or someone you normally address as **tú,** you use informal commands.

1. The affirmative *tú* command form is the same as the *él, ella, Ud.* form of the present tense of the verb:

Infinitive		Present tense	Affirmative *tú* command
llenar	él, ella, Ud.	llena	llena
leer	él, ella Ud.	lee	lee
pedir	él, ella Ud.	pide	pide

Llena el tanque.	*Fill the tank.*
Dobla a la derecha.	*Turn right.*
Conduce con cuidado.	*Drive carefully.*
Pide permiso.	*Ask permission.*

There are eight common verbs that have irregular affirmative tú commands:

decir	**di**	ir	**ve**	salir	**sal**	tener	**ten**
hacer	**haz**	poner	**pon**	ser	**sé**	venir	**ven**

Sé respetuoso con los peatones. | *Be respectful of pedestrians.*
Ten cuidado al conducir. | *Be careful when driving.*
Ven al aeropuerto con tu pasaporte. | *Come to the airport with your passport.*
Pon las llaves en la mesa. | *Put the keys on the table.*

2. To form the negative *tú* commands:
   a. Take the **yo** form of the present tense of the verb.
   b. Drop the **-o** ending.
   c. Add ***-es*** for **-ar** verbs, and add ***-as*** for **-er** and **-ir** verbs.

Infinitive	Present tense		Negative *tú* command
llenar	yo llenø	+ es	no llenes
leer	yo leø	+ as	no leas
pedir	yo pidø	+ as	no pidas

No llen**es** el tanque. | *Don't fill the tank.*
No dobl**es** a la derecha. | *Don't turn right.*
No conduzc**as** muy rápido. | *Don't drive very fast.*
No pid**as** permiso. | *Don't ask permission.*

Verbs ending in **-car, -gar,** and **-zar** have a spelling change in the negative **tú** command. These spelling changes are needed to preserve the sound of the infinitive ending.

Infinitive	Present tense		Negative *tú* command
sacar	yo saco	**c → qu**	no saques
llegar	yo llego	**g → gu**	no llegues
empezar	yo empiezo	**z → c**	no empieces

3. Object and reflexive pronouns are used with *tú* commands in the following ways:
   a. They are *attached* to the end of *affirmative* commands. When the command is made up of more than two syllables after the pronoun(s) is/are attached, a written accent mark is placed over the stressed vowel.

Se pinchó una llanta. **¡Cámbiamela!** | *I got a flat tire. Change it for me!*
Tu bicicleta no funciona. **Revísala.** | *Your bike does not work. Check it.*
Me gusta tu coche. **Préstamelo.** | *I like your car. Loan it to me.*
Llegamos tarde. **¡Estaciónate,** por favor! | *We are late. Park, please!*

   b. They are placed *before negative* **tú** commands.

No se nos pinchó una llanta. | *We don't have a flat tire.*
¡No **me la** cambies! | *Don't change it for me!*
Tu bicicleta funciona. | *Your bicycle works.*
No **la** vendas. | *Don't sell it.*
No me gusta ese coche. | *I don't like that car.*
No **me lo** compres. | *Don't buy it for me.*
Llegamos tarde. | *We are late.*
No **te** estaciones aquí, por favor. | *Do not park here, please.*

Los mandatos formales

When you need to influence others by making a request, giving advice, or giving orders to people you normally treat as **Ud.** or **Uds.**, you use formal commands. The forms of these commands are similar to the negative **tú** command forms.

1. To form the **Ud.** and **Uds.** commands:
   a. Take the **yo** form of the present tense of the verb.
   b. Drop the **-o** ending.
   c. Add **-e(n)** for **-ar** verbs, and add **-a(n)** for **-er** and **-ir** verbs.

INFINITIVE	PRESENT TENSE	UD. COMMANDS	UDS. COMMANDS
limpiar	yo limpiø + e(n)	(no) limpie	(no) limpien
leer	yo leø + a(n)	(no) lea	(no) lean
pedir	yo pidø + a(n)	(no) pida	(no) pidan

Limpie los palos de golf para mí, por favor. **Límpiemelos,** por favor. | *Please clean the golf clubs. Please clean them.*
No compre esa bicicleta roja. | *Don't buy that red bicycle.*
No la compre. | *Don't buy it.*
No patinen en la calle y **no dejen** sus monopatines en la calle. **No los dejen** en la calle. | *Don't skate on the street and don't leave your skateboards on the street. Don't leave them on the street.*
Lean las direcciones cuidadosamente sobre los nuevos artículos deportivos. **Léanlas** cuidadosamente. | *Read the directions for the new sporting equipment carefully. Read them carefully.*

2. Verbs ending in **-car, -gar,** and **-zar** have a spelling change in the **Ud.** and **Uds.** commands. These spelling changes are needed to preserve the sound of the infinitive ending.

INFINITIVE	PRESENT TENSE		UD./UDS. COMMANDS
sacar	yo saco	**c → q**	saque(n)
llegar	yo llego	**g → gu**	llegue(n)
empezar	yo empiezo	**z → c**	empiece(n)

3. These verbs also have irregular forms for the **Ud./Uds.** commands:

dar **dé(n)**
estar **esté(n)**
ir **vaya(n)**
saber **sepa(n)**
ser **sea(n)**

4. Finally, compare the forms of the **tú** and **Ud./Uds.** commands:

	TÚ COMMANDS		UD./UDS. COMMANDS	
	AFFIRMATIVE	NEGATIVE	AFFIRMATIVE	NEGATIVE
hablar	habla	no habl**es**	habl**e**(**n**)	no habl**e**(**n**)
comer	come	no com**as**	com**a**(**n**)	no com**a**(**n**)
pedir	pide	no pid**as**	pid**a**(**n**)	no pid**a**(**n**)

Otras formas del posesivo

You have learned how to say *my*, *your*, *his*, *ours*, etc. (**mi/s, tu/s, su/s, nuestro/a/os/as, vuestro/a/os/as, su/s**). In Spanish you can also show possession with the long (or stressed) forms, the equivalent of the English *of mine*, *of yours*, *of his*, *of hers*, *of ours*, and *of theirs*.

Singular		Plural		
Masculine	**Feminine**	**Masculine**	**Feminine**	
mío	**mía**	**míos**	**mías**	*mine*
tuyo	**tuya**	**tuyos**	**tuyas**	*yours* (fam.)
suyo	**suya**	**suyos**	**suyas**	*his, hers, yours, theirs* (form.)
nuestro	**nuestra**	**nuestros**	**nuestras**	*ours*
vuestro	**vuestra**	**vuestros**	**vuestras**	*yours* (fam.)

Mi coche funciona bien.	**El coche mío** funciona bien.	**El mío** funciona bien.
Nuestros boletos cuestan mucho.	**Los boletos nuestros** cuestan mucho.	**Los nuestros** cuestan mucho.
¿Dónde están **tus** llaves?	¿Dónde están **las llaves tuyas**?	¿Dónde están **las tuyas**?
Su multa es de $100.	**La multa suya** es de $100.	**La suya** es de $100.

* Note that the third person forms (**suyo/a/os/as**) can have more than one meaning. To avoid confusion, you can use:

	article + *noun* + de + *subject pronoun:*
	el coche de él/ella
el coche suyo	el coche de Ud.
	el coche de ellos/ellas
	el coche de Uds.

El comparativo y el superlativo

El comparativo

1. The formula for comparing unequal things follows the same pattern as in English:

más + *adjective/adverb/noun* + **que**
menos + *adjective/adverb/noun* + **que**

La exhibición de escultura es **más** interesante **que** la exhibición de pintura.	*The sculpture exhibit is more interesting than the exhibit of paintings.*
Hay **menos** obras maestras **que** en años pasados.	*There are **fewer** masterpieces **than** in years past.*
La acuarela se vendió **más** rápido **que** el óleo.	*The watercolor sold faster **than** the oil painting.*

- When comparing numbers, **de** is used instead of **que:**

El museo tiene **más de** doscientos cuadros.	*The museum has **more than** two hundred paintings*

2. The formula for comparing two or more *equal* things also follows the same pattern as in English:

tan + *adjective/adverb* + **como**	*as… as*
tanto(a/os/as) + *noun* + **como**	*as much/many… as*
Este pintor no es **tan** innovador **como** aquél.	*This painter is not **as** innovative **as** that one (over there).*
Me parece que el artista no tiene **tanta** habilidad **como** él cree.	*It seems to me that the artist does not have **as much** ability **as** he thinks.*
Los cuadros de Manuel no tienen **tanto** valor **como** los cuadros de su padre.	*Manuel's paintings are not **as** valuable **as** his father's.*

El superlativo

1. To compare three or more people or things, use the superlative. The formula for expressing the superlative is:

el, la, los, las (*noun*) + **más/menos** + *adjective* (+ **de**)

Éste es el coro **más grande del** mundo.	*This is the largest choir in the world.*
¿Cuál es la sinfonía **más reconocida de** Beethoven?	*Which is Beethoven's most recognized symphony?*
El Teatro Colón es **el más antiguo de** la ciudad.	*The Colón Theater is the oldest in the city.*

2. The adjectives *bueno/a*, *malo/a*, *grande*, and *pequeño/a* are irregular in the comparative and the superlative.

Comparative				Superlative	
bueno/a	*good*	**mejor**	*better*	**el/la mejor**	*the best*
malo/a	*bad*	**peor**	*worse*	**el/la peor**	*the worst*
grande	*big*	**mayor**	*bigger*	**el/la mayor**	*the biggest*
pequeño/a	*small*	**menor**	*smaller*	**el/la menor**	*the smallest*

En mi opinión, Paco de Lucía es **el mejor** guitarrista del flamenco.	*In my opinión Paco de Lucía is the best flamenco guitarrist.*
Esta obra de teatro tiene que ser **la peor** que he visto en mi vida.	*This play has to be the worst I have seen in my life.*
Aunque Julia es **la menor,** tiene la voz más fuerte de la familia.	*Although Julia is the youngest, she has the strongest voice in the family.*

CAPÍTULO 11 DE *¡ANDA! CURSO ELEMENTAL*

El subjuntivo

In Spanish, *tenses* such as the present, past, and future are grouped under two different moods: the **indicative** mood and the **subjunctive** mood.

Indicative mood	Subjunctive mood
Present	Present
Past	Past
Future	Future

- The ***indicative*** mood reports what happened, is happening, or will happen.
- The ***subjunctive*** mood, on the other hand, is used to express doubt, insecurity, influence, opinion, feelings, hope, wishes, or desires that can be happening now, have happened in the past, or will happen in the future.

Present subjunctive

To form the subjunctive, take the **yo** form of the present indicative, drop the final **-o,** and add the following endings.

Present indicative	*yo* form		Present subjunctive
estudiar	estudiø	+ e	**estudie**
comer	comø	+ a	**coma**
vivir	vivø	+ a	**viva**

	estudiar	comer	vivir
yo	estudie	coma	viva
tú	estudies	comas	vivas
él, ella, Ud.	estudie	coma	viva
nosotros/as	estudiemos	comamos	vivamos
vosotros/as	estudiéis	comáis	viváis
ellos/as, Uds.	estudien	coman	vivan

Es probable que los entrenadores **estudien** bien el video del partido para saber cómo mejorar el equipo. — *It is likely that the coaches study the video of the game carefully to know how to improve the team.*

Es necesario que todos los jugadores **coman** bien antes del partido. — *It is necessary that all the players eat well before the game.*

Es importante que **vivamos** una vida sana. — *It is important that we live a healthy life.*

Irregular forms

- Verbs with irregular **yo** forms mantain this irregularity in all forms of the present subjunctive. Note the following examples.

	conocer	hacer	poner	venir
yo	conozca	haga	ponga	venga
tú	conozcas	hagas	pongas	vengas
él, ella, Ud.	conozca	haga	ponga	venga
nosotros/as	conozcamos	hagamos	pongamos	vengamos
vosotros/as	conozcáis	hagáis	pongáis	vengáis
ellos/as, Uds.	conozcan	hagan	pongan	vengan

Ojalá que **conozcamos** a los nuevos jugadores antes de empezar la temporada. — *I hope we meet the new players before the season begins.*

Es necesario que **pongamos** todo el equipaje deportivo en nuestro carro porque ellos no lo pueden llevar. — *It is necessary that we put all the sports equipment in our car because they can't take it.*

- Verbs ending in **-car, -gar,** and **-zar** have a spelling change in all present subjunctive forms, in order to maintain the sound of the infinitive.

		Present indicative	Present subjunctive
buscar	**c → qu**	**yo** busco	bus**que**
pagar	**g → gu**	**yo** pago	pa**gue**
empezar	**z → c**	**yo** empiezo	empie**ce**

	buscar	pagar	empezar
yo	busque	pague	empiece
tú	busques	pagues	empieces
él, ella, Ud.	busque	pague	empiece
nosotros/as	busquemos	paguemos	empecemos
vosotros/as	busquéis	paguéis	empecéis
ellos/as, Uds.	busquen	paguen	empiecen

Es bueno que te **busquemos** un casco ahora si piensas jugar en el equipo de la universidad. — *It's good that we're looking for a helmet for you now if you are planning to play on the university team.*

Es muy importante que **empieces** a entrenar todos los días si quieres tener éxito. — *It is very important that you begin to practice every day if you want to be successful.*

Stem-changing verbs

In the present subjunctive, stem-changing **-ar** and **-er** verbs make the same vowel change that they do in the present indicative: **e → ie** and **o → ue.**

	pensar (e → ie)	poder (o → ue)
yo	piense	pueda
tú	pienses	puedas
él, ella, Ud.	piense	pueda
nosotros/as	pensemos	podamos
vosotros/as	penséis	podáis
ellos/as, Uds.	piensen	puedan

Ojalá que **piensen** en nosotros cuando sean atletas famosos. — *I hope they think about us when they are famous athletes.*

Es improbable que **puedan** ser buenos atletas de pista y campo porque no les gusta correr. — *It's unlikely that they can be good track and field athletes because they don't like to run.*

Es malo que siempre **perdamos** cuando jugamos contra Real Madrid. — *It's bad that we always lose when we play against Real Madrid.*

The pattern is different with the **-ir** stem-changing verbs. In addition to their usual changes of **e → ie, e → i,** and **o → ue,** in the **nosotros** and **vosotros** forms, the stem vowels change from **ie → i** and **ue → u.**

	sentir (e → ie, i)	dormir (o → ue, u)
yo	sienta	duerma
tú	sientas	duermas
él, ella, Ud.	sienta	duerma
nosotros/as	sintamos	durmamos
vosotros/as	sintáis	durmáis
ellos/as, Uds.	sientan	duerman

Es imprescindible que nosotros **durmamos** por lo menos ocho horas si queremos ganar el partido mañana.	*It's essential that we sleep at least eight hours if we want to win the game tomorrow.*
Es triste que **se sientan** tan mal cuando nosotros **nos sintamos** tan bien.	*It's sad that they feel so bad when we feel so well.*

The **e → i** stem-changing verbs keep the change in all forms.

	pedir (e → i, i)
yo	pida
tú	pidas
él, ella, Ud.	pida
nosotros/as	pidamos
vosotros/as	pidáis
ellos/as, Uds.	pidan

Ojalá que nos **pidan** nuestras opiniones sobre el partido —¡fue horrible!	*I hope they ask us for our opinions about the game— it was horrible!*
Es dudoso que esta cancha nos **sirva** para entrenar —es muy pequeña.	*It is doubtful that this court will work for us to practice on— it is really small.*

Irregular verbs in the present subjunctive

- The following verbs are irregular in the subjunctive.

	dar	**estar**	**saber**	**ser**	**ir**
yo	dé	esté	sepa	sea	vaya
tú	des	estés	sepas	seas	vayas
él, ella, Ud.	dé	esté	sepa	sea	vaya
nosotros/as	demos	estemos	sepamos	seamos	vayamos
vosotros/as	deis	estéis	sepáis	seáis	vayáis
ellos/as, Uds.	den	estén	sepan	sean	vayan

Dar has a written accent on the first- and third-person singular forms **(dé)** to distinguish it from the preposition **de.**

All forms of **estar,** except the **nosotros** form, have a written accent in the present subjunctive.

¡Ojalá que **seamos** los campeones de este año!	*I hope we are this year's champions!*
Es increíble que **estén** todavía en el gimnasio — fueron allí a las ocho de la mañana.	*It is incredible that they are still at the gym—they went there at 8:00 this morning.*
Es necesario que **vaya** contigo para comprar la tabla de surf porque yo tengo el dinero.	*It is necessary that I go with you to buy the surfboard because I have the money.*

Using the subjunctive

One of the uses of the subjunctive is with fixed expressions that communicate opinion, doubt, probability, and wishes. They are always followed by the subjunctive.

Opinion

Es bueno/malo/mejor que...	*It's good/bad/better that...*
Es importante que...	*It's important that...*
Es increíble que...	*It's incredible that...*
Es una lástima que...	*It's a pity/shame that...*
Es necesario que...	*It's necessary that...*
Es preferible que...	*It's preferable that...*
Es raro que...	*It's rare/unusual that...*

Doubt and probability

Es dudoso que...	*It's doubtful that...*
Es imposible que...	*It's impossible that...*
Es improbable que...	*It's unlikely that...*
Es posible que...	*It's possible that...*
Es probable que...	*It's likely that...*

Wishes and hopes

Ojalá (que)...	*Let's hope that.../Hopefully...*

Por y para

Spanish has two main words to express *for:* **por** and **para.** They have distinct uses and are not interchangeable.

Por is used to express:

1. Duration of time (*during, for*)

Pensamos en el viaje **por** una semana antes de comprar los boletos.
We thought about the trip for a week before buying the tickets.

Estuve en Madrid **por** dos meses el año pasado.
I was in Madrid for two months last year.

Nos visitaron **por** varias horas anoche.
They visited us for several hours last night.

2. Movement or location (*through, along, past, around*)

Viajó **por** el campo de camino a la ciudad.
He traveled through the countryside on his way to the city.

Caminamos **por** el parque antes de ir a cenar.
We walked around the park before going to dinner.

Pasaron **por** mi casa antes de ir a la estación de tren.
They passed by my house before going to the train station.

Para is used to express:

1. Point in time or a deadline (*for, by*)

El mecánico va a revisar el coche **para** el viernes.
The mechanic is going to check the car by Friday.

Necesitamos comprar los boletos de ida y vuelta **para** el doce de marzo.
We need to buy the round-trip tickets by the twelfth of March.

Van a abrir la autopista **para** las once.
They are going to open the highway by eleven o'clock.

2. Destination (*for*)

Hoy a las diez salgo **para** Cancún.
Today at 10:00 I leave for Cancún.

Manejábamos **para** el hotel cuando vimos el accidente.
We were driving to the hotel when we saw the accident.

El autobús va **para** Santiago primero.
The bus is headed for Santiago first.

3. Motive (*on account of, because of, for*)

Decidieron quedarse en un hotel de lujo **por** sus abuelos.
They decided to stay in a luxury hotel because of their grandparents.

Volamos en vez de conducir **por** falta de tiempo.
We flew instead of driving because of a lack of time.

4. Exchange (*in exchange for*)

Felipe pagó sesenta dólares **por** su pasaporte.
Felipe paid sixty dollars for his passport.

Le dimos las gracias **por** toda su ayuda con el viaje.
We thanked him for all his help with the trip.

Estacionamos al lado del aeropuerto **por** $10 al día.
We parked beside the airport for $10 a day.

5. Means (*by*)

Mis padres por fin decidieron viajar a Patagonia **por** autobús.
My parents finally decided to travel to Patagonia by bus.

Hablamos con él **por** teléfono antes de mandarle el dinero.
We talked to him by phone before we sent him the money.

En vez de ir caminando fuimos **por** metro.
Instead of walking we went by subway.

3. Recipients or intended person or persons (*for*)

Tengo una propina **para** el botones.
I have a tip for the bellhop.

Compramos el carro para nuestro hijo.
We bought the car for our son.

Trabajo **para** el agente de viajes más conocido de la ciudad.
I work for the best-known travel agent in the city.

4. Comparison (*for*)

Para un hombre que viaja tanto, no le gusta volar.
For a man who travels a lot, he does not like to fly.

Tiene un sistema de trenes excelente **para** un país en desarrollo.
It has an excellent train system for a developing country.

Para un carro barato, tiene todas las cosas de lujo que necesito yo.
For a cheap car, it has all the luxury items that I need.

5. Purpose or goal (*to, in order to*)

Para conservar la gasolina y ahorrar dinero, decidí comprar un coche pequeño.
To conserve gas and save money, I decided to buy a small car.

Mi hermana tiene que prepararse bien **para** sacar la licencia.
My sister has to prepare herself well to get her license.

Para entrar por la puerta principal, necesitamos cruzar aquí.
To enter by the main door, we need to cross here.

Las preposiciones y los pronombres preposicionales

Besides the prepositions **por** and **para,** there is a variety of useful prepositions and prepositional phrases.

a	*to; at*
a la derecha de	*to the right of*
a la izquierda de	*to the left of*
acerca de	*about*
(a)fuera de	*outside of*
al lado de	*next to*
antes de	*before (time/space)*
cerca de	*near*
con	*with*
de	*of; from; about*
debajo de	*under; underneath*
delante de	*in front of*
dentro de	*inside of*
desde	*from*
después de	*after*
detrás de	*behind*
en	*in*
encima de	*on top of*
enfrente de	*across from; facing*
entre	*among; between*
hasta	*until*
lejos de	*far from*
para	*for; in order to*
por	*for; through; by; because of*
según	*according to*
sin	*without*
sobre	*over; about*

El centro de reciclaje está **a la derecha del** supermercado.	*The recycling center is to the right of the supermarket.*
La alcadesa va a hablar **acerca de** los problemas que tenemos con la protección del cocodrilo cubano.	*The mayor is going to speak about the problems we are having with the protection of the Cuban crocodile.*
Vimos un montón de plástico **encima del** papel.	*We saw a mountain of plastic on top of the paper.*
Quieren sembrar flores **enfrente del** vertedero.	*They want to plant flowers in front of the dump.*
El proyecto no puede tener éxito **sin** el apoyo del gobierno local.	*The project cannot be successful without the support of the local government.*

Los pronombres preposicionales

The following pronouns follow prepositions.

mí	*me*	**nosotros/as**	*us*
ti	*you*	**vosotros/as**	*you*
él	*him*	**ellos**	*them*
ella	*her*	**ellas**	*them*
usted	*you*	**ustedes**	*you*

Para mí, es muy importante resolver el problema de la lluvia ácida.	*For me, it's really important to solve the problem of acid rain.*
¿Qué candidato está sentado **enfrente de ti**?	*Which candidate is seated in front of you?*
Se fueron de la huelga **sin nosotros.**	*They left the strike without us.*
Trabajamos **con ellos** para proteger el medio ambiente.	*We work with them to protect the environment.*

* Note that **con** has two special forms:

1. con + mí = **conmigo** *with me*
2. con + ti = **contigo** *with you*

—¿Vienes **conmigo** al discurso?	*Are you coming with me to listen to the speech?*
—Sí, voy **contigo.**	*Yes, I'm going with you.*

El infinitivo después de preposiciones

In Spanish, if you need to use a verb immediately after a preposition, it must always be in the **infinitive** form. Study the following examples:

Antes de reciclar las latas, debes limpiarlas.	*Before recycling the cans, you should clean them.*
Después de pisar la hormiga, la niña empezó a llorar.	*After stepping on the ant, the little girl began to cry.*
Es fácil decidir **entre reciclar** y **botar.**	*It is easy to decide between recycling and throwing away.*
Necesitamos trabajar con personas de todos los países **para proteger** mejor la Tierra.	*We need to work with people from all countries in order to better protect the Earth.*
Ganaste el premio **por estar** tan interesado en el medio ambiente.	*You won the prize for being so interested in the environment.*
No podemos vivir **sin trabajar** juntos.	*We cannot live without working together.*

APPENDIX 4

Regular Verbs: Simple Tenses

Infinitive Present Participle Past Participle	Indicative					Subjunctive		Imperative
	Present	Imperfect	Preterit	Future	Conditional	Present	Imperfect	
hablar hablando hablado	hablo hablas habla hablamos habláis hablan	hablaba hablabas hablaba hablábamos hablabais hablaban	hablé hablaste habló hablamos hablasteis hablaron	hablaré hablarás hablará hablaremos hablaréis hablarán	hablaría hablarías hablaría hablaríamos hablaríais hablarían	hable hables hable hablemos habléis hablen	hablara hablaras hablara habláramos hablarais hablaran	habla (tú), no hables hable (usted) hablemos hablen (Uds.)
comer comiendo comido	como comes come comemos coméis comen	comía comías comía comíamos comíais comían	comí comiste comió comimos comisteis comieron	comeré comerás comerá comeremos comeréis comerán	comería comerías comería comeríamos comeríais comerían	coma comas coma comamos comáis coman	comiera comieras comiera comiéramos comierais comieran	come (tú), no comas coma (usted) comamos coman (Uds.)
vivir viviendo vivido	vivo vives vive vivimos vivís viven	vivía vivías vivía vivíamos vivíais vivían	viví viviste vivió vivimos vivisteis vivieron	viviré vivirás vivirá viviremos viviréis vivirán	viviría vivirías viviría viviríamos viviríais vivirían	viva vivas viva vivamos viváis vivan	viviera vivieras viviera viviéramos vivierais vivieran	vive (tú), no vivas viva (usted) vivamos vivan (Uds.)

Vosotros **Commands**

hablar	hablad, no habléis	comer	comed, no comáis	vivir	vivid, no viváis

Regular Verbs: Perfect Tenses

Indicative										Subjunctive			
Present Perfect		Past Perfect		Preterit Perfect		Future Perfect		Conditional Perfect		Present Perfect		Past Perfect	
he has ha hemos habéis han	hablado comido vivido	había habías había habíamos habíais habían	hablado comido vivido	hube hubiste hubo hubimos hubisteis hubieron	hablado comido vivido	habré habrás habrá habremos habréis habrán	hablado comido vivido	habría habrías habría habríamos habríais habrían	hablado comido vivido	haya hayas haya hayamos hayáis hayan	hablado comido vivido	hubiera hubieras hubiera hubiéramos hubierais hubieran	hablado comido vivido

Irregular Verbs

Infinitive Present Participle Past Participle	Indicative					Subjunctive		Imperative
	Present	Imperfect	Preterit	Future	Conditional	Present	Imperfect	
andar andando andado	ando andas anda andamos andáis andan	andaba andabas andaba andábamos andabais andaban	anduve anduviste anduvo anduvimos anduvisteis anduvieron	andaré andarás andará andaremos andaréis andarán	andaría andarías andaría andaríamos andaríais andarían	ande andes ande andemos andéis anden	anduviera anduvieras anduviera anduviéramos anduvierais anduvieran	anda (tú), no andes ande (usted) andemos anden (Uds.)
caer cayendo caído	caigo caes cae caemos caéis caen	caía caías caía caíamos caíais caían	caí caíste cayó caímos caísteis cayeron	caeré caerás caerá caeremos caeréis caerán	caería caerías caería caeríamos caeríais caerían	caiga caigas caiga caigamos caigáis caigan	cayera cayeras cayera cayéramos cayerais cayeran	cae (tú), no caigas caiga (usted) caigamos caigan (Uds.)
dar dando dado	doy das da damos dais dan	daba dabas daba dábamos dabais daban	di diste dio dimos disteis dieron	daré darás dará daremos daréis darán	daría darías daría daríamos daríais darían	dé des dé demos deis den	diera dieras diera diéramos dierais dieran	da (tú), no des dé (usted) demos den (Uds.)

Irregular Verbs (continued)

Infinitive Present Participle Past Participle	Indicative					Subjunctive		Imperative
	Present	Imperfect	Preterit	Future	Conditional	Present	Imperfect	
decir diciendo dicho	digo dices dice decimos decís dicen	decía decías decía decíamos decíais decían	dije dijiste dijo dijimos dijisteis dijeron	diré dirás dirá diremos diréis dirán	diría dirías diría diríamos diríais dirían	diga digas diga digamos digáis digan	dijera dijeras dijera dijéramos dijerais dijeran	di (tú), no digas diga (usted) digamos decid (vosotros), no digáis digan (Uds.)
estar estando estado	estoy estás está estamos estáis están	estaba estabas estaba estábamos estabais estaban	estuve estuviste estuvo estuvimos estuvisteis estuvieron	estaré estarás estará estaremos estaréis estarán	estaría estarías estaría estaríamos estaríais estarían	esté estés esté estemos estéis estén	estuviera estuvieras estuviera estuviéramos estuvierais estuvieran	está (tú), no estés esté (usted) estemos estad (vosotros), no estéis estén (Uds.)
haber habiendo habido	he has ha hemos habéis han	había habías había habíamos habíais habían	hube hubiste hubo hubimos hubisteis hubieron	habré habrás habrá habremos habréis habrán	habría habrías habría habríamos habríais habrían	haya hayas haya hayamos hayáis hayan	hubiera hubieras hubiera hubiéramos hubierais hubieran	
hacer haciendo hecho	hago haces hace hacemos hacéis hacen	hacía hacías hacía hacíamos hacíais hacían	hice hiciste hizo hicimos hicisteis hicieron	haré harás hará haremos haréis harán	haría harías haría haríamos haríais harían	haga hagas haga hagamos hagáis hagan	hiciera hicieras hiciera hiciéramos hicierais hicieran	haz (tú), no hagas haga (usted) hagamos haced (vosotros), no hagáis hagan (Uds.)
ir yendo ido	voy vas va vamos vais van	iba ibas iba íbamos ibais iban	fui fuiste fue fuimos fuisteis fueron	iré irás irá iremos iréis irán	iría irías iría iríamos iríais irían	vaya vayas vaya vayamos vayáis vayan	fuera fueras fuera fuéramos fuerais fueran	ve (tú), no vayas vaya (usted) vamos, no vayamos id (vosotros), no vayáis vayan (Uds.)

Irregular Verbs (continued)

Infinitive Present Participle Past Participle	Indicative					Subjunctive		Imperative
	Present	Imperfect	Preterit	Future	Conditional	Present	Imperfect	
oír oyendo oído	oigo oyes oye oímos oís oyen	oía oías oía oíamos oíais oían	oí oíste oyó oímos oístes oyeron	oiré oirás oirá oiremos oiréis oirán	oiría oirías oiría oiríamos oiríais oirían	oiga oigas oiga oigamos oigáis oigan	oyera oyeras oyera oyéramos oyerais oyeran	oye (tú), no oigas oiga (usted) oigamos oigan (Uds.)
poder pudiendo podido	puedo puedes puede podemos podéis pueden	podía podías podía podíamos podíais podían	pude pudiste pudo pudimos pudisteis pudieron	podré podrás podrá podremos podréis podrán	podría podrías podría podríamos podríais podrían	pueda puedas pueda podamos podáis puedan	pudiera pudieras pudiera pudiéramos pudierais pudieran	
poner poniendo puesto	pongo pones pone ponemos ponéis ponen	ponía ponías ponía poníamos poníais ponían	puse pusiste puso pusimos pusisteis pusieron	pondré pondrás pondrá pondremos pondréis pondrán	pondría pondrías pondría pondríamos pondríais pondrían	ponga pongas ponga pongamos pongáis pongan	pusiera pusieras pusiera pusiéramos pusierais pusieran	pon (tú), no pongas ponga (usted) pongamos pongan (Uds.)
querer queriendo querido	quiero quieres quiere queremos queréis quieren	quería querías quería queríamos queríais querían	quise quisiste quiso quisimos quisisteis quisieron	querré querrás querrá querremos querréis querrán	querría querrías querría querríamos querríais querrían	quiera quieras quiera queramos queráis quieran	quisiera quisieras quisiera quisiéramos quisiérais quisieran	quiere (tú), no quieras quiera (usted) queramos quieran (Uds.)
saber sabiendo sabido	sé sabes sabe sabemos sabéis saben	sabía sabías sabía sabíamos sabíais sabían	supe supiste supo supimos supisteis supieron	sabré sabrás sabrá sabremos sabréis sabrán	sabría sabrías sabría sabríamos sabríais sabrían	sepa sepas sepa sepamos sepáis sepan	supiera supieras supiera supiéramos supiérais supieran	sabe (tú), no sepas sepa (usted) sepamos sepan (Uds.)

Irregular Verbs (continued)

Infinitive Present Participle Past Participle	Indicative					Subjunctive		Imperative
	Present	Imperfect	Preterit	Future	Conditional	Present	Imperfect	
salir saliendo salido	salgo sales sale salimos salís salen	salía salías salía salíamos salíais salían	salí saliste salió salimos salisteis salieron	saldré saldrás saldrá saldremos saldréis saldrán	saldría saldrías saldría saldríamos saldríais saldrían	salga salgas salga salgamos salgáis salgan	saliera salieras saliera saliéramos salierais salieran	sal (tú), no salgas salga (usted) salgamos salgan (Uds.)
ser siendo sido	soy eres es somos sois son	era eras era éramos erais eran	fui fuiste fue fuimos fuisteis fueron	seré serás será seremos seréis serán	sería serías sería seríamos seríais serían	sea seas sea seamos seáis sean	fuera fueras fuera fuéramos fuerais fueran	sé (tú), no seas sea (usted) seamos sed (vosotros), no seáis sean (Uds.)
tener teniendo tenido	tengo tienes tiene tenemos tenéis tienen	tenía tenías tenía teníamos teníais tenían	tuve tuviste tuvo tuvimos tuvisteis tuvieron	tendré tendrás tendrá tendremos tendréis tendrán	tendría tendrías tendría tendríamos tendríais tendrían	tenga tengas tenga tengamos tengáis tengan	tuviera tuvieras tuviera tuviéramos tuvierais tuvieran	ten (tú), no tengas tenga (usted) tengamos tened (vosotros), no tengáis tengan (Uds.)
traer trayendo traído	traigo traes trae traemos traéis traen	traía traías traía traíamos traíais traían	traje trajiste trajo trajimos trajisteis trajeron	traeré traerás traerá traeremos traeréis traerán	traería traerías traería traeríamos traeríais traerían	traiga traigas traiga traigamos traigáis traigan	trajera trajeras trajera trajéramos trajerais trajeran	trae (tú), no traigas traiga (usted) traigamos traed (vosotros), no traigáis traigan (Uds.)
venir viniendo venido	vengo vienes viene venimos venís vienen	venía venías venía veníamos veníais venían	vine viniste vino vinimos vinisteis vinieron	vendré vendrás vendrá vendremos vendréis vendrán	vendría vendrías vendría vendríamos vendríais vendrían	venga vengas venga vengamos vengáis vengan	viniera vinieras viniera viniéramos vinierais vinieran	ven (tú), no vengas venga (usted) vengamos venid (vosotros), no vengáis vengan (Uds.)

Irregular Verbs (continued)

Infinitive Present Participle Past Participle	Indicative					Subjunctive		Imperative
	Present	Imperfect	Preterit	Future	Conditional	Present	Imperfect	
ver viendo visto	veo ves ve vemos véis ven	veía veías veía veíamos veíais veían	vi viste vio vimos visteis vieron	veré verás verá veremos veréis verán	vería verías vería veríamos veríais verían	vea veas vea veamos veáis vean	viera vieras viera viéramos vierais vieran	ve (tú), no veas vea (usted) veamos ved (vosotros), no veáis vean (Uds.)

Stem-Changing and Orthographic-Changing Verbs

Infinitive Present Participle Past Participle	Indicative					Subjunctive		Imperative
	Present	Imperfect	Preterit	Future	Conditional	Present	Imperfect	
almorzar (z, c) almorzando almorzado	almuerzo almuerzas almuerza almorzamos almorzáis almuerzan	almorzaba almorzabas almorzaba almorzábamos almorzabais almorzaban	almorcé almorzaste almorzó almorzamos almorzasteis almorzaron	almorzaré almorzarás almorzará almorzaremos almorzaréis almorzarán	almorzaría almorzarías almorzaría almorzaríamos almorzaríais almorzarían	almuerce almuerces almuerce almorcemos almorcéis almuercen	almorzara almorzaras almorzaras almorzáramos almorzarais almorzaran	almuerza (tú) no almuerces almuerce (usted) almorcemos almorzad (vosotros) no almorcéis almuercen (Uds.)
buscar (c, qu) buscando buscado	busco buscas busca buscamos buscáis buscan	buscaba buscabas buscaba buscábamos buscabais buscaban	busqué buscaste buscó buscamos buscasteis buscaron	buscaré buscarás buscará buscaremos buscaréis buscarán	buscaría buscarías buscaría buscaríamos buscaríais buscarían	busque busques busque busquemos busquéis busquen	buscara buscaras buscara buscáramos buscarais buscaran	busca (tú) no busques busque (usted) busquemos buscad (vosotros) no busquéis busquen (Uds.)

Stem-Changing and Orthographic-Changing Verbs (continued)

Infinitive Present Participle Past Participle	Indicative					Subjunctive		Imperative
	Present	Imperfect	Preterit	Future	Conditional	Present	Imperfect	
corregir (g, j) corrigiendo corregido	corrijo corriges corrige corregimos corregís corrigen	corregía corregías corregía corregíamos corregíais corregían	corregí corregiste corrigió corregimos corregisteis corrigieron	corregiré corregirás corregirá corregiremos corregiréis corregirán	corregiría corregirías corregiría corregiríamos corregiríais corregirían	corrija corrijas corrija corrijamos corrijáis corrijan	corrigiera corrigieras corrigiera corrigiéramos corrigierais corrigieran	corrige (tú) no corrijas corrija (usted) corrijamos corregid (vosotros) no corrijáis corrijan (Uds.)
dormir (ue, u) durmiendo dormido	duermo duermes duerme dormimos dormís duermen	dormía dormías dormía dormíamos dormíais dormían	dormí dormiste durmió dormimos dormisteis durmieron	dormiré dormirás dormirá dormiremos dormiréis dormirán	dormiría dormirías dormiría dormiríamos dormiríais dormirían	duerma duermas duerma durmamos durmáis duerman	durmiera durmieras durmiera durmiéramos durmierais durmieran	duerme (tú), no duermas duerma (usted) durmamos dormid (vosotros), no dormáis duerman (Uds.)
incluir (y) incluyendo incluido	incluyo incluyes incluye incluimos incluís incluyen	incluía incluías incluía incluíamos incluíais incluían	incluí incluiste incluyó incluimos incluisteis incluyeron	incluiré incluirás incluirá incluiremos incluiréis incluirán	incluiría incluirías incluiría incluiríamos incluiríais incluirían	incluya incluyas incluya incluyamos incluyáis incluyan	incluyera incluyeras incluyera incluyéramos incluyerais incluyeran	incluye (tú), no incluyas incluya (usted) incluyamos incluid (vosotros), no incluyáis incluyan (Uds.)
llegar (g, gu) llegando llegado	llego llegas llega llegamos llegáis llegan	llegaba llegabas llegaba llegábamos llegabais llegaban	llegué llegaste llegó llegamos llegasteis llegaron	llegaré llegarás llegará llegaremos llegaréis llegarán	llegaría llegarías llegaría llegaríamos llegaríais llegarían	llegue llegues llegue lleguemos lleguéis lleguen	llegara llegaras llegara llegáramos llegareis llegaran	llega (tú) no llegues llegue (usted) lleguemos llegad (vosotros) no lleguéis lleguen (Uds.)
pedir (i, i) pidiendo pedido	pido pides pide pedimos pedís piden	pedía pedías pedía pedíamos pedíais pedían	pedí pediste pidió pedimos pedisteis pidieron	pediré pedirás pedirá pediremos pediréis pedirán	pediría pedirías pediría pediríamos pediríais pedirían	pida pidas pida pidamos pidáis pidan	pidiera pidieras pidiera pidiéramos pidierais pidieran	pide (tú), no pidas pida (usted) pidamos pedid (vosotros), no pidáis pidan (Uds.)

Stem-Changing and Orthographic-Changing Verbs (continued)

Infinitive Present Participle Past Participle	Indicative					Subjunctive		Imperative
	Present	Imperfect	Preterit	Future	Conditional	Present	Imperfect	
pensar (ie) pensando pensado	pienso piensas piensa pensamos pensáis piensan	pensaba pensabas pensaba pensábamos pensabais pensaban	pensé pensaste pensó pensamos pensasteis pensaron	pensaré pensarás pensará pensaremos pensaréis pensarán	pensaría pensarías pensaría pensaríamos pensaríais pensarían	piense pienses piense pensemos penséis piensen	pensara pensaras pensara pensáramos pensarais pensaran	piensa (tú), no pienses piense (usted) pensemos pensad (vosotros), no penséis piensen (Uds.)
producir (zc) produciendo producido	produzco produces produce producimos producís producen	producía producías producía producíamos producíais producían	produje produjiste produjo produjimos produjisteis produjeron	produciré producirás producirá produciremos produciréis producirán	produciría producirías produciría produciríamos produciríais producirían	produzca produzcas produzca produzcamos produzcáis produzcan	produjera produjeras produjera produjéramos produjerais produjeran	produce (tú), no produzcas produzca (usted) produzcamos pruducid (vosotros), no produzcáis produzcan (Uds.)
reír (i, i) riendo reído	río ríes ríe reímos reís ríen	reía reías reía reíamos reíais reían	reí reíste rio reímos reísteis rieron	reiré reirás reirá reiremos reiréis reirán	reiría reirías reiría reiríamos reiríais reirían	ría rías ría riamos riáis rían	riera rieras riera riéramos rierais rieran	ríe (tú), no rías ría (usted) riamos reíd (vosotros), no riáis rían (Uds.)
seguir (i, i) (ga) siguiendo seguido	sigo sigues sigue seguimos seguís siguen	seguía seguías seguía seguíamos seguíais seguían	seguí seguiste siguió seguimos seguisteis siguieron	seguiré seguirás seguirá seguiremos seguiréis seguirán	seguiría seguirías seguiría seguiríamos seguiríais seguirían	siga sigas siga sigamos sigáis sigan	siguiera siguieras siguiera siguiéramos siguierais siguieran	sigue (tú), no sigas siga (usted) sigamos seguid (vosotros), no sigáis sigan (Uds.)
sentir (ie, i) sintiendo sentido	siento sientes siente sentimos sentís sienten	sentía sentías sentía sentíamos sentíais sentían	sentí sentiste sintió sentimos sentisteis sintieron	sentiré sentirás sentirá sentiremos sentiréis sentirán	sentiría sentirías sentiría sentiríamos sentiríais sentirían	sienta sientas sienta sintamos sintáis sientan	sintiera sintieras sintiera sintiéramos sintierais sintieran	siente (tú), no sientas sienta (usted) sintamos sentid (vosotros), no sintáis sientan (Uds.)

Stem-Changing and Orthographic-Changing Verbs (continued)

Infinitive Present Participle Past Participle	Indicative					Subjunctive		Imperative
	Present	Imperfect	Preterit	Future	Conditional	Present	Imperfect	
volver (ue) volviendo vuelto	vuelvo vuelves vuelve volvemos volvéis vuelven	volvía volvías volvía volvíamos volvíais volvían	volví volviste volvió volvimos volvisteis volvieron	volveré volverás volverá volveremos volveréis volverán	volvería volverías volvería volveríamos volveríais volverían	vuelva vuelvas vuelva volvamos volváis vuelvan	volviera volvieras volviera volviéramos volvierais volvieran	vuelve (tú), no vuelvas vuelva (usted) volvamos volved (vosotros), no volváis vuelvan (Uds.)

APPENDIX 5

A

a to; at (10)
a la derecha de to the right of (**10**)
a la izquierda de to the left of (**10**)
a menos que unless (**7**)
a pesar de que in spite of (**7**)
A quién corresponda To whom it may concern (8)
a veces sometimes (**11**)
A ver... Let's see... (**11**)
abeja, la bee (**10**)
abogado/a, el/la lawyer (**8**)
Abrazos Hugs (8)
Absolutamente. Absolutely. (10)
acerca de about (10)
aconsejar to recommend; to advise (9)
actual current; present (**8**)
actuar to act (8, **9**)
acuarela, la watercolor (**9**)
acuerdo, el compromise; agreement (**8**, 10)
además besides (**10**)
adivinar to guess (8)
adjunto/a attached (PB)
administrativo/a administrative (**8**)
adquisición, la acquisition (**8**)
afeitarse to shave (11)
(a)fuera (de) outside (of) (10)
afueras, las outskirts (7)
agencia, la agency (**8**)
agente, el/la agent (**8**)
agobiado/a weighed down; feeling down; overwhelmed (7, 10)
agotamiento, el depletion (10)
aguantar to tolerate (9)
ahora que now that (**7**)
ahorrar to save (**8**)
ahorro, el savings (**8**)
aislado/a isolated (11)
aislamiento, el isolation (10)
Al contrario. On/To the contrary. (10)
al lado de next to (**10**)
alcoholismo, el alcoholism (**11**)
alegrarse (de) to be happy (about) (9)
alergia, la allergy (**11**)
alfarería, la pottery; pottery making (**9**)
alfarero/a, el/la potter (**9**)
algo something/anything; somewhat (**11**)
algodón, el cotton (7)
alguien someone (**11**)
algún some/any (**11**)
alguno/a/os/as some/any (**11**)
alimentación, la diet (PB)
Aló. Hello. (7)
aludir to allude (7)
ama de casa, el homemaker (**8**)
ámbito, el space (7)
ambos/as both (PB)
amenaza, la threat (10)
amenazar to threaten (**10**)
amortiguar to absorb shock (11)
ancho/a wide (**11**)
anfibio, el amphibian (10)
anfitrión/anfitriona, el/la host/hostess (7, 12)
anillo, el ring (**7**)
animal, el animal (**10**)
animales en peligro de extinción, los endangered species (**10**)
¡Ánimo! Cheer up!; Hang in there! (8)
antes (de) que before (time/space) (7, 10)
antihistamínico, el antihistamine (**11**)
anunciar to announce (7)
apendicitis, la appendicitis (**11**)
aplaudir to applaud (**9**)
Apreciado/a señor/a... Dear Mr./Mrs... (8)
apretado/a tight (**7**)
apropiarse to take over; to appropriate (**8**)
aprovecharse de to take advantage of (11)
aquel/la (*adj.*) that (way) over there (**8**)
aquél/la/los/las (*pron.*) that/those (away in distance and/or time) (8)
aquellos/as (*adj.*) those (way) over there (**8**)
ardilla, la squirrel (**10**)
aretes, los earrings (**7**)
árido/a arid; dry (**10**)
arpa, el harp (7)
arraigado/a rooted (11)
arrecife, el coral reef (**10**)
arreglar to straighten up; to fix (8)
arrepentimiento, el regret (**8**)
arroyo, el stream (**10**)
arruga, la wrinkle (11)
arruinar to ruin (8)
arte dramático, el performance art (**9**)
arte visual, el visual arts (**9**)
artes aplicadas, las applied arts (**9**)
artes decorativas, las decorative arts (**9**)
artesanía, la arts and crafts (**9**)
artesano/a, el/la artisan (**9**)
articulación, la joint (11)
artículo, el item (**7**)
artista, el/la artist (**9**)
artritis, la arthritis (**11**)
ascender (ie) to advance; to be promoted; to promote (**8**)
Así es. That's it. (7, 10)
asistente de vuelo, el/la flight attendant (**8**)
aspirante, el/la applicant (**8**)
atado/a tied (8)
ataque al corazón, el heart attack (**11**)
atención médica, la medical attention (**11**)
atraer to attract (10)
aun cuando even when (**7**)
aunque although; even if (**7**)
autorretrato, el self-portrait (**9**)
avergonzarse de (ue) to feel/be ashamed of (9)

B

bahía, la bay (**10**)
ballena, la whale (**10**)
ballet, el ballet (**9**)
banca, la banking (**8**)
bancarrota, la bankruptcy (**8**)
bandeja, la tray (11)
banquero/a, el/la banker (**8**)
banquete de estado, el state dinner (8)
barro, el clay (**9**)
beca, la scholarship (9)
beneficios, los benefits (**8**)
bienes, los goods (7)
billetera, la wallet (**7**)
biodegradable biodegradable (**10**)
bola, la ball (11)
bolsa, la stock market (**8**)
bolsillo, el pocket (7)
bolso, el handbag (7)
bombero/a, el/la firefighter (**8**)
bombilla, la lightbulb (**7**)
bono, el bonus (**8**)
bordado a mano, el hand embroidery (7)
botar to throw out (10)
brindar to offer (7)
bronquitis, la bronchitis (**11**)
bueno/a good (**9**)

* Chapter numbers that are boldfaced indicate that the word is active vocabulary in that particular chapter.

¡Bueno! Good! (8)
Bueno. Hello? (7)
Bueno… Well…; OK… (11)
bufanda, la scarf (**7**)
buzón, el mailbox (8)

C

cabestrillo, el sling (**11**)
cabra, la goat (**10**)
cadáver, el corpse (9)
cadena, la chain (7)
cadera, la hip (**11**)
caja, la box (PB)
cajero/a, el/la cashier (**8**)
calificación, la qualification; score (8, 11)
caluroso/a hot (7)
camello, el camel (**10**)
camilla, la stretcher (**11**)
campo de golf, el golf course (**7**)
canal, el channel (**9**)
cáncer, el cancer (**11**)
cangrejo, el crab (**10**)
capa, la layer (7)
cara, la face (**11**)
cárcel, la prison (11)
carga, la cargo (8)
cargar to carry (10)
carnicería, la butcher shop (**7**)
carta de presentación, la cover letter (**8**)
carta de recomendación, la letter of recommendation (**8**)
carta personal, la personal letter (**8**)
cartel, el poster (12)
cartero/a, el/la mail carrier (**8**)
casualidad, la coincidence (7, 11)
catarata, la waterfall (**10**)
catedral, la cathedral (**7**)
ceja, la eyebrow (**11**)
cepillo, el brush (**7**)
cepillo de dientes, el toothbrush (**7**)
cerámica, la ceramics (**9**)
cerca de near (**10**)
cerebro, el brain (**11**)
cesta, la basket; shopping basket (7)
cestería, la basket weaving; basketry (**9**)
cetrería, la falconry (10)
champú, el shampoo (**7**)
charco, el puddle (11)
charla, la talk (PB)
charlar to chat (10)
chicle, el gum (**7**)
ciencias (acuáticas, políticas), las (aquatic, political) science (**8**)
ciervo, el deer (**10**)
cifra, la figure; number (10)
cine, el cinema; films; movies (**9**)
cinematógrafo/a, el/la cinematographer (**9**)
cita, la date; appointment (8)
ciudadano/a, el/la citizen (10)
clarinete, el clarinet (**9**)
Claro que no. Of course not. (10)
Claro que sí. Of course. (7, 10)
clave, la clue (9)
clima, el climate (**10**)
climático/a climatic (**10**)
codo, el elbow (**11**)
colega, el/la colleague (8)
collar, el necklace (**7**)
colonia, la cologne (**7**)
combustible, el fuel (**10**)
comedia, la comedy (**9**)
comerciante, el/la shopkeeper; store owner; merchant (**8**)
comercio, el business (**8**)
comisaría, la police station (PB, 7)
Cómo no. Of course. (7, 10)
componer to compose (**9**)
comportarse to behave (11)
compositor/a, el/la composer (**9**)
comprobar (ue) to check; to confirm (11)
con with (**10**)
Con cariño With love (8)
con tal (de) que provided that (**7**)
concebir (i) to conceive; to think up (10)
concordancia, la agreement (**7**)
concurso, el game show; pageant; contest (**9**)
condición, la condition (**11**)
conseguir un puesto de… to get a job/position as… (**8**)
consejero/a, el/la counselor (**8**)
conservar to conserve (**10**)
consultorio, el doctor's office (**7**)
consumo, el consumption (**10**)
contador/a, el/la accountant (**8**)
contaminante, el contaminant (**10**)
contratar to hire (**8**)
Cordialmente Cordially (8)
coro, el choir (**9**)
corto/a short (**11**)
cortometraje, el short (film) (**9**)
cosechar to harvest (**10**)
costa, la coast (8)
costilla, la rib (**11**)
cotidiano/a everyday; daily (**9**)
crear to create (**9**)
crecer to grow (7)
crema de afeitar, la shaving cream (**7**)
criar to raise (10)
cuando when (**7**)
cuarteto, el quartet (**9**)
cubierto/a covered (8)
cuentista, el/la story writer (9)
cuerdas, las strings; string instruments (7, **9**)
cuerpo humano, el human body (**11**)
culpable guilty (7)
cura, la cure (**11**)
currículum (vitae) (C.V.), el résumé (**8**)

D

danza, la dance (**9**)
dañar to damage; to harm (**10**)
dañino/a harmful (11)
daño, el harm (**10**)
de of; from (**10**)
de buena/mala calidad good/poor quality (**7**)
de mal en peor from bad to worse (11)
de manera que so that (**7**)
de modo que so that (**7**)
De ninguna manera. No way. (10)
¿De parte de quién? Who shall I say is calling? (**7**)
De Ud. Atentamente Sincerely (8)
¿De veras? Really? (11)
debajo de under (**10**)
declarar to testify (7)
declive, el decline (10)
decorado, el set (**9**)
deforestación, la deforestation (**10**)
dejar de to stop; to cease (8)
dejar de fumar cigarrillos to quit smoking cigarettes (**11**)
delante de in front of (**10**)
dentista, el/la dentist (**8**)
dentro de inside of (**10**)
dependiente/a, el/la store clerk (**7**)
depresión, la depression (**11**)
desacuerdo, el disagreement (**10**)
desaparecer to disappear (**10**)
desarrollar to develop (8)
desastre, el disaster (10)
descalzo/a barefoot (11)
descongelar to thaw (**10**)
desde from; since (**10**)
Desde luego. Of course. (7, 10)
desear to wish (9)
desierto, el desert (**10**)
desmayarse to faint (**11**)
desodorante, el deodorant (**7**)
despedida, la farewell; closing (**8**)
despedir (i) to fire (from a job) (**8**)
desperdiciar to waste (**10**)
desperdicio/desperdicios, el/los waste; waste products (**10**)
desplazado/a displaced (10)
después (de) (que) afterward; after (7, 10)

destacar(se) to stand out (8)
destreza, la skill (**8**)
destruir to destroy (**10**)
detener (ie) to detain (11)
detrás de behind (**10**)
diabetes, la diabetes (**11**)
diamante, el diamond (**7**)
dibujar to draw (**9**)
dibujo, el drawing (**9**)
dibujos animados, los cartoons (**9**)
dientes de juicio, los wisdom teeth (8)
Diga/Dígame. Hello? (7)
digno/a worthy (7)
dinero en efectivo, el cash (**7**)
dinosaurio, el dinosaur (**10**)
director/a, el/la director (**9**)
director/a de escena, el/la stage manager (**9**)
diseño, el design (**9**)
disminuir to diminish (11)
Distinguido/a señor/a... Dear Mr./Mrs... (8)
distinguir to distinguish (10)
diva, la diva (**9**)
doblarse to bend (**11**)
dolor de cabeza, el headache (**11**)
dosis, la dosage (**11**)
drama, el drama (**9**)
dramaturgo/a, el/la playwright (**9**)
drogadicto/a, el/la drug addict (**11**)
ducharse to shower (11)
dudar to doubt (**9**)

E

ecológico/a ecological (**10**)
ecosistema, el ecosystem (**10**)
editar to edit (**9**)
Efectivamente. Precisely. (**10**)
efecto invernadero, el greenhouse effect (**10**)
Eh... Um... (11)
ejecutivo/a executive (**8**)
empaquetar to pack up (12)
empleado/a, el/la employee (**8**)
emplear to use; to employ (7, 8)
empresa, la corporation; business (**8**)
en in; on (**10**)
En absoluto. Absolutely. (10)
en aquel entonces back then (10)
en caso (de) que in case (**7**)
en cuanto as soon as (**7**)
En mi vida. Never in my life. (10)
En otras palabras... In other words... (9)
¿En serio? Seriously? (11)
encargado/a in charge (7)
encargarle (a alguien) to commission (someone) (**9**)
encima de on top of (**10**)
encuesta, la survey (11)
enfermedad, la illness (**11**)
enfermería, la nursing (**8**)
enfrente (de) in front (of); across from; facing (**10**)
engendrar to generate (11)
¡Enhorabuena! Congratulations! (8)
entre among; between (**10**)
entrenamiento, el training (11)
entrenar to train (**8**)
entretener (ie) to entertain (7)
entrevista, la interview (**8**)
entrevistar to interview (PB, **8**)
envase, el package; container (**10**)
envejecimiento, el aging (11)
enyesar to put a cast on (**11**)
equipo de cámara/sonido, el camera/sound crew (**9**)
erosión, la erosion (**10**)
Es... This is... (7)
Es cierto. It's true. (10)
Es decir... That's to say... (9)
Es importante que... It is important that... (9)
Es mejor que... It's better that/than... (9)
Es necesario que... It's necessary that... (9)
Es preferible que... It's preferable that... (9)
Es que... It's that...; The fact is that... (9)
Es verdad. It's true. (10)
escalofríos, los chills (**11**)
escaparate, el store window (**7**)
escasez, la scarcity (**10**)
escenario, el scenario; stage (**9**)
esclavo/a, el/la slave (9)
escritor/a, el/la writer; author (**8**)
esculpir to sculpt (**9**)
escultor/a, el/la sculptor (**9**)
escultura, la sculpture (**9**)
ese/a (*adj.*) that (**8**)
ése/a (*pron.*) that one (**8**)
esmalte de uñas, el nail polish (**7**)
esmog, el smog (**10**)
Eso es. That's it. (7, 10)
esos/as (*adj.*) those (**8**)
ésos/as (*pron.*) those over there (**8**)
especialidad, la specialty (7)
espectáculo, el show (**9**)
esperar to wait for; to hope (**9**)
espontáneo/a spontaneous (9)
¿Está _____ (en casa)? Is ___ there?/at home? (7)
Está bien. Okay; It's alright. (10)
establecer to establish (9)
estacionamiento, el parking lot (11)
estar to be (PA, **7**)
este/a (*adj.*) this (**8**)
éste/a (*pron.*) this one (**8**)
Este... Well...; Ah...; Um... (11)
estético/a aesthetic (**9**)
Estimado/a señor/a... Dear Mr./Mrs... (8)
estirarse to stretch (**11**)
Esto pasará pronto. This will soon pass. (8)
estos/as (*adj.*) these (**8**)
éstos/as (*pron.*) these (**8**)
(Estoy) de acuerdo. Okay; I agree. (7, 10)
etiqueta, la etiquette (8); label (9)
evitar to avoid (8)
Exactamente. Exactly. (7, 10)
Exacto. Exactly. (7, 10)
examen físico, el physical exam (**11**)
exhibir to exhibit (**9**)
exigir to demand (**9**)
exterminado/a exterminated (**10**)

F

fábrica, la factory (**7, 8**)
fabricar to manufacture; to make; to produce (**8, 10**)
fallar to fail (11)
farmacia, la pharmacy (**7**)
fecha límite, la deadline (8)
¡Felicidades! Congratulations! (8)
felicitar to express good wishes (8)
¡Fenomenal! Phenomenal! (8)
ferretería, la hardware store (**7**)
fertilizante, el fertilizer (**10**)
fiebre, la fever (7)
¡Figúrate! Imagine! (10)
filmar to film (**9**)
financiero/a financial (**8**)
firmeza, la firmness (7)
flamenco, el flamenco (**9**)
fluido/a fluent (8)
foca, la seal (**10**)
fondos, los funds (9)
formación, la education; training (**8**)
fracturar(se) to break; to fracture (**11**)
frente, la forehead (**11**)
frutería, la fruit store (**7**)
fuente, la fountain (**7**); source (8)
fuerte strong (**11**)
función, la show; production (**9**)

G

galleta, la cookie (7)
gallo, el rooster (**10**)
ganado de vacas/vacuno, el cattle (8)
ganga, la bargain (**7**)
garganta, la throat (11)
gaucho, el cowboy (8)

geográfico/a geographical (**10**)
gerencia de hotel, la hotel management (**8**)
gerente/a, el/la manager (**8**)
gesto, el gesture (8, 10)
golpe, el blow (11)
gorila, el gorilla (**10**)
gotas para los ojos, las eyedrops (**11**)
grabado, el etching (**9**)
Gracias por haber(me) llamado. Thank you for calling (me). (7)
gráfico/a graphic (**9**)
granja, la farm (10)
granjero/a, el/la farmer (**8**)
gripe, la flu (11)
grueso/a thick (11)
guante, el glove (**7**)
guión, el script (**9**)
guionista, el/la scriptwriter; screenwriter (**9**)
gustar to like (**9**)

H

hábitat, el habitat (**10**)
hacer a mano to make by hand (**9**)
hacer el papel to play the role (**9**)
hacer gárgaras to gargle (**11**)
hacer publicidad to advertise (**8**)
hacer ruido to make noise (**10**)
hacer un pedido to place an order (7)
hacer una huelga to strike; to go on strike (**8**)
hacer volar un volantín to fly a kite (7)
hacerse to become (**8**)
hasta (que) until (**7, 10**)
hecho, el deed (11)
hecho de nilón made of nylon (**7**)
hecho de oro made of gold (**7**)
hecho de piel made of leather/fur (**7**)
hecho de plata made of silver (**7**)
heladería, la ice-cream store (**7**)
hierba, la grass; herb (11)
hincharse to swell (**11**)
hipertensión, la high blood pressure (**11**)
hombre de negocios, el businessman (**8**)
hombro, el shoulder (**11**)
horario, el schedule; timetable (**8**)
huelga, la strike (**8**)
hueso, el bone (10, **11**)
humo, el smoke (**10**)

I

iguana, la iguana (**10**)
imagen, la image (**9**)
¡Imagínate! Imagine! (**10**)
imprescindible essential (7)
imprevisto/a unforeseen (11)
improvisar to improvise (**9**)
impuesto, el tax (8)
incredulidad, la disbelief (**11**)
inflamación, la inflammation (**11**)
informar to inform, to tell (**9**)
infraestructura, la infrastructure (**10**)
ingeniería, la engineering (**8**)
ingeniero/a (químico/a), el/la (chemical) engineer (**8**)
ingenuo/a naive (11)
ingresar to be admitted (11)
inminente imminent (8)
innovador/a innovative (**9**)
insecticida, el insecticide (**10**)
insistir (en) to insist (9)
inspeccionar to inspect (**9**)
instrumentos de metal, los brass instruments (**9**)
instrumentos de viento/madera, los wood instruments; woodwinds (**9**)
insuperable unsurpassable (9)
inversión, la investment (8)
invertir (ie, i) to invest (**8**)
involucrarse to get involved (10)
isla, la island (**10**)

J

jabón, el soap (**7**)
jamás never; not ever (emphatic) (**11**)
jaqueca, la migraine; severe headache (**11**)
jefe/a, el/la boss (**8**)
jirafa, la giraffe (**10**)
jornada completa/parcial, la full-time/part-time workday (**8**)
joven young (**9**)
joyas, las jewelery (7)
jubilación, la retirement **8**)
jubilarse to retire (**8**)
jugar al ahorcado to play hangman (PB)
juguetería, la toy store (**7**)
junta, la commission; board; committee (**8**)
justicia criminal, la criminal justice (**8**)

L

La verdad es que… The truth is… (11)
labio, el lip (**11**)
laboral work-related (**8**)
largo/a long (**11**)
lata, la can (9)
Le/s saluda atentamente Sincerely (8)
¡Le/Te felicito! Congratulations! (8)
Le/Te habla… This is… (7)
lejos de far from (**10**)
lengua, la language; tongue (**11**)
letrero, el sign (11)
lienzo, el canvas (**9**)
liquidación, la clearance sale (**7**)
liviano/a lightweight (7)
llamativo/a striking; colorful; showy; bright (**9**)
llanura, la plain (**10**)
Lo dudo. I doubt it. (11)
Lo/La/Te llamo más tarde. I will call you later. (**7**)
lo malo the bad thing (**8**)
lo mejor the best thing (**8**)
lo mismo the same thing (**8**)
lo peor the worst thing (**8**)
(Lo que) quiero decir… (What) I mean… (9)
Lo siento. I'm sorry. (8)
lobo, el wolf (**10**)
loción, la lotion (**7**)
logro, el success (8)
loro, el parrot (**10**)
luchar to fight (10)
lucir to show; to display (7)
lucro, el profit (**8**)
luego que as soon as (**7**)
lugar, el place (**7**)
lujo, el luxury (12)

M

maestría, la masters (degree) (8)
maestro/a, el/la teacher (**8**)
malo/a bad (**9**)
mamífero, el mammal (10)
manatí, el manatee (**10**)
manchita, la little spot (11)
manejo, el management (8)
manga corta, la short sleeve (**7**)
manga larga, la long sleeve (**7**)
máquina de afeitar, la electric shaver/razor (**7**)
mar, el sea (**10**)
marca, la brand (PB)
marcar to dial; to mark (8)
mareo/mareos, el/los dizziness (**11**)
mariachi, el mariachi (**9**)
mariposa, la butterfly (**10**)
masa, la dough (7)
materia, la material; subject (**9**)
mayor older (**9**)
mayor, el/la the oldest (**9**)
Me da igual. It's all the same to me. (12)
Me estás tomando el pelo. You're kidding me/pulling my leg. (10)
mecánico/a, el/la mechanic (**8**)

media manga half sleeve (**7**)
media naranja, la soul mate (9)
medicamento, el medicine (**11**)
medio ambiente, el environment (**10**)
medios, los means (9)
mejilla, la cheek (**11**)
mejor better (**9**)
mejor, el/la the best (**9**)
mejorar to improve (**10**)
menor younger (**9**)
menor, el/la the youngest (**9**)
menospreciar to underestimate (11)
mercadeo, el marketing (**8**)
mercado de pulgas, el flea market (7)
merecer to deserve (9)
merengue, el merengue (**9**)
meta, la goal (**8**)
meter la pata to put your foot in your mouth (9)
meterse to get in(to) (**11**)
mezquita, la mosque (**7**)
Mi más sentido pésame. You have my sympathy. (8)
miedo de salir en escena, el stage fright (**9**)
mientras (que) while (**7, 10**)
Mire/Mira... Look... (7)
Mis más sinceras condolencias. My most heartfelt condolences. (8)
mitad, la half (PB)
moda, la fashion (**8**)
mono, el monkey (**10**)
mononucleosis, la mononucleosis (**11**)
montaje, el staging; editing (**9**)
montar to assemble (9)
mostrador, el counter(top) (**7**)
motivo, el motif; theme (**9**)
mujer de negocios, la businesswoman (**8**)
muletas, las crutches (**11**)
muñeca, la wrist (**11**)
mural, el mural (**9**)
muralista, el/la muralist (**9**)
murciélago, el bat (**10**)
músculo, el muscle (**11**)
música, la music (**9**)
música alternativa, la alternative music (**9**)
música popular, la popular music (**9**)
muslo, el thigh (**11**)
musulmán/musulmana, el/la Muslim man/woman (7)
Muy atentamente Sincerely (**8**)
Muy estimado/a señor/a... Dear Mr./Mrs.... (8)
Muy respetuosamente Respectfully yours (8)
Muy señor/a mío/a... Dear Sir/Madam... (8)

N

nada nothing; not at all (**11**)
Nada de eso. Of course not. (10)
nadie no one; nobody (**11**)
narcomanía, la drug addiction (**11**)
naturaleza, la nature (**10**)
naturaleza muerta, la still life (**9**)
náuseas, las nausea (**11**)
navaja de afeitar, la razor (**7**)
necesitar to need (9)
negociar to negotiate (**8**)
negocio/negocios, el/los business (PB, **8**)
nervio, el nerve (**11**)
ni... ni neither... nor (**11**)
¡Ni lo sueñes! Don't even think about it! (10)
ningún none (**11**)
ninguno/a/os/as none (**11**)
No cabe duda. There's no doubt; Without a doubt. (10)
no creer not to believe; not to think (9)
¿No cree(s)(n) que...? Don't you think that...? (11)
No está. He/She is not home. (7)
no estar seguro (de) to be uncertain (9)
No estoy de acuerdo. I don't agree. (10)
No hay duda. There's no doubt; Without a doubt. (10)
No hay más remedio. There's no other way/solution. (10)
No lo creo. I don't believe it; I don't think so. (11)
¡No me diga/s! You don't say!; No way! (5, 7, 10, 11)
no obstante notwithstanding (**10**)
no pensar (ie) not to think (**9**)
¡No puede ser! This/It can't be! (10, 11)
No se encuentra. He/She is not home. (7)
No se/te preocupe/s. Don't worry. (8)
noticiero, el news program (**9**)
nunca never (**11**)

O

o... o either... or (11)
O sea... That is... (9, 11)
obesidad, la obesity (**11**)
obra de teatro, la play (**9**)
obra maestra, la masterpiece (**9**)
oferta, la (special) offer (**7**)
ofrecer to offer; to bid (7)
oído, el inner ear (**11**)
Oiga... Hey... (*form.*) (7)
óleo, el oil painting (**9**)
onda, la wave (10)
operar to operate (**11**)
oponer to oppose (9)
orfebrería, la crafting of precious metals (9)
organista, el/la organist (**9**)
organizar to organize (**9**)
órgano, el organ (**9**)
otorgar to award (11)
oveja, la sheep (**10**)
Oye... Hey... (*fam.*) (7)

P

paciente, el/la patient (**11**)
paisaje, el countryside; landscape (**9**)
paloma, la pigeon; dove (**10**)
panadería, la bread store; bakery (**7**)
pantano, el marsh; wetland (**10**)
pañal, el diaper (10)
papel de envolver, el wrapping paper (**7**)
papel higiénico, el toilet paper (**7**)
papelería, la stationery shop (**7**)
para for; in order to (**10**)
para aquel entonces by then (8)
para que so that (**7**)
parafrasear to paraphrase (8)
paráfrasis, la loose interpretation (8)
Parece mentira. It's hard to believe. (11)
parecido/a similar (9)
pasta de dientes, la toothpaste (**7**)
pastelería, la pastry shop (**7**)
pato, el duck (**10**)
patrocinador/a, el/la patron (9)
pausa, la pause (**11**)
paz, la peace (10)
pedagogía, la teaching (**8**)
pedir (i) to ask (for); to request (**9**)
peinarse to comb one's hair (11)
peligro, el danger (**10**)
peluquero/a, el/la hair stylist/dresser (**8**)
pendientes, los earrings (**7**)
penicilina, la penicillin (**11**)
peor worse (**9**)
peor, el/la the worst (**9**)
peregrinaje, el pilgrimage (7)
perfume, el perfume (**7**)
periodista, el/la journalist (**8**)
perla, la pearl (7)
personal, el personnel (**8**)

pesadilla, la nightmare (7)
pescadería, la fish store (**7**)
pestañas, las eyelashes (**11**)
pesticida, el pesticide (**10**)
picaflor, el hummingbird (**10**)
piel, la skin (**11**); fur; leather (7)
pieza, la piece (7)
pieza musical, la musical piece (**9**)
pila, la battery (**7**)
piloto, el/la pilot (**8**)
pincel, el paintbrush (9)
pingüino, el penguin (**10**)
pintalabios, el lipstick (**7**)
pintor/a, el/la painter (**9**)
pintura, la painting (**9**)
pista, la track; rink; clue (PB)
planear to plan (**9**)
playa, la beach (**10**)
político/a, el/la politician (**8**)
poner en orden to put in order (PB)
por for; through; by; because of (**10**)
por ciento percent (PB)
por eso for this reason (**10**)
por medio de by means of (10)
por otro lado on the other hand (**10**)
por su propria cuenta by oneself (11)
¡Por supuesto! Sure!; Of course! (7, 10)
Precisamente. Precisely. (10)
precisar to say exactly; to specify (11)
preferir (ie, i) to prefer (**9**)
prenda, la garment (**7**)
preparativos, los preparations (PB)
preponderante predominant (10)
preservar to preserve (**10**)
presión alta/baja, la high/low (blood) pressure (**11**)
prevenir (ie) to prevent (**10**)
procedente coming (8)
procedimiento, el procedure (11)
profesión, la profession (**8**)
profesional professional (**8**)
prohibir to prohibit (**9**)
promover (ue) to promote (9)
propietario/a, el/la owner; landlord (7, **8**)
proponer to suggest; to recommend (**9**)
Propongo que... I propose that... (11)
propósito, el aim; purpose (11)
proveer to provide (11)
prueba, la proof (10)
prueba médica, la medical test (**11**)
psicología, la psychology (**8**)
psicólogo/a, el/la psychologist (**8**)
publicidad, la advertising (**8**)
publicitar to advertise; to publicize (**8**)
¿Puedo tomar algún recado? Can I take a message? (7)
Pues... Um...; Well... (11)
puesto, el job; position (**8**)
puesto que given that (**7**)
pulmón, el lung (**11**)
pulpo, el octopus (**10**)
pulsera, la bracelet (**7**)
puma, el puma (**10**)

Q

¡Qué estupendo! How stupendous! (8)
¡Qué extraordinario! How extraordinary! (8)
¡Qué maravilloso! How marvelous! (8)
¡Qué pena/lástima! What a shame/pity! (8)
¡Qué va! No way! (10)
quedarse sin hacer to be left undone (10)
queja, la complaint (11)
quemadura, la burn (**11**)
querer (ie) to want; to love; to wish (9)
Querido/a... Dear... (8)
Queridos amigos míos My dear friends (8)

R

radiografía, la X-ray (**11**)
rebaja, la sale; discount (**7**)
receptáculo, el receptacle (8)
recién recently (PB)
recomendar (ie) to recommend (9)
Recomiendo que... I recommend that... (11)
reducir to reduce (**10**)
reemplazar to replace (**10**)
reflejar to reflect (**9**)
regla, la rule (8)
reliquia, la relic (8)
relleno, el filling (7)
relleno/a filled (8)
reloj de pulsera, el wristwatch (**7**)
remate, el auction; sale (7)
remedio casero, el home remedy (11)
renovable renewable (**10**)
renunciar (a) to resign; to quit (**8**)
reportero/a, el/la reporter (**8**)
representar to represent; to perform (**9**)
reproductor de MP3, el MP3 player (**9**)
requerir (ie) to require (10)
requisito, el requirement (8)
rescatar to rescue (**10**)
respirar to breathe (**11**)
resultado, el result; score (**11**)
retrato, el portrait (**9**)
riesgo, el risk (**10**)
rinoceronte, el rhinoceros (**10**)
río, el river (**10**)
rodar (ue) (en exteriores) to film (on location) (**9**)
rodear to surround (10)
rodilla, la knee (**11**)
rogar (ue) to beg (**9**)
ropa, la clothing (7)
ropa interior, la underwear (**7**)

S

Sabes... You know... (11)
sacar la sangre to draw blood (**11**)
saltamontes, el grasshopper (**10**)
saludo, el greeting (**8**)
salvaje wild (10)
salvar to save (10)
sanarse to heal (11)
sarampión, el measles (**11**)
sastrería, la tailor shop (7)
saxofón, el saxophone (**9**)
saxofonista, el/la saxophonist (**9**)
¡Se rueda! Action! (**9**)
secretario/a, el/la secretary (**8**)
seguidores/as, los/las fans; groupies (**9**)
según according to (10)
seguro médico, el medical insurance (8)
¡Sensacional! Sensational! (8)
sentir (ie, i) to regret (9)
sequía, la drought (**10**)
ser to be (**7, 8**)
ser, el being (11)
ser bueno/malo to be good/bad (9)
ser dudoso to be doubtful (9)
ser probable to be probable (9)
ser una lástima to be a shame (9)
Sería mejor... It would be better to... (**11**)
servicios, los public restrooms (**7**)
SIDA, el AIDS (**11**)
siempre always (**11**)
sierra, la mountain range (**10**)
signo, el sign (8)
¡Silencio! Quiet everybody (on the set)! (**9**)
simpatía, la sympathy (**8**)
sin (que) without (**7**, 10)
Sin duda. Without a doubt.; No doubt. (10)
sin embargo nevertheless (**10**)
sin fines de lucro nonprofit (**8**)
sinfónica, la symphony orchestra (**9**)
sino but rather (**10**)
síntoma, el symptom (**11**)
sobre over; about (**10**)
sobrepoblación, la overpopulation (**10**)
sobrevivir to survive (**10**)
socio/a, el/la associate (8)

¡Socorro! Help! (10)
solicitar to apply for (a job); to solicit (**8**)
solicitud, la application form (**8**)
solista, el/la soloist (**9**)
sondeo, el survey (10)
sonido, el sound (7)
sorpresa, la surprise (**10**)
sostener (ie) to sustain (**10**)
subrayar to underline; to underscore (9)
subtítulos, los subtitles (**9**)
sucursal, la branch (office) (8)
sueldo, el salary (**8**)
sugerir (ie, i) to suggest (9)
sugerir una alternativa to suggest an alternative (**11**)
Sugiero que… I suggest that… (11)
superficie, la surface (11)
supervisor/a, el/la supervisor (**8**)
sustancia, la substance (**10**)
susto, el scare (PB)

T

tacón (alto, bajo), el heel (high, low) (**7**)
talco, el talcum powder (**7**)
talentoso/a talented (**9**)
talla, la wood sculpture; carving (**9**)
taller, el workshop; studio (**9**)
talón, el heel (of the foot) (**11**)
tan… como as… as (**9**)
tan pronto como as soon as (**7**)
tanto/a/os/as… como as much/many… as (9)
tapiz, el tapestry (**9**)
tarjeta, la card; greeting card (**7**)
tarjeta de crédito, la credit card (**7**)
tasa, la rate (10)
Te digo… I'm telling you… (10)
teatro, el theater (**9**)
teclado, el keyboard (**9**)
técnico/a technical (**9**)
tejedor/a, el/la weaver (**9**)
tejido, el weaving (**9**)
tela, la fabric (7)
telenovela, la soap opera (**9**)
televidente, el/la television viewer (**9**)
televisión, la television (**9**)
temer to be afraid (of) (**9**)
tener experiencia to have experience (**8**)
tener miedo (de) to be afraid (of) (**9**)
termómetro, el thermometer (**11**)
tesis, la thesis (PB)
tiburón, el shark (**10**)
tienda, la shop; store (**7**)
tienda de ropa, la clothing store (**7**)
tigre, el tiger (**10**)
tintorería, la dry cleaners (**7**)
titulado/a, el/la graduate (8)
título, el title, degree (7)
tobillo, el ankle (**11**)
tocar (un instrumento) to play (an instrument) (9)
tomar apuntes to take notes (8)
tomar el pulso to take someone's pulse (**11**)
tomar la presión to take someone's blood pressure (**11**)
tomar la temperatura to check someone's temperature (**11**)
torcerse (ue) to sprain (**11**)
tortuga, la turtle (**10**)
toser to cough (11)
tóxico/a poisonous (**10**)
trabajo, el job (**8**)
traducir to translate (8)
tragedia, la tragedy (**9**)
Tranquilo. Relax.; Calm down. (8)
trasero, el buttocks (**11**)
trasero/a back; rear (11)
tratamiento, el treatment (10, **11**)
trato, el treatment (10)
trío, el trio (**9**)
trombón, el trombone (**9**)
trompo, el top (toy) (7)

U

Un (fuerte) abrazo A (big) hug (8)
Un atento saludo Sincerely (8)
Un cariñoso/afectuoso saludo A fond greeting (8)
Un cordial saludo Cordially (8)
uña, la nail (**11**)

V

vacuna, la vaccination (**11**)
valle, el valley (**10**)
valor, el value (**9**)
vaquero, el cowboy (8)
varicela, la chicken pox (**11**)
vena, la vein (**11**)
venado, el deer (**10**)
venenoso/a poisonous (9)
venta, la sale (**8**)
ventas (por teléfono), las (telemarketing) sales (**8**)
verdadero/a true (PB)
vergüenza, la shame (8)
vertedero, el garbage dump (10)
vestuario, el costume; wardrobe; dressing room (**9**)
veterinario/a, el/la veterinarian (**8**)
viejo/a old (**9**)
violín, el violin (**9**)
viruela, la smallpox (10)
visual visual (**9**)
viticultura, la winegrowing (8)
vocero/a, el/la spokesperson (**8**)
volantín, el kite (7)
volcán, el volcano (**10**)
vomitar to vomit (**11**)

Y

Ya lo creo. I'll say. (**10**)
ya que since; because (**7**)

Z

zafiro, el sapphire (7)
zancos, los stilts (7)
zapatería, la shoe store (**7**)
zorro, el fox (**10**)

APPENDIX 6

A

A (big) hug Un (fuerte) abrazo (8)
A fond greeting Un cariñoso/afectuoso saludo (8)
about acerca de; sobre (10)
Absolutely. Absolutamente; En absoluto. (10)
absorb shock, to amortiguar (11)
according to según (**10**)
accountant el/la contador/a (**8**)
acquisition la adquisición (**8**)
across from enfrente de (**10**)
act, to actuar (8, **9**)
Action! ¡Se rueda! (**9**)
administrative administrativo/a (**8**)
admitted, to be ingresar (11)
advance, to avanzar; ascender (ie) (**8**)
advertise, to hacer publicidad; publicitar (**8**)
advertising la publicidad (**8**)
advise, to aconsejar (**9**)
aesthetic estético/a (**9**)
afraid (of), to be temer; tener miedo (de) (**9**)
after después (de) (que) (7, 10)
agency la agencia (**8**)
agent el/la agente (**8**)
aging el envejecimiento (11)
agreement la concordancia; el acuerdo (**7, 8, 10**)
Ah… Este… (11)
AIDS el SIDA (**11**)
alcoholism el alcoholismo (**11**)
allergy la alergia (**11**)
allude, to aludir (7)
alternative music la música alternativa (**9**)
although aunque (**7**)
always siempre (**11**)
among entre (**10**)
amphibian el anfibio (10)
animal el animal (**10**)
ankle el tobillo (**11**)
announce, to anunciar (7)
antihistamine el antihistamínico (**11**)
any algún; alguno/a/os/as (**11**)
anything algo (**11**)
appendicitis la apendicitis (**11**)
applaud, to aplaudir (**9**)
applicant el/la aspirante (**8**)
application form la solicitud (**8**)
applied arts las artes aplicadas (**9**)
apply for (a job), to solicitar (un puesto) (**8**)
appointment la cita (8)
appropriate, to apropiarse (**8**)
(aquatic, political) science las ciencias (acuáticas, políticas) (**8**)
arid árido/a (**10**)
arthritis la artritis (**11**)
artisan el/la artesano/a (**9**)
artist el/la artista (**9**)
arts and crafts la artesanía (**9**)
as… as tan… como (**9**)
as much/many… as tanto/a/os/as… como (**9**)
as soon as en cuanto; luego que; tan pronto como (**7**)
ashamed of, to feel/be avergonzarse de (ue) (**9**)
ask (for), to pedir (i) (**9**)
assemble, to montar (9)
associate el/la socio/a (8)
at a (**10**)
attached adjunto/a (PB)
attract, to atraer (10)
auction el remate (7)
author el/la escritor/a (**8**)
avoid, to evitar (8)
award, to otorgar (11)

B

back trasero/a (11)
back then en aquel entonces (10)
bad malo/a (**9**)
bad, to be ser malo (9)
the bad thing, the lo malo (8)
bag el bolso (7)
bakery la panadería (**7**)
ball la pelota; la bola (11)
ballet el ballet (**9**)
banker el/la banquero/a (**8**)
banking la banca (**8**)
bankruptcy la bancarrota (**8**)
barefoot descalzo/a (11)
bargain la ganga (**7**)
basket weaving/basketry la cestería (**9**)
bat el bate (para los deportes); el murciélago (animal) (**10**)
battery la pila (**7**)
bay la bahía (**10**)
be, to estar; ser (**7, 8**)
beach la playa (**10**)
because porque; ya que (**7**)
because of a causa de; por (**10**)
become, to hacerse (**8**)
bee la abeja (**10**)
before (time/space) antes (de) que (**7, 10**)
beg, to rogar (ue) (**9**)
comportarse (11)
behind detrás de (**10**)
being el ser (11)
bend, to doblarse (**11**)
benefits los beneficios (**8**)
besides además (**10**)
best, the el/la mejor (**9**)
best thing, the lo mejor (**8**)
better mejor (**9**)
between entre (**10**)
bid, to ofrecer (7)
biodegradable biodegradable (**10**)
blood pressure, to take someone's tomarle la presión (**11**)
blow el golpe (11)
board (corporate) la junta (**8**)
bone el hueso (10, **11**)
bonus el bono (**8**)
boss el/la jefe/a (**8**)
both ambos/as (PB)
box la caja (PB)
bracelet la pulsera (**7**)
brain el cerebro (**11**)
branch (office) la sucursal (8)
brand la marca (PB)
brass instruments los instrumentos de metal (**9**)
bread store la panadería (**7**)
break, to romper; fracturar(se) (**11**)
breathe, to respirar (**11**)
bright llamativo/a (**9**)
bronchitis la bronquitis (**11**)
brush el cepillo (**7**)
burn la quemadura (**11**)
business el negocio; los negocios; el comercio; la empresa (PB, **8**)
businessman/woman el/la hombre/mujer de negocios (**8**)
but rather sino (**10**)
butcher shop la carnicería (**7**)
butterfly la mariposa (**10**)
buttocks el trasero (**11**)
by por (**10**)
by means of por medio de (10)
by oneself por su propria cuenta (11)
by then para aquel entonces (8)

C

Calm down. Tranquilo. (8)
camel el camello (**10**)

* Chapter numbers that are boldfaced indicate that the word is active vocabulary in that particular chapter.

(**9**)
can la lata (9)
Can I take a message? ¿Puedo tomar algún recado? (7)
cancer el cáncer (**11**)
canvas el lienzo (**9**)
card la tarjeta (**7**)
cargo la carga (8)
carry, to cargar (10)
cartoons los dibujos animados (**9**)
carving la talla (**9**)
cash el dinero en efectivo (**7**)
cashier el/la cajero/a (**8**)
cast on, to put a enyesar (**11**)
cathedral la catedral (**7**)
cattle el ganado de vacas/vacuno (8)
cease, to dejar de (8)
ceramics la cerámica (**9**)
chain la cadena (7)
channel el canal (**9**)
chat, to charlar (10)
check someone's temperature, to tomar la temperatura (**11**)
cheek la mejilla (**11**)
Cheer up! ¡Ánimo! (8)
(chemical) engineer el/la ingeniero/a (químico/a) (**8**)
chicken pox la varicela (**11**)
chills los escalofríos (**11**)
choir el coro (**9**)
cinema el cine (**9**)
cinematographer el/la cinematógrafo/a (**9**)
citizen el/la ciudadano/a (10)
clarinet el clarinete (**9**)
clay el barro (**9**)
clearance sale la liquidación (**7**)
climate el clima (**10**)
climatic climático/a (**10**)
closing (of a letter) la despedida (**8**)
clothing la ropa (**7**)
clothing store la tienda de ropa (**7**)
clue la pista (PB); la clave (9)
coach el/la entrenador/a (**2**)
coast la costa (8)
coincidence la casualidad (7, 11)
colleague el/la colega (8)
cologne la colonia (**7**)
colorful llamativo/a (**9**)
comb one's hair, to peinarse (11)
comedy la comedia (**9**)
coming procedente (8)
commission la junta (**8**)
commission (someone), to encargarle (a alguien) (**9**)
committee la junta (**8**)
complaint la queja (11)
compose, to componer (**9**)
composer el/la compositor/a (**9**)
conceive, to concebir (i) (10)
condition la condición (**11**)
confirm, to comprobar (ue) (11)
Congratulations! ¡Enhorabuena!; ¡Felicidades!; ¡Le/Te felicito! (8)
conserve, to conservar (**10**)
consumption el consumo (**10**)
container el envase (**10**)
contaminant el contaminante (**10**)
cookie la galleta (7)
coral reef el arrecife (**10**)
Cordially Cordialmente; Un cordial saludo (8)
corporation la empresa (**8**)
corpse el cadáver (9)
costume el vestuario (**9**)
cotton el algodón (7)
cough, to toser (11)
counselor el/la consejero/a (**8**)
counter(top) el mostrador (**7**)
cover letter la carta de presentación (**8**)
covered cubierto/a (8)
cowboy el gaucho; el vaquero (8)
crab el cangrejo (**10**)
crafting of precious metals la orfebrería (9)
create, to crear (**9**)
credit card la tarjeta de crédito (**7**)
criminal justice la justicia criminal (**8**)
crutches las muletas (**11**)
cure la cura (**11**)
current actual (**8**)

D

daily diario/a (PA); cotidiano/a (**9**)
damage, to dañar (**10**)
dance el baile; la danza (**9**)
danger el peligro (**10**)
deadline la fecha límite (8)
Dear... Querido/a... (8)
Dear Mr./Mrs.... Apreciado/a señor/a...; Distinguido/a señor/a...; Estimado/a señor/a...; Muy estimado/a señor/a... (8)
Dear Sir/Madam... Muy señor/a mío/a... (8)
decline el declive (10)
decorative arts las artes decorativas (**9**)
deed el hecho (11)
deer el ciervo; el venado (**10**)
deforestation la deforestación (**10**)
degree el título (7)
demand, to exigir (**9**)
dentist el/la dentista (**8**)
deodorant el desodorante (**7**)
depletion el agotamiento (10)
depression la depresión (**11**)
desert el desierto (**10**)
deserve, to merecer (9)
design el diseño (**9**)
destroy, to destruir (**10**)
detain, to detener (ie) (11)
develop, to desarrollar (8)
diabetes la diabetes (**11**)
dial, to marcar (8)
diamond el diamante (**7**)
diaper el pañal (10)
diet la alimentación (PB)
diminish, to disminuir (11)
dinosaur el dinosaurio (**10**)
director el/la director/a (**9**)
disagreement el desacuerdo (**10**)
disappear, to desaparecer (**10**)
disaster el desastre (10)
disbelief la incredulidad (**11**)
discount la rebaja (**7**)
displaced desplazado/a (10)
display, to lucir (7)
distinguish, to distinguir (10)
diva la diva (**9**)
dizziness el/los mareo/s (**11**)
doctor's office el consultorio (**7**)
Don't even think about it! ¡Ni lo sueñes! (10)
Don't worry. No se/te preocupe/s. (8)
Don't you think that...? ¿No cree(s)(n) que...? (11)
dosage la dosis (**11**)
doubt, to dudar (**9**)
doubtful, to be ser dudoso/a (**9**)
dough la masa (7)
dove la paloma (**10**)
drama el drama (**9**)
draw, to dibujar (**9**)
draw blood, to sacar la sangre (**11**)
drawing el dibujo (**9**)
dressing room el vestuario (**9**)
drought la sequía (**10**)
drug addict el/la drogadicto/a (**11**)
drug addiction la narcomanía (**11**)
dry árido/a (**10**)
dry cleaners la tintorería (**7**)
duck el pato (**10**)

E

earrings los aretes; los pendientes (**7**)
ecological ecológico/a (**10**)
ecosystem el ecosistema (**10**)
edit, to editar (**9**)
education la formación (**8**)
either... or o... o (**11**)
elbow el codo (**11**)
electric shaver/razor la máquina de afeitar (**7**)
employ, to emplear (7, 8)
employee el/la empleado/a (**8**)

endangered species los animales en peligro de extinción (**10**)
engineer (chemical) el/la ingeniero/a (químico/a) (**8**)
engineering la ingeniería (**8**)
entertain, to entretener (ie) (7)
environment el medio ambiente (**10**)
erosion la erosión (**10**)
essential imprescindible (7)
establish, to establecer (9)
etching el grabado (**9**)
etiquette la etiqueta (8, 9)
even if aunque (**7**)
even when aun cuando (**7**)
everyday cotidiano/a (**9**)
Exactly. Exactamente./Exacto. (7, 10)
executive ejecutivo/a (**8**)
exhibit, to exhibir (**9**)
experience, to have tener experiencia (**8**)
express good wishes, to felicitar (**8**)
exterminated exterminado/a (**10**)
eyebrow la ceja (**11**)
eyedrops las gotas para los ojos (**11**)
eyelashes las pestañas (**11**)

F

fabric la tela (7)
face la cara (**11**)
facing enfrente de (**10**)
factory la fábrica (**7, 8**)
fail, to fallar (11)
faint, to desmayarse (**11**)
falconry la cetrería (10)
far from lejos de (**10**)
farm la granja (10)
farmer el/la granjero/a (**8**)
fashion la moda (**8**)
feeling down agobiado/a (7)
fertilizer el fertilizante (**10**)
fever la fiebre (7)
fight, to pelear(se); luchar (10)
figure la cifra (10)
filled relleno/a (8)
filling el relleno (7)
film, to filmar (**9**)
film (on location), to rodar (ue) (en exteriores) (**9**)
films el cine (**9**)
financial financiero/a (**8**)
fire (from a job), to despedir (i) (**8**)
firefighter el/la bombero/a (**8**)
firmness la firmeza (7)
fish store la pescadería (**7**)
fix, to arreglar (8)
flamenco el flamenco (**9**)
flea market el mercado de pulgas (7)
flight attendant el/la asistente de vuelo (**8**)
flu la gripe (11)
fluent fluido/a (8)
fly a kite, to hacer volar un volantín (7)
foot in your mouth, to put your meter la pata (9)
for para; por (10)
for this reason por eso (**10**)
forehead la frente (11)
fountain la fuente (**7**)
fox el zorro (**10**)
fracture, to fracturar(se) (**11**)
from desde; de (**10**)
from bad to worse de mal en peor (11)
fruit store la frutería (**7**)
fuel el combustible (**10**)
full-time workday la jornada completa (**8**)
funds los fondos (9)
fur la piel (7)

G

game show el concurso (**9**)
garbage dump el vertedero (10)
gargle, to hacer gárgaras (**11**)
garment la prenda (**7**)
generate, to engendrar (11)
geographical geográfico/a (**10**)
gesture el gesto (8, 10)
get a job/position as..., to conseguir un puesto de... (**8**)
get in(to), to meterse (**11**)
giraffe la jirafa (**10**)
given that puesto que (**7**)
glove el guante (**7**)
goal la meta (**8**)
goat la cabra (**10**)
golf course el campo de golf (**7**)
good bueno/a (**9**)
Good! ¡Qué bueno!; ¡Bueno! (8)
good, to be ser bueno (**9**)
good quality (*adj.*) de buena calidad (**7**)
goods los bienes (7)
gorilla el gorila (**10**)
graduate, el/la titulado/a (8)
graphic gráfico/a (**9**)
grasshopper el saltamontes (**10**)
greenhouse effect el efecto invernadero (**10**)
greeting el saludo (8)
greeting card la tarjeta (**7**)
groupies los/las seguidores/as (**9**)
grow, to crecer (7)
guess, to adivinar (8)
guilty culpable (7)
gum el chicle (**7**)

H

habitat el hábitat (**10**)
hair stylist/dresser el/la peluquero/a (**8**)
half la mitad (PB)
half sleeve media manga (**7**)
hand embroidery el bordado a mano (7)
Hang in there! ¡Ánimo! (8)
hangman, to play jugar al ahorcado (PB)
happy (about), to be alegrarse (de) (9)
hardware store la ferretería (**7**)
harm el daño (**10**)
harm, to dañar (**10**)
harmful dañino/a (11)
harp el arpa (7)
harvest, to cosechar (**10**)
He/She is not home. No está.; No se encuentra. (7)
headache el dolor de cabeza (**11**); (severe) la jaqueca (**11**)
heal, to sanarse (11)
heart attack el ataque al corazón (**11**)
heel (high, low) el tacón (alto, bajo) (**7**)
heel (of the foot) el talón (**11**)
Hello? Aló; Bueno; Diga; Dígame. (7)
Help! ¡Socorro! (10)
herb la hierba (11)
Hey... Oiga...; Oye... (7)
high blood pressure la presión alta; la hipertensión (**11**)
hip la cadera (**11**)
hire, to contratar (**8**)
home remedy el remedio casero (11)
homemaker el ama de casa (**8**)
hope, to esperar (**9**)
host/hostess el/la anfitrión/anfitriona (7, 12)
hot caluroso/a (7)
hotel management la gerencia de hotel (**8**)
How extraordinary! ¡Qué extraordinario! (8)
How marvelous! ¡Qué maravilloso! (8)
How stupendous! ¡Qué estupendo! (8)
Hugs Abrazos (8)
human body el cuerpo humano (**11**)
hummingbird el picaflor (**10**)

I

I agree. (Estoy) de acuerdo. (7, 10)
I don't agree. No estoy de acuerdo. (10)
I don't believe it. No lo creo. (11)
I don't think so. No lo creo. (11)
I doubt it. Lo dudo. (11)
I propose that... Propongo que... (11)
I recommend that... Recomiendo que... (11)
I suggest that... Sugiero que... (11)

I will call you later. Lo/La llamo más tarde. (7)
I'll say. Ya lo creo. (10)
I'm sorry. Lo siento. (8)
I'm telling you... Te digo... (10)
ice-cream store la heladería (7)
iguana la iguana (10)
illness la enfermedad (11)
image la imagen (9)
Imagine! ¡Imagínate!; ¡Figúrate! (10)
imminent inminente (8)
improve, to mejorar (10)
improvise, to improvisar (9)
in en (10)
in case en caso (de) que (7)
in charge encargado/a (7)
in front (of) enfrente (de) (10); delante de (10)
in order to para (10)
In other words... En otras palabras... (9)
in spite of a pesar de que (7)
inflammation la inflamación (11)
inform, to informar (9)
infrastructure la infraestructura (10)
inner ear el oído (11)
innovative innovador/a (9)
insecticide el insecticida (10)
inside of dentro de (10)
insist, to insistir (en) (9)
inspect, to inspeccionar (9)
interview la entrevista (8)
interview, to entrevistar (PB, 8)
invest, to invertir (ie, i) (8)
investment la inversión (8)
involved, to get involucrarse (10)
Is _____ there?/at home? ¿Está _____ (en casa)? (7)
island la isla (10)
isolated aislado/a (11)
isolation el aislamiento (10)
It is important (that)... Es importante que... (9)
It would be better to... Sería mejor... (11)
It's all the same to me. Me da igual. (12)
It's alright. Está bien. (10)
It's better (that)... Es mejor que... (9)
It's hard to believe. Parece mentira. (11)
It's necessary (that)... Es necesario que... (9)
It's preferable (that)... Es preferible que... (9)
It's that... Es que... (9)
It's true. Es verdad. (10); Es cierto. (10)
item el artículo (7)

J

jewelery las joyas (7)
job el empleo (1); el puesto (8); el trabajo (8)
jog, to hacer jogging (2)
joint la articulación (11)
journalist el/la periodista (8)

K

keyboard el teclado (9)
kite el volantín (7)
knee la rodilla (11)

L

label la etiqueta (8, 9)
landlord el/la propietario/a (8)
landscape el paisaje (9)
lawyer el/la abogado/a (8)
layer la capa (7)
leather la piel (7)
left undone, to be quedarse sin hacer (10)
Let's see... A ver... (11)
letter of recommendation la carta de recomendación (8)
lightbulb la bombilla (7)
lightweight liviano/a (7)
like, to gustar (9)
lip el labio (11)
lipstick el pintalabios (7)
little spot la manchita (11)
long largo/a (11)
long sleeve la manga larga (7)
Look... Mire/Mira... (7)
loose interpretation la paráfrasis (8)
lotion la loción (7)
low blood pressure la presión baja (11)
lung el pulmón (11)
luxury el lujo (12)

M

made of fur hecho de piel (7)
made of gold hecho de oro (7)
made of leather hecho de piel (7)
made of nylon hecho de nilón (7)
made of silver hecho de plata (7)
mail carrier el/la cartero/a (8)
mailbox el buzón (8)
make, to hacer; fabricar (10)
make by hand, to hacer a mano (9)
make noise, to hacer ruido (10)
mammal el mamífero (10)
management el manejo (8)
manager el/la gerente/a (8)
manatee el manatí (10)
manufacture, to fabricar (8)
mariachi el mariachi (9)
mark, to marcar (8)
marketing el mercadeo (8)
marsh el pantano (10)
masterpiece la obra maestra (9)
masters (degree) la maestría (8)
material la materia (9)
means los medios (9)
measles el sarampión (11)
mechanic el/la mecánico/a (8)
medical attention la atención médica (11)
medical insurance el seguro médico (8)
medical test la prueba médica (11)
medicine el medicamento (11)
merchant el/la comerciante (8)
merengue el merengue (9)
migraine la jaqueca (11)
monkey el mono (10)
mononucleosis la mononucleosis (11)
mosque la mezquita (7)
motif el motivo (9)
mountain range la sierra (10)
movies el cine (9)
MP3 player el reproductor de MP3 (9)
mural el mural (9)
muralist el/la muralista (9)
muscle el músculo (11)
music la música (9)
musical piece la pieza musical (9)
Muslim man/woman el/la musulmán/musulmana (7)
must deber (+inf.) (PA)
my mi/s (PA)
My dear friends Queridos amigos míos (8)
My most heartfelt condolences. Mis más sinceras condolencias. (8)

N

nail la uña (11)
nail polish el esmalte de uñas (7)
naive ingenuo/a (11)
nature la naturaleza (10)
nausea las náuseas (11)
near cerca de (10)
necklace el collar (7)
need, to necesitar; faltar (9)
negotiate, to negociar (8)
neither... nor ni... ni (11)
nerve el nervio (11)
never nunca; jamás (11)
Never in my life. En mi vida. (10)
nevertheless sin embargo (10)
news program el noticiero (9)
next to al lado de (10)
nightmare la pesadilla (7)
No doubt. Sin duda. (10)

no one nadie (**11**)
No way! ¡No me diga/s! (7, 10, 11); De ninguna manera. (10)
nobody nadie (**11**)
none ningún; ninguno/a/os/as (**11**)
nonprofit sin fines de lucro (**8**)
not at all nada (**11**)
not ever (*emphatic*) jamás (**11**)
not to believe no creer; no pensar (**9**)
not to think no creer; no pensar (ie) (**9**)
nothing nada (**11**)
notwithstanding no obstante (**10**)
now that ahora que (**7**)
number la cifra (10)
nursing la enfermería (**8**)

O

obesity la obesidad (**11**)
octopus el pulpo (**10**)
of de (**10**)
Of course. Claro., Claro que sí.; Cómo no.; Desde luego.; Por supuesto. (7, 10)
Of course not. Claro que no.; Nada de eso. (10)
offer, to ofrecer; brindar (7)
oil painting el óleo (**9**)
OK... Bueno... (11)
Okay. (Estoy) de acuerdo.; Está bien. (7, 10)
old antiguo/a; viejo/a (**9**)
older mayor (**9**)
oldest, the el/la mayor (**9**)
on the other hand por otro lado (**10**)
on top of encima de (**10**)
On/To the contrary. Al contrario. (10)
operate, to operar (**11**)
oppose, to oponer (9)
order, to put in ordenar; poner en orden (PB)
organ el órgano (**9**)
organist el/la organista (**9**)
organize, to organizar (**9**)
outside (of) (a)fuera (de) (**10**)
outskirts las afueras (7)
over sobre (**10**)
overpopulation la sobrepoblación (**10**)
overwhelmed agobiado/a (10)
owner el/la dueño/a; el/la propietario/a (7, **8**)

P

pack up, to empaquetar (12)
package el paquete; el envase (**10**)
pageant el concurso (PB, **9**)
paintbrush el pincel (9)
painter el/la pintor/a (**9**)
painting el cuadro; la pintura (**9**)
paraphrase, to parafrasear (8)
parking lot el estacionamiento (11)
parrot el loro (**10**)
part-time workday la jornada parcial (**8**)
pastry shop la pastelería (**7**)
patient el/la paciente (**11**)
patron el/la patrocinador/a (9)
pause la pausa (**11**)
peace la paz (10)
pearl la perla (7)
penguin el pingüino (**10**)
penicillin la penicilina (**11**)
percent por ciento (PB)
perform, to representar (**9**)
performance art el arte dramático (**9**)
perfume el perfume (**7**)
personal letter la carta personal (**8**)
personnel el personal (**8**)
pesticide el pesticida (**10**)
pharmacy la farmacia (**7**)
Phenomenal! ¡Fenomenal! (8)
physical exam el examen físico (**11**)
piece el pedazo; la pieza (7)
pigeon la paloma (**10**)
pilgrimage el peregrinaje (7)
pilot el/la piloto (**8**)
place el lugar (**7**)
place an order, to hacer un pedido (7)
plain la llanura (**10**)
plan, to planear (**9**)
play la obra de teatro (**9**)
play (an instrument), to tocar (un instrumento) (9)
playwright el/la dramaturgo/a (**9**)
pocket el bolsillo (7)
poisonous venenoso/a; tóxico/a (9, **10**)
police station la comisaría (PB, 7)
politician el/la político/a (**8**)
poor quality (*adj.*) de mala calidad (**7**)
popular music la música popular (**9**)
portrait el retrato (**9**)
position el puesto (**8**)
poster el cartel (12)
potter el/la alfarero/a (**9**)
pottery la alfarería (**9**)
pottery making la alfarería (**9**)
Precisely. Efectivamente.; Precisamente. (10)
predominant preponderante (10)
prefer, to preferir (ie, i) (**9**)
preparations los preparativos (PB)
present (*adj.*) actual (**8**)
preserve, to preservar (**10**)
prevent, to prevenir (ie) (**10**)
prison la cárcel (11)
probable, to be ser probable (**9**)
procedure el procedimiento (11)
produce, to elaborar; fabricar (**10**)
production la función (**9**)
profession la profesión (**8**)
professional profesional (**8**)
profit el lucro (**8**)
prohibit, to prohibir (**9**)
promote, to ascender (ie); promover (ue) (**8**, 9)
promoted, to be ascender (ie) (**8**)
proof la prueba (10)
provide, to proveer (11)
provided that con tal (de) que (**7**)
psychologist el/la psicólogo/a (**8**)
psychology la psicología (**8**)
public restrooms los servicios (**7**)
publicize, to publicitar (**8**)
puddle el charco (11)
pulse, to take someone's tomarle el pulso (**11**)
puma el puma (**10**)
purpose el propósito (11)

Q

qualification la calificación (8)
quartet el cuarteto (**9**)
Quiet everybody (on the set)! ¡Silencio! (**9**)
quit, to renunciar (a) (**8**)
quit smoking cigarettes, to dejar de fumar cigarrillos (**11**)

R

raise, to criar (10)
rate la tasa (10)
razor la navaja de afeitar (**7**)
Really? ¿De veras? (11)
rear trasero/a (11)
recently recién (PB)
receptacle el receptáculo (8)
recommend, to aconsejar; proponer; recomendar (ie) (9)
reduce, to reducir (**10**)
reflect, to reflexionar; reflejar (**9**)
regret el arrepentimiento (**8**)
regret, to sentir (ie, i) (**9**)
Relax. Tranquilo. (8)
relic la reliquia (8)
renewable renovable (**10**)
replace, to reemplazar (**10**)
reporter el/la reportero/a (**8**)
represent, to representar (**9**)
request, to pedir (i) (9)
require, to requerir (ie) (10)
requirement el requisito (8)
rescue, to rescatar (**10**)
resign, to renunciar (a) (**8**)
Respectfully yours Muy respetuosamente (8)
result el resultado (**11**)

résumé el currículum (vitae) (C.V.) (**8**)
retire, to jubilarse (**8**)
retirement la jubilación (**8**)
rhinoceros el rinoceronte (**10**)
rib la costilla (**11**)
ring el anillo (7)
risk el riesgo (**10**)
river el río (**10**)
role, to play the hacer el papel (**9**)
rooster el gallo (**10**)
rooted arraigado/a (11)
ruin, to arruinar (8)
rule la regla (8)

S

salary el sueldo (**8**)
sale la rebaja (**7**), la venta (**8**)
same thing, the lo mismo (**8**)
sapphire el zafiro (7)
save, to guardar; ahorrar (**8**); salvar (10)
savings el ahorro (**8**)
saxophone el saxofón (**9**)
saxophonist el/la saxofonista (**9**)
say exactly, to precisar (11)
scarcity la escasez (**10**)
scare el susto (PB)
scarf la bufanda (**7**)
schedule el horario (**8**)
scholarship la beca (9)
science (aquatic, political) las ciencias (acuáticas, políticas) (**8**)
score el resultado; la calificación (11)
screenwriter el/la guionista (**9**)
script el guión (**9**)
scriptwriter el/la guionista (**9**)
sculpt, to esculpir (**9**)
sculptor el/la escultor/a (**9**)
sculpture la escultura (**9**)
sea el mar (**10**)
seal la foca (**10**)
secretary el/la secretario/a (**8**)
self-portrait el autorretrato (**9**)
Sensational! ¡Sensacional! (8)
Seriously? ¿En serio? (11)
set el decorado (**9**)
severe headache la jaqueca (**11**)
shame la vergüenza (8)
shame, to be a ser una lástima (**9**)
shampoo el champú (**7**)
shark el tiburón (**10**)
shave, to afeitarse (11)
shaving cream la crema de afeitar (**7**)
sheep la oveja (**10**)
shoe store la zapatería (**7**)
shop la tienda (**7**)
shopkeeper el/la comerciante (**8**)
shopping basket la cesta (7)
short corto/a (**11**)
short (film) el cortometraje (**9**)
short sleeve la manga corta (**7**)
shoulder el hombro (**11**)
show el espectáculo; la función (**9**)
show, to enseñar (PA); mostrar (ue) (PA); lucir (7)
shower, to ducharse (11)
showy llamativo/a (**9**)
sign el signo; el letrero (8, 11)
similar parecido/a (9)
since pues; ya que (**7**); desde (**10**)
Sincerely De Ud. Atentamente; Le/s saluda atentamente; Muy atentamente; Un atento saludo (8)
skill la destreza (**8**)
skin la piel (**11**)
slave el/la esclavo/a (9)
sling el cabestrillo (**11**)
smallpox la viruela (10)
smog el esmog (**10**)
smoke el humo (**10**)
so that de manera que; de modo que; para que (**7**)
soap el jabón (**7**)
soap opera la telenovela (**9**)
solicit, to solicitar (**8**)
soloist el/la solista (**9**)
some unos/as; algún, alguno/a/os/as (**11**)
someone alguien (**11**)
something algo (**11**)
sometimes a veces (**11**)
somewhat algo (**11**)
soul mate la media naranja (9)
sound el sonido (7)
sound crew el equipo de sonido (**9**)
source la fuente (8)
space el espacio; el ámbito (7)
(special) offer la oferta (**7**)
specialty la especialidad (7)
specify, to precisar (11)
spokesperson el/la vocero/a (**8**)
spontaneous espontáneo/a (9)
sprain, to torcerse (ue) (**11**)
squirrel la ardilla (**10**)
stage el paso, la etapa; la época; el escenario (**9**)
stage fright el miedo de salir en escena (**9**)
stage manager el/la director/a de escena (**9**)
staging el montaje (**9**)
stand out, to destacar(se) (8)
state dinner el banquete de estado (8)
stationery shop la papelería (**7**)
still life la naturaleza muerta (**9**)
stilts los zancos (7)
stock market la bolsa (**8**)
stop, to pararse; dejar de (8)
store el almacén; la tienda (**7**)
store clerk el/la dependiente/a (**7**)
store owner el/la comerciante (**8**)
store window el escaparate (**7**)
story writer el/la cuentista (9)
stream el arroyo (**10**)
stretch, to estirarse (**11**)
stretcher la camilla (**11**)
strike la huelga (**8**)
strike, to hacer una huelga (**8**)
striking llamativo/a (**9**)
string instruments las cuerdas (7, **9**)
strings las cuerdas (7, **9**)
strong fuerte (**11**)
studio el estudio; el taller (**9**)
subject el tema; el asunto; la materia (**9**)
substance la sustancia (**10**)
subtitles los subtítulos (**9**)
success el logro (8)
suggest, to proponer; sugerir (ie, i) (**9**)
suggest an alternative, to sugerir una alternativa (**11**)
supervisor el/la supervisor/a (**8**)
Sure! ¡Claro!; ¡Por supuesto! (7, 10)
surface la superficie (11)
surprise la sorpresa (**10**)
surround, to rodear (10)
survey el sondeo; la encuesta (10, 11)
survive, to sobrevivir (**10**)
sustain, to sostener (ie) (**10**)
swell, to hincharse (**11**)
sympathy la simpatía (**8**)
symphony orchestra la sinfónica (**9**)
symptom el síntoma (**11**)

T

tailor shop la sastrería (7)
take advantage of, to aprovecharse de (11)
take notes, to tomar apuntes (8)
take over, to apropiarse (**8**)
take someone's blood pressure, to tomar la presión (11)
take someone's pulse, to toma el pulso (11)
talcum powder el talco (7)
talented talentoso/a (**9**)
talk la charla (PB)
tapestry el tapiz (**9**)
tax el impuesto (8)
teacher el/la maestro/a (**8**)
teaching la pedagogía (**8**)
technical técnico/a (**9**)
(telemarketing) sales las ventas (por teléfono) (**8**)
television la televisión (**9**)
television viewer el/la televidente (**9**)
tell, to decir; contar (ue); informar (**9**)
testify, to declarar (7)
Thank you for calling (me). Gracias por haber(me) llamado. (7)

that que, quien(es); ese/a (**8**)
That is... O sea... (9, 11)
that one (*pron.*) ése/a (**8**)
that (way) over there (*adj.*) aquel/la (**8**)
That's it. Así es.; Eso es. (7, 10)
That's to say... Es decir... (9)
thaw, to descongelar (**10**)
The fact is that... Es que... (9)
The truth is... La verdad es que... (11)
theater el teatro (**9**)
theme el tema; el motivo (**9**)
There's no doubt. No cabe duda; No hay duda. (10)
There's no other way/solution. No hay más remedio. (10)
thermometer el termómetro (**11**)
these (*adj.*) estos/as; (*pron.*) éstos/as (**8**)
thesis la tesis (PB)
thick grueso/a (11)
thigh el muslo (**11**)
think up, to concebir (i) (10)
this este/a (**8**)
This is... Es...; Le/Te habla...; Soy... (7)
this one éste/a (**8**)
This will soon pass. Esto pasará pronto. (8)
This/It can't be! ¡No puede ser! (10, 11)
those (*adj.*) esos/as; (*pron.*) ésos/as (**8**)
those (away in distance and/or time) (*pron.*) aquél/la/los/las (8)
those (way) over there (*adj.*) aquellos/as (**8**)
threat la amenaza (10)
threaten, to amenazar (**10**)
throat la garganta (11)
through a través de; por (**10**)
throw out, to botar (10)
tied atado/a (8)
tiger el tigre (**10**)
tight apretado/a (**7**)
timetable el horario (**8**)
to a (**10**)
to the left of a la izquierda de (**10**)
to the right of a la derecha de (**10**)
To whom it may concern A quién corresponda (8)
toilet paper el papel higiénico (**7**)
tolerate, to aguantar (9)
tongue la lengua (**11**)
toothbrush el cepillo de dientes (**7**)
toothpaste la pasta de dientes (**7**)
top (toy) el trompo (7)
toy store la juguetería (**7**)
tragedy la tragedia (**9**)
train, to entrenar (**8**)
training la formación (**8**); el entrenamiento (11)
translate, to traducir (8)
tray la bandeja (11)
treatment el trato; el tratamiento (10, **11**)
trio el trío (**9**)
trombone el trombón (**9**)
true verdadero/a (PB)
turtle la tortuga (**10**)

U

Um... Eh...; Pues...; Este... (11)
uncertain, to be no estar seguro (de) (**9**)
under debajo de (**10**)
underestimate, to menospreciar (11)
underscore, to subrayar (9)
underwear la ropa interior (**7**)
unless a menos que (**7**)
unsurpassable insuperable (9)
until hasta (que) (**7, 10**)
use, to usar; utilizar (1); emplear (7, 8)

V

vaccination la vacuna (**11**)
valley el valle (**10**)
value el valor (**9**)
veins las venas (**11**)
veterinarian el/la veterinario/a (**8**)
violin el violín (**9**)
visual visual (**9**)
visual arts el arte visual (**9**)
volcano el volcán (**10**)
vomit, to vomitar (**11**)

W

wallet la billetera (**7**)
want, to querer (ie) (**9**)
wardrobe el vestuario (**9**)
waste el desperdicio (**10**)
waste, to perder (ie), gastar; desperdiciar (**10**)
watercolor la acuarela (**9**)
waterfall la catarata (**10**)
wave la onda (10)
weaver el/la tejedor/a (**9**)
weaving el tejido (**9**)
weighed down agobiado/a (7)
Well... Pues...; Este...; Bueno... (**11**)
wetland el pantano (**10**)
whale la ballena (**10**)
What a shame/pity! ¡Qué pena/lástima! (8)
(What) I mean... (Lo que) quiero decir... (9)
when cuando (**7**)
while mientras (que) (**7, 10**)
Who shall I say is calling? ¿De parte de quién? (7)
wide ancho/a (**11**)
wild salvaje (10)
winegrowing la viticultura (8)
wisdom teeth los dientes de juicio (8)
wish, to querer (ie); desear (**9**)
with con (**10**)
With love Con cariño (**8**)
without sin que (**7**); sin (**10**)
Without a doubt. No cabe duda; No hay duda; Sin duda. (10)
wolf el lobo (**10**)
wood instruments los instrumentos de viento/madera (**9**)
wood sculpture la talla (**9**)
woodwinds los instrumentos de viento/madera (**9**)
work-related laboral (**8**)
workshop el taller (**9**)
worse peor (**9**)
worst, the el/la peor (**9**)
worst thing, the lo peor (**8**)
worthy digno/a (7)
wrapping paper el papel de envolver (**7**)
wrinkle la arruga (11)
wrist la muñeca (**11**)
wristwatch el reloj de pulsera (**7**)
writer el/la escritor/a (**8**)

X

X-ray la radiografía (**11**)

Y

You don't say! ¡No me diga/s! (7, 10, 11)
You have my sympathy. Mi más sentido pésame. (8)
You know... Sabes... (11)
You're kidding me/pulling my leg. Me estás tomando el pelo. (10)
young joven (**9**)
younger menor (**9**)
youngest, the el/la menor (**9**)

PHOTO CREDITS

Cover Pete Turner / Image Bank / Getty Images; **p. xiv (middle)** Robert Kaussner; **p. 243** Getty Images, Inc.; Cartesia / Getty Images, Inc. - Photodisc; **p. 244** GERD GEORGE / Getty Images, Inc. - Taxi; Amos Morgan / Getty Images, Inc. - Photodisc; www.comstock.com; **p. 245** David Oliver / Getty Images Inc. - Stone Allstock; **p. 246** Erich Lessing / Art Resource, NY; Prado, Madrid, Spain / The Bridgeman Art Library; Fundacion Guayasamin; **p. 253** Rob Melnychuk / Getty Images, Inc. - Photodisc; © Tony Perrottet / Omni-Photo Communications, Inc.; Chad Ehlers / Stock Connection; Despotovic Dusko / Corbis/Bettmann; **p. 256** Courtesy of www.istockphoto.com; **p. 258** © Judith Miller / Dorling Kindersley / Auktionhaus Dr Fischer; **p. 266** Yousuf Karsh / Woodfin Camp & Associates, Inc.; Getty Images, Inc.; Newscom; **p. 267** Bonnie Kamin / PhotoEdit Inc.; **p. 270** AT Media Services / Pearson Education / PH College; **p. 273** Robert Frerck / Odyssey Productions, Inc.; **p. 275** AT Media Services / Pearson Education / PH College; **p. 276** David R. Frazier / David R. Frazier Photolibrary, Inc.; **p. 279** Newscom; **p. 283** Copyright © Russell Gordon / Odyssey / Chicago. All Rights Reserved; Wolfgang Kaehler / Corbis/Bettmann; **p. 284** Newscom; **p. 286** KEVIN LAUBACHER / Getty Images, Inc. - Taxi; **p. 288** AT Media Services / Pearson Education / PH College; **p. 290** Claudia Kunin / Getty Images Inc. - Stone Allstock; **p. 293** Frank Capri / Saga' 92 / Getty Images Inc. - Hulton Archive Photos; AP Wide World Photos; Newscom; Gonzalo Azumendi / AGE Fotostock America, Inc.; **p. 294** Ian Aitken © Rough Guides; **p. 295** KEN REID / Getty Images, Inc. - Taxi; Courtesy of QVC, Inc.; **p. 298** Don Bonsey / Getty Images Inc. - Stone Allstock; Jorge Villegas / Odyssey Productions, Inc.; Tony Souter © Dorling Kindersley; Getty Images; **p. 299** brianlatino / Alamy; ©Jimmy Dorantes / Latin Focus.com; © Ken Laffal; **p. 300** AT Media Services / Pearson Education / PH College; **p. 303** AT Media Services / Pearson Education / PH College; **p. 307** GARY BUSS / Getty Images, Inc. - Taxi; **p. 309** AT Media Services / Pearson Education / PH College; **p. 310** Jo Foord © Dorling Kindersley; **p. 312** Klumpp, Don / Getty Images Inc. - Image Bank; **p. 314** Getty Images - Stockbyte, Royalty Free; Getty Images, Inc.; **p. 318** United States Department of Education; Courtesy of Dr. Quinones; **p. 320** Brady / Pearson Education / PH College; **p. 321** Jon Riley / Getty Images Inc. - Stone Allstock; **p. 322** Getty Images - Stockbyte, Royalty Free; **p. 324** AT Media Services / Pearson Education / PH College; **p. 332** Courtesy Eduardo R. Fernández / Director; Bassat Ogilvy / EFE / Carlos Neville; EFE/MG; Ronaldo Schemidt / Newscom; **p. 335** Photodisc / Getty Images; **p. 338** © Michael Newman / PhotoEdit; Terry Vine / Getty Images Inc. - Stone Allstock; Geoff Brightling © Dorling Kindersley; Manu Brabo / GRANANGULAR / Odyssey Productions, Inc.; **p. 339** Ron Giling / Peter Arnold, Inc.; Barnabas Kindersley © Dorling Kindersley; Newscom; Getty Images Inc. - Stone Allstock; **p. 340** AT Media Services / Pearson Education / PH College; **p. 342** AT Media Services / Pearson Education / PH College; **p. 347** Picture Desk, Inc. / Kobal Collection; **p. 349** AT Media Services / Pearson Education / PH College; **p. 350** Courtesy Jeff & Donna Carter, Moncayo-Art.com; Ignacio Silva; **p. 351** EFE / Juan Herrero; © Roger-Viollet / The Image Works; **p. 356** Image courtesy of artist Karin Momberg www.karinmomberg.com; Ian Aitken © Rough Guides; **p. 359** Photo by Chris Jackson / Getty Images; **p. 360** Robert Frerck / Woodfin Camp & Associates, Inc.; Colin Sinclair © Dorling Kindersley; Private Collection / The Bridgeman Art Library; Ian Aitken © Rough Guides; **p. 364** AT Media Services / Pearson Education / PH College; **p. 365** Robert Fried / robertfriedphotography.com; Mikhail Metzel / AP Wide World Photos; Peter Bennett / Ambient Images; Photograph © 2005 Jack Vartoogian / FrontRowPhotos; © Jimmy Dorantes / Latin Focus.com; Matti Kolho / Lebrecht Music & Arts Photo Library; **p. 367** Henry Romero / Corbis/Reuters America LLC; **p. 370** Prentice Hall School Division; **p. 371** Angel Navarrete / GRANANGULAR / Odyssey Productions, Inc.; Vincent West/Reuters / Corbis/Bettmann; Jesus Villaseca / Gran Angular/Odyssey Productions; **p. 373** AT Media Services / Pearson Education / PH College; **p. 376** Getty Images - Stockbyte, Royalty Free; Barriopedro, EFE / AP / Wide World Photos; Jack Vartoogian / Jack Vartoogian / Front Row Photos; Alonso Alegria; **p. 377** Photograph courtesy of Jaime S. Reyes; Getty Images; Carrion/Corbis / Sygma; Robert Fried / robertfriedphotography.com; **p. 378** AT Media Services / Pearson Education / PH College; **p. 380** AT Media Services / Pearson Education / PH College; **p. 385** Sheila Terry / Photo Researchers, Inc.; **p. 387** AT Media Services / Pearson Education / PH College; **p. 390** Jorge Uzon / AFP / Getty Images, Inc. - Agence France Presse; **p. 391** Warner Music Mexico S.A. de C.V.; **p. 399** AT Media Services / Pearson Education / PH College; **p. 400** John Downer / Nature Picture Library; **p. 406** Sexto Sol / Getty Images, Inc.- Photodisc; **p. 408** David Peart © Dorling Kindersley; **p. 410** Joel Sartore / Joel Sartore Photography; EFE News Services, Inc.; Nobelstiftelsen / The Nobel Foundation; **p. 412** Getty Images, Inc.- Photodisc; **p. 416** David Young-Wolff / PhotoEdit Inc.; Alamy Images; Silva / UNEP / Peter Arnold, Inc.; Colin Prior / Getty Images Inc. - Stone Allstock; **p. 417** Rafael Enrique Bayona Angarita / Rafael Enrique Bayona Angarita; Doug Perrine / Nature Picture Library; Luis Urrego / LATINPHOTO.org; BLANCA HUERTAS / AP Wide World Photos; **p. 418** AT Media Services / Pearson Education / PH College; **p. 420** AT Media Services / Pearson Education / PH College; **p. 425** Lori Adamski Peek / Getty Images Inc. - Stone Allstock; **p. 427** AT Media Services / Pearson Education / PH College; **p. 431** Romanelli, Marc / Getty Images Inc. - Image Bank; **p. 434** © Dorling Kindersley; **p. 435** DAVID LEAHY / Getty Images, Inc. – Taxi; **p. 438** AT Media Services / Pearson Education / PH College; **p. 442** Tony Freeman / PhotoEdit Inc.; **p. 449** Philip Gatward © Dorling Kindersley; Ian Aitken © Rough Guides; **p. 451** AP Wide World Photos; Carlos Pérez de Rozas / EFE News Services, Inc.; Tony Gomez / AP Wide World Photos; **p. 453** © Jim Craigmyle / Corbis; George Mattei / Photo Researchers, Inc.; BSIP / Phototake NYC; Mehau Kulyk / Photo Researchers, Inc.; Bob Daemmrich / Stock Boston; **p. 456** John Davis © Dorling Kindersley; © Bettmann / CORBIS All Rights Reserved; Stephen McBrady / PhotoEdit Inc.; David Frazier / The Image Works; **p. 457** Nick Wass / AP Wide World Photos; Robert Fried / robertfriedphotography.com; Monika Graff / AP Wide World Photos; Deni Bown © Dorling Kindersley; **p. 458** AT Media Services / Pearson Education / PH

College; **p. 460** AT Media Services / Pearson Education / PH College; **p. 465** Sheila Terry / Photo Researchers, Inc.; **p. 470** Autodesk, Inc.; Getty Images; Curtis Leigh / Newscom; **p. 472** Richard Hutchings / Photo Researchers, Inc.; David Young-Wolff / PhotoEdit Inc.; Daniel Bosler / Getty Images Inc. - Stone Allstock; **p. 473** Bob Daemmrich / The Image Works; **p. 475** Getty Images - Stockbyte, Royalty Free; Susan Van Etten / PhotoEdit Inc.; **p. 477** Time & Life Pictures / Getty Images; Diego Rivera, "The Making of a Fresco Showing the Building of a City" 1931, fresco, 271 x 357 in. (6.95 x 9.15 m), © 2006 Banco de Mexico Diego Rivera & Frida Kahlo Museums Trust / ARS Artists Rights Society, NY. Av. Cinco de Mayo No. 2. Col. Centro, Del. Cuauhtemoc 06059, Mexico, D. F. Instituto Nacional de Bellas Artes Mexico INBA - Mexico. San Francisco Art Institute, gift of William Gerstle; **p. 480** Ben Osborne / Nature Picture Library; **p. 481** Krafft / Hoa-Qui / Photo Researchers, Inc.; Jose Pelaez / Corbis/Stock Market; **p. 483** AT Media Services / Pearson Education / PH College; **p. 484** Geoff Brightling © Dorling Kindersley; Barnabas Kindersley © Dorling Kindersley; Barriopedro, EFE / AP/Wide World Photos; Photograph courtesy of Jaime S. Reyes; Robert Fried / robertfriedphotography.com; Doug Perrine / Nature Picture Library; Silva/UNEP / Peter Arnold, Inc.; © Bettmann/CORBIS All Rights Reserved; Deni Bown © Dorling Kindersley; David Frazier / The Image Works; **p. 486** Jennifer Graylock / AP Wide World Photos; Daniel BerehulakAllsport Concepts / Getty Images; © Tiziou Jacques / CORBIS Sygma; Carrion / Corbis / Sygma; Frank Capri / Saga' 92 / Getty Images Inc. - Hulton Archive Photos; Nobelstiftelsen / The Nobel Foundation.

INDEX

F

G

H

I

J

L

M

N

O

P

Q

R

S

T

U

V

W

Y

Z

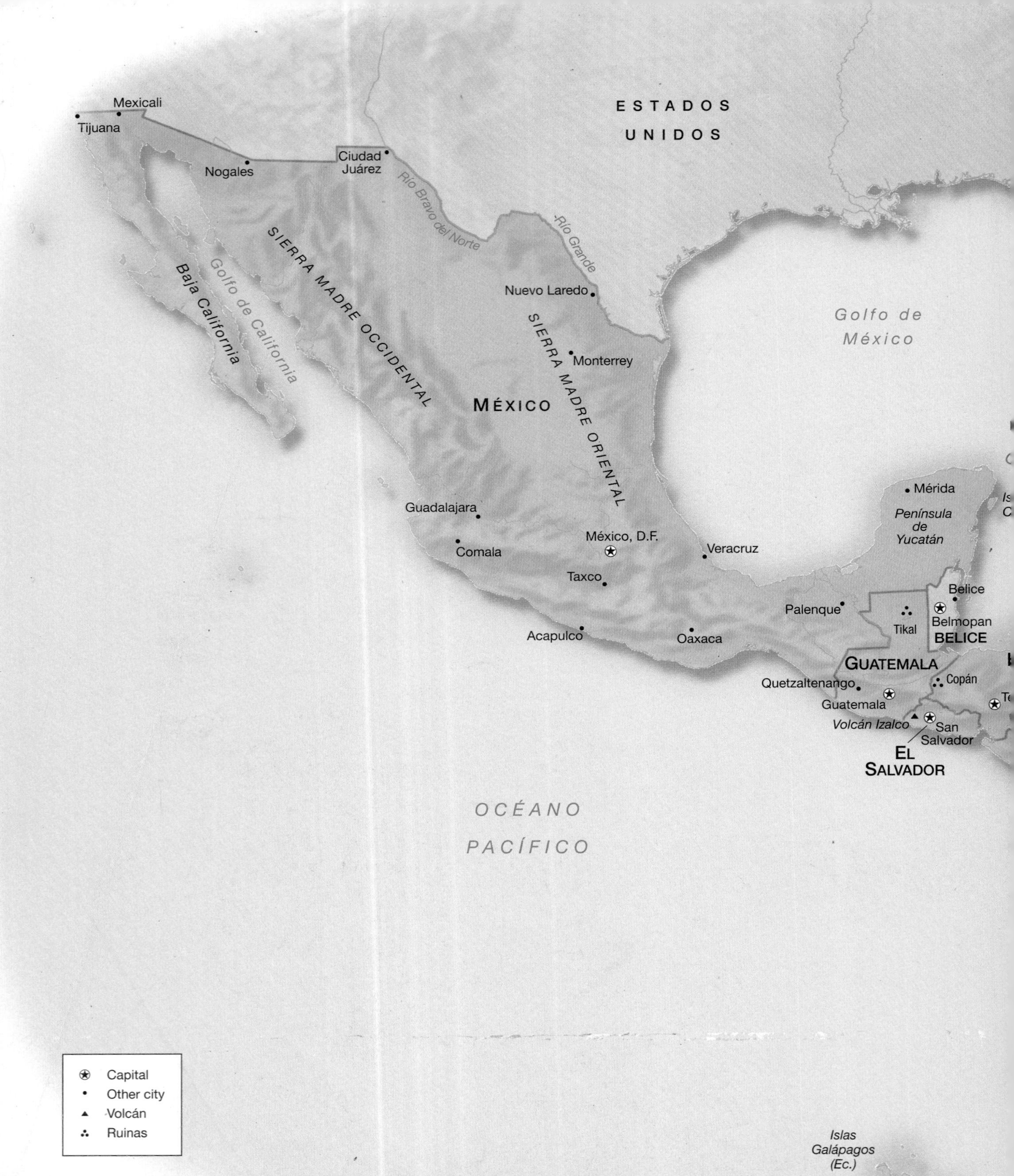

México, América Central y el Caribe